CHAPITRE PREMIER

Dehors

«Plus de place! C'est complet!»
Il me referma la porte au nez.
Ce fut le coup fatal.

Avoir erré toute la journée en quête de travail; avoir mendié pour un emploi qui m'aurait à peine permis de me nourrir, et avoir erré et mendié en vain, c'était déjà pénible. Mais me retrouver devant l'asile de nuit, le cœur malade, le corps et l'esprit épuisés, à demi mort de faim et de fatigue, et être forcé d'y quémander un abri pour la nuit, comme le vagabond désargenté que j'étais devenu – et le quémander en vain! C'était pire. Pire que tout ce que je pouvais imaginer.

Je regardai stupidement la porte close. Je pouvais à peine croire la chose possible. Je ne m'étais jamais imaginé dans la peau d'un vagabond; mais me voir réduit à cet état et écarté de cet antre d'ignominie qu'était l'asile de nuit, c'était atteindre une misère telle que je n'en avais jamais rêvé même dans mes cauchemars les plus noirs.

Tandis que je réfléchissais à ce que j'allais faire, un homme sortit de l'ombre du mur pour s'approcher de moi.

«Y veulent pas te laisser entrer?

– Il dit que c'est complet.

– Complet, hein? C'est leur excuse à Fulham: ils disent toujours que c'est complet. Ils veulent pas qu'y ait trop d'monde.»

Je jetai un regard sur lui. Sa tête était penchée en avant, il avait les mains dans les poches; il était vêtu de haillons et sa voix était éraillée.

«Vous voulez dire qu'ils prétendent que c'est complet alors qu'il y a de la place?

– Ouais. Ce type se f..t de toi.

– Mais, s'il y a des lits vides, ils sont obligés de me laisser entrer!

– Je veux. Et, si j'étais toi, je les y forcerais! Oh bon Dieu oui!» Il lâcha une bordée d'injures.

«Mais que dois-je faire?

– Hé! Fais un peu de boucan! Montre-leur que tu te laisses pas faire!»

J'hésitai; puis, suivant son conseil, je tirai sur la sonnette une nouvelle fois. La porte s'ouvrit aussitôt sur le misérable qui avait répondu à mon premier appel. Le directeur de l'asile lui-même n'aurait pas pu me toiser avec plus de mépris.

«Quoi, encore vous! A quoi vous jouez? Vous croyez que je n'ai rien

11

de mieux à faire que m'occuper de vous?

– J'exige d'être admis!

– Alors vous ne serez pas admis!

– Je veux voir un responsable.

– J'ai pas l'air responsable, moi?

– Je veux voir quelqu'un d'autre. Je veux voir un surveillant.

– Alors vous ne verrez pas de surveillant!»

Il tenta de refermer la porte, mais je m'attendais à cette manœuvre et j'avançai le pied pour l'en empêcher.

«Etes-vous sûr que l'asile est complet?

– Ça fait au moins deux heures.

– Mais qu'est-ce que je vais faire?

– Je ne sais pas ce que vous allez faire!

– Quel est l'asile le plus proche?

– Kensington.»

Soudain, il ouvrit la porte en grand et me poussa en arrière. Avant que j'aie pu réagir, la porte était close. L'homme en haillons, qui avait assisté à la scène en silence, dit alors:

«Chic type, hein?

– Ce n'est qu'un des pensionnaires de l'asile. Quel droit a-t-il de se conduire comme un fonctionnaire?

– Laisse-moi te dire, certains de ces types sont pires que les fonctionnaires! Ils se croient propriétaires de l'asile, bon sang de bois. Oh, quel f...u monde!»

Il se tut. J'hésitai. Depuis quelques moments, l'air sentait la pluie. Une fine averse commença de tomber. A présent, ma coupe était pleine. Mon compagnon me regardait avec une curiosité maussade.

«Tu n'as pas d'argent?

– Plus un penny.

– Ça fait longtemps que tu es comme ça?

– C'est la première fois que je demande asile dans un tel endroit, et on dirait que je ne vais même pas pouvoir y entrer.

– Je me disais bien que t'avais l'air d'un bleu. Qu'est-ce que tu vas faire?

– Sommes-nous loin de Kensington?

– De l'asile? Environ trois miles, mais, si j'étais toi, j'essaierais plutôt Saint-George.

– Où est-ce?

– Du côté de Fulham Road. Kensington, c'est tout petit et on y est bien traité, c'est toujours complet dès qu'y-z-ouvrent les portes. T'aurais plus de chances à Saint-George.»

Il se tut. Je retournai ses paroles dans mon esprit, aussi peu disposé à essayer un endroit plutôt qu'un autre. Il reprit la parole:

«Ça fait depuis ce matin que je marche, depuis Reading, et, toute la f....ue journée, à chaque f...u pas que je faisais, je me disais: 'C'te

12

Le Scarabée

«NéO/Plus/fantastique»
dirigée
par Hélène Oswald

NéO/Plus:

Parus:

Cet ouvrage a été réalisé
sous la direction de Richard D. Nolane

Couverture illustrée par
Jean-Michel Nicollet

Maquette: NéO

Richard Marsh

Le Scarabée

Roman

Traduit de l'anglais
par Jean-Daniel Brèque

Introduction
par Richard D. Nolane

La présente publication constitue
la première édition française
de cet ouvrage.

Titre original:
The Beetle

Si vous souhaitez être tenu au courant de nos publications, il vous suffit
d'adresser vos nom et adresse à NéO, 5, rue Cochin, 75005 Paris.

ISBN: 2-7304-0447-3

Préface

La plupart des soixante-dix livres signés par Richard Marsh (1857-1915) furent des «thrillers» et des romans policiers qui hissèrent leur auteur parmi les producteurs de véritables best-sellers de son temps. Il faut dire d'ailleurs que Richard Marsh avait l'écriture dans le sang puisqu'il avait vendu ses premières histoires à des magazines pour enfants, dès l'âge de... douze ans! On peut donc trouver assez étrange qu'un tel monstre du policier n'ait été traduit qu'une seule fois (par Maurice Dekobra) chez nous, avec le roman La Nuit du 3 Mai, aux Editions de France, dans la fameuse collection «A Ne Pas Lire La Nuit» (1933)...

Au travers de ce flot policier se glissèrent un certain nombre de romans fantastiques dont Le Scarabée est sûrement le plus connu. J'avoue le classer parmi mes livres favoris de la littérature d'angoisse anglaise de l'Ere Victorienne, ne serait-ce que parce qu'il me semble être le premier véritable «thriller surnaturel». Ce genre de récit, très populaire aujourd'hui, combine une écriture et une intrigue policières avec des éléments fantastiques et je pense que Richard Marsh fut, à l'occasion du roman que vous allez lire, le premier auteur à utiliser complètement la technique de ce type d'histoires: il suffirait de réactualiser personnages et lieux d'action pour obtenir, sans pratiquement aucune autre modification, un livre signé Graham Masterton ou James Herbert...

En avance sur son temps, Richard Marsh l'était aussi par d'autres détails d'importance. Le premier qui saute aux yeux est le découpage du roman en plusieurs parties, chacune d'elles racontée par un personnage différent. Le roman y gagne en richesse (plusieurs points de vue sont exposés) sans y perdre pour autant en efficacité puisque chaque partie prend le relais de la précédente pour faire avancer le suspense de l'histoire. A cela, on pourrait ajouter la plus que trouble sexualité qui se dégage de certaines rencontres des personnages centraux avec la mystérieuse créature inhumaine venue des profondeurs du temps et de l'Egypte pour porter la mort au cœur de Londres... Un seul roman fantastique de l'époque (paru d'ailleurs la même année que celui de Marsh, en 1897) me semble avoir aussi sournoisement défié le puritanisme victorien, c'est Dracula, le chef-d'œuvre de Bram Stoker, dont le vampire joue

7

à merveille avec la terrible fascination provoquée par le mélange mort/ sexe/horreur. Mais là où Stoker développait une atmosphère étouffante, Richard Marsh a choisi, lui, le mode du «thriller» moderne pour mener son histoire à bien: Le Scarabée est un roman qui se lit à cent à l'heure et l'humour de certains passages n'est là que pour mieux faire ressortir l'angoisse de ceux qui suivent.

Richard Marsh a signé d'autres romans mêlant policier et surnaturel ou horreur, comme The Mahatma's Pupil (Henry & Co., 1893), The Goddess (1895), Tom Ossington's Ghost (Bowden, 1898), A Metamorphosis (1903), The Death Whistle (1905), ou A Spoiler of Men (Chatto & Windus, 1905). On peut lire également nombre de ses nouvelles fantastiques dans ses recueils The Devil's Diamond (Henry & Co., 1893), Curios (Long, 1898), Marvels and Mysteries (Methuen, 1900), The Seen and the Unseen (Methuen, 1900), Both Sides of the Veil (Methuen, 1901) et Between the Dark and the Daylight (1902).

Le fantastique était d'ailleurs une affaire de famille chez Richard Marsh car son petit-fils ne fut autre que le grand auteur anglais de «Ghost Stories», Robert Aickman, décédé il y a quelques années...

Richard D. Nolane

LIVRE PREMIER

La maison à la fenêtre ouverte

L'étonnant récit de Robert Holt

nuit, je dors à Hemmersmith', et maintenant, j'en suis toujours aussi loin! Ah, quel f...u pays! Je souhaite que toutes ses f...ues âmes soient jetées dans la f...ue mer! Mais j'irai pas plus loin. Je dormirai à Hammersmith cette nuit, on va voir c'qu'on va voir!

– Comment allez-vous faire? Avez-vous de l'argent?

– De l'argent? Tu rigoles! Est-ce que j'ai l'air d'avoir de l'argent? Ça fait six mois que je n'ai pas vu la couleur d'une guinée!

– Mais alors, comment allez-vous trouver un lit?

– Comment je vais...? Eh bien, comme ça.» Il ramassa deux pierres sur le sol et en jeta une dans la vitre placée au-dessus de la porte de l'asile. Elle la traversa pour aller fracasser une lampe à l'intérieur. «Voilà comment j'vais me trouver un lit!»

La porte fut ouverte en hâte. Le misérable réapparut. Il se pencha vers nous dans les ténèbres et cria:

«Qui a fait ça?

– C'est moi, mon prince, et, si tu veux, tu peux me regarder faire encore une fois, ça f'ra du bien à tes yeux!»

Avant que l'autre ait pu intervenir, il avait brisé une autre vitre avec la deuxième pierre. Je sentis que le moment était venu pour moi de quitter les lieux. Je n'avais nulle envie de payer ce prix-là pour un abri.

Quand je m'en allai, deux ou trois autres personnes avaient fait leur apparition, et l'homme en haillons les apostrophait avec une franchise qui laissait peu de chose à l'imagination. Je m'éloignai sans être remarqué, mais je ne fis que quelques pas avant de regretter de n'avoir pas tenté ma chance aux côtés de ce courageux vagabond. Mes pas hésitèrent plus d'une fois, et je faillis revenir en arrière pour aller moi aussi briser une fenêtre.

Il était difficile de concevoir pires circonstances pour une promenade nocturne. La pluie était comme un rideau de brume, et non seulement me trempait jusqu'aux os, mais en plus m'empêchait de voir à plus de quelques yards devant moi. Le quartier était mal éclairé et m'était inconnu. Je n'étais venu à Hammersmith qu'en dernier recours: j'avais apparemment parcouru tous les recoins de Londres à la recherche de moyens de subsistance, et seul ce quartier me restait à explorer. Et à Hammersmith, même à l'asile de nuit, on ne voulait pas de moi!

En quittant la porte peu accueillante de l'asile, j'avais pris la première rue à gauche, et j'avais été content de la trouver sur le moment. Au milieu des ténèbres et de la pluie, le quartier dans lequel je pénétrais m'apparaissait comme inachevé, et j'avais l'impression de laisser la civilisation derrière moi. La rue n'était pas pavée, le sol était dur et inégal, comme s'il n'avait jamais été proprement tassé. Les maisons étaient rares et espacées, et celles que je vis me semblèrent, au milieu de l'obscurité et de la désolation, des cottages tombant en ruine.

Je n'aurais su dire où j'étais exactement. Je pensais vaguement aboutir sur Walham Green en continuant dans la même direction, mais au bout de combien de temps, je ne pouvais que le deviner. Il n'y avait pas âme qui vive à qui je puisse demander la direction à suivre, j'avais la sensation d'errer dans un contrée dévastée.

Il devait être entre onze heures et minuit. Je n'avais pas renoncé à ma quête tant que les boutiques étaient restées ouvertes et, à Hammersmith, cette nuit-là du moins, on ne fermait pas tôt. Puis j'avais marché sans but, me demandant ce que j'allais faire. Ce ne fut que par peur de passer la nuit à la belle étoile sans avoir mangé et de me retrouver épuisé le lendemain matin que j'avais quémandé un abri à l'asile. C'était la faim qui m'avait conduit à sa porte. Nous étions mercredi et, depuis le dimanche précédent, rien n'avait franchi mes lèvres sinon l'eau des fontaines publiques et un croûton de pain que m'avait donné un compagnon de misère dans Holland Park. Cela faisait trois jours que je jeûnais, trois jours que j'étais debout. Il me semblait que j'allais m'effondrer si je ne trouvais rien à manger. Mais comment pouvais-je y parvenir dans cet endroit étrange et inhospitalier?

Je ne sais pas combien de temps j'ai marché. A chaque yard que je parcourais, mes pieds traînaient davantage. J'étais mort de fatigue, je n'avais plus ni force ni courage. Et cette terrible envie en moi, qui hurlait presque! Etourdi, épuisé, je m'appuyai contre une palissade. Si seulement la mort était venue à moi, rapide et sans douleur, je l'aurais accueillie comme une amie. Cette lente agonie était insupportable.

Il s'écoula quelques minutes avant que je ne me ressaisisse. Je m'éloignai de la palissade et avançai en trébuchant sur le sol inégal. Peu après, je m'écroulai comme un ivrogne et me retrouvai à genoux. J'étais si épuisé que je faillis rester là, prêt à m'abandonner au destin, à accepter le sort dont les dieux m'avaient gratifié et à m'endormir à même le sol. La nuit qui était devant moi était longue, et aurait sans doute duré une éternité.

Je me relevai, et j'avais parcouru environ deux cents yards (le ciel m'est témoin qu'ils me semblèrent deux miles!) quand cette sensation d'étourdissement, causée sans aucun doute par l'inanition, s'empara de nouveau de moi. Impuissant, je m'écroulai contre une murette au bord de la route. Sans elle, je serais tombé à terre. Mon étourdissement me sembla durer des heures, mais ne se prolongea sans doute que quelques secondes, et, quand je revins à moi, ce fut comme si on venait de m'arracher à un sommeil bienheureux pour me précipiter dans l'agonie. Je m'exclamai:

«Que ne ferais-je pas pour un morceau de pain!»

Frénétiquement, je regardai autour de moi, et m'aperçus de la présence d'une maison. C'était une de ces prétendues villas qui ont fait leur apparition un peu partout dans Londres et qui sont louées entre vingt-cinq et trente livres l'année. Autant que je pouvais voir, dans cette lumière imparfaite, elle était isolée et il n'y avait pas d'autre immeuble à moins de trente yards de chaque côté. Il y avait trois fenêtres à l'étage et, derrière chacune d'elles, les volets étaient baissés. La porte d'entrée était à ma droite, et on y accédait en franchissant un petit portail de bois.

La maison elle-même était si proche de la rue qu'en me penchant au-dessus de la murette, j'aurais pu toucher les deux fenêtres du rez-de-chaussée. L'une d'elles était une bow-window, et elle était ouverte. Le châssis était soulevé d'environ six pouces.

CHAPITRE II

Dedans

J'enregistrai, et pour ainsi dire photographiai mentalement, les moindres détails de la maison devant laquelle je me trouvais avec une acuité qui confinait au surnaturel. Un instant auparavant, l'univers était en train de basculer devant moi et je ne voyais rien. A présent, je distinguais tout avec une clarté presque choquante.

Par-dessus tout, je voyais la fenêtre ouverte. Je la fixai des yeux, conscient de retenir mon souffle. Elle était si près de moi! Je n'avais qu'à tendre la main pour franchir son ouverture. Une fois à l'intérieur, ma main serait au moins sèche. Comme il pleuvait fort! Mes pauvres vêtements étaient trempés et je frissonnais. La pluie semblait redoubler d'intensité à chaque seconde. Je claquais des dents et l'humidité paraissait m'atteindre jusqu'à la moelle des os.

Et, derrière cette fenêtre ouverte, comme il devait faire chaud, comme il devait faire sec!

Il n'y avait pas âme qui vive, pas un être humain en vue. Je tendis l'oreille, mais n'entendis pas un son. J'étais seul à la merci du déluge de la nuit, la seule des créatures de Dieu à ne pas être à l'abri des fontaines du Ciel qu'Il avait ouvertes. Je n'avais nul espion à redouter, personne pour s'inquiéter de mes faits et gestes.

La maison était peut-être, non, probablement, vide. C'était mon devoir de frapper à sa porte pour avertir ses occupants de leur négligence. La moindre des choses serait de me récompenser pour cette action. Mais à quoi servirait-il de frapper si l'endroit était vide? Je ne ferais que déranger le voisinage en vain. Et, même s'il y avait quelqu'un dans la maison, une récompense n'était pas garantie: j'avais appris l'ingratitude du monde à une dure école. Faire fermer cette fenêtre,

15

cette fenêtre qui m'invitait, si tentante, si proche! – et me retrouver comme avant, sans le sou, désespéré, affamé, dans le froid et la pluie: tout plutôt que cela! Dans une telle situation, je me rendrais compte trop tard que je m'étais conduit comme un idiot. Et je n'aurais que ce que je méritais.

En me penchant au-dessus de la murette, je découvris que je pouvais passer la main à l'intérieur. Comme il faisait chaud là-dedans! Je sentais la différence de température au bout de mes doigts. J'enjambai la murette en silence et me retrouvai plaqué contre la maison. Le sol sous mes pieds semblait cimenté. En me baissant, je scrutai l'intérieur mais je ne pus rien voir: il faisait noir comme dans un four. Le volet était levé: il semblait incroyable que la maison pût être occupée, avec ce volet levé et cette fenêtre ouverte. Je tendis l'oreille: tout était tranquille. Sans aucun doute, la maison était vide.

Je décidai de soulever le châssis d'un pouce ou deux. Si quelqu'un me surprenait, je pourrais lui expliquer la situation et lui dire que j'étais sur le point d'alerter les occupants du lieu. Mais je devais être prudent: le temps était si humide que le châssis pouvait craquer.

Il n'en fit rien. Il se déplaça aussi silencieusement que s'il avait été huilé. Ce silence m'enhardit tant que je le soulevai jusqu'en haut. Il n'émit pas un son pour me trahir. Je me penchai au-dessus du rebord pour passer la tête à l'intérieur, mais n'en fus pas plus avancé: il m'était impossible de voir quoi que ce soit. Pour ce que je pouvais en dire, la pièce était peut-être vide de meubles. En fait, une telle hypothèse m'apparut comme probable. J'avais pu tomber sur une maison vacante. Dans les ténèbres, il n'y avait rien pour me suggérer le contraire. Que devais-je faire?

Eh bien, si la maison était vacante, dans une situation comme la mienne, on pouvait considérer que j'avais le droit moral de m'y abriter. Qui, s'il avait une once de cœur, aurait pu me le refuser? En me hissant sur le rebord, je glissai mes jambes dans la pièce.

Au moment où je franchissais la fenêtre, je me rendis compte que la pièce n'était pas entièrement dépourvue de meubles: le plancher était recouvert d'un tapis. J'ai posé mes pieds sur nombre de carpettes, et je sais reconnaître un beau tapis, mais jamais je ne m'étais trouvé sur un tapis aussi doux. Il me rappelait le gazon de Richmond Park, il caressait mes pieds et se redressait souplement sous mon pas. Après la route si dure, c'était un véritable luxe. Maintenant que j'avais constaté que la pièce était meublée, devais-je battre en retraite? Ou devais-je pousser mes recherches plus loin? Quel plaisir j'aurais eu à me défaire de mes vêtements et à me jeter sur ce tapis pour m'endormir sur place! Mais j'étais si affamé que j'aurais tout donné pour trouver quelque chose à manger.

J'avançai de quelques pas, les mains tendues de peur de heurter quelque obstacle invisible. Quand j'eus fait deux ou trois pas sans rencontrer quelque obstacle que ce soit, je commençai à souhaiter n'avoir jamais vu cette maison, n'y être jamais entré, être encore loin d'elle et en sécurité. Je devins soudain conscient de la présence de quelque chose dans la pièce. Cela ne se manifestait en aucune manière, mais je sus tout de suite, peut-être grâce à l'acuité inhabituelle de mes perceptions, qu'il y avait quelque chose à côté de moi. De plus, j'étais persuadé que le moindre de mes mouvements était observé à mon insu.

Ce qui était là, je n'aurais su le dire, ni même le deviner. Tout se passait comme si un de mes rouages mentaux avait été frappé de paralysie. Je sais qu'un tel langage peut sembler infantile, mais j'étais épuisé, physiquement au bout du rouleau et, à cet instant, sans le moindre avertissement, je fus conscient d'une sensation curieuse, comme je n'en avais jamais ressenti auparavant et comme je prie pour n'en plus jamais connaître: une sensation de peur panique. Je demeurai cloué au sol, n'osant pas bouger, redoutant de respirer. Je sentis que la présence dans la pièce était une chose étrange et maléfique.

J'ignore combien de temps je restai ainsi, immobile comme par enchantement. Peu à peu, comme je ne voyais rien, n'entendais rien, que rien ne bougeait, rien ne se passait, je fis un effort pour me conduire en homme, car à ce moment-là j'avais le sentiment d'être une femmelette. Je m'interrogeai sur ce qui pouvait bien m'effrayer: ce n'était que mon imagination qui me faisait trembler. Qui donc aurait pu me laisser ouvrir la fenêtre et pénétrer ici sans se manifester? S'il y avait quelqu'un dans la pièce, il était sûrement aussi lâche que moi, ou il aurait réagi à mon effraction. Puisqu'on m'avait permis d'entrer, on me laisserait probablement ressortir, et j'avais davantage envie de battre en retraite que j'avais eu envie d'entrer.

Je dus faire un effort surhumain avant de rassembler suffisamment de courage pour me permettre de tourner la tête, et j'avais à peine achevé mon geste que je la tournai de nouveau. Même si le salut de mon âme en avait dépendu, je n'aurais su dire ce qui m'y contraignait mais contraint je l'étais. Je pouvais entendre les palpitations de mon cœur dans ma poitrine. Je tremblais si fort que je faillis m'effondrer. Un nouveau flot d'épouvante me submergea. Je regardai devant moi avec des yeux où la lumière aurait permis de lire toute la frénésie de la peur. Je tendis l'oreille à la recherche du moindre son, avec une tension telle qu'elle en devint douloureuse.

Quelque chose bougea. Doucement, avec un bruit si ténu qu'il aurait été imperceptible à d'autres oreilles que les miennes. Mais je l'entendis. Je regardai dans sa direction et je vis apparaître devant moi deux points de lumière. J'aurais juré qu'ils n'étaient pas là un instant auparavant. C'étaient des yeux, me disais-je, c'étaient des yeux. Je savais, sans jamais l'avoir vu, que les yeux des chats brillaient dans le noir, et je me dis que c'étaient là les yeux d'un chat, que la chose en face de moi était un chat. Mais je savais bien que je me mentais, je sa-

17

vais que c'étaient bien des yeux, mais que ce n'étaient pas ceux d'un chat, mais de quelle créature, je ne le savais pas, je n'osais pas l'imaginer.

Ils bougèrent, pour s'avancer vers moi. La créature se rapprochait. Mon désir de fuir était si intense que j'aurais souhaité mourir plutôt que de rester à cet endroit, mais il m'était impossible de bouger, mes membres semblaient ne plus m'appartenir. Les yeux se rapprochaient sans un bruit. Ils étaient tout d'abord à deux ou trois pieds du sol, mais il y eut un bruit soudain, comme si on avait écrasé quelque chose par terre, et les yeux disparurent, pour réapparaître peu après à ce que j'estimai être une hauteur de six pouces. Et ils continuèrent leur progression.

La créature, quelle qu'elle fût, semblait donc être de petite taille. Pourquoi je n'obéis pas au violent désir que j'avais de la fuir, je ne saurais le dire: je sais seulement que cela m'était impossible. Je présume que les épreuves et les privations que j'avais endurées, et que je subissais encore à ce moment-là, expliquent la conduite qui fut la mienne durant cette nuit. En temps ordinaire, j'ai autant de courage que n'importe qui, mais quand on a été traîné à travers la Vallée de l'Humiliation, plongé et replongé dans les Eaux Amères de la Privation, on devient capable d'actions dont on se serait cru incapable en des temps plus cléments. Je sais cela d'expérience.

Les yeux avançaient toujours, avec une étrange lenteur, se balançant d'un côté à l'autre, comme si leur possesseur progressait par à-coups. Rien n'aurait pu dépasser l'horreur avec laquelle j'attendais leur venue, sinon ma propre impuissance à leur échapper. Mon regard ne les quitta pas un instant (je n'aurais pas pu fermer les yeux pour tout l'or du monde!) si bien que, lorsqu'ils furent tout proches, je dus baisser la tête pour regarder en direction de mes pieds, qu'ils atteignirent enfin. Ils ne s'arrêtèrent même pas. Je sentis quelque chose sur mon soulier et, avec une sensation d'horreur nauséeuse qui accrut encore mon impuissance, je me rendis compte que la créature commençait à grimper le long de mon corps. Même à ce moment-là, je n'aurais su dire de quoi il s'agissait; la créature progressait aussi facilement que si la surface de mon corps avait été horizontale et non verticale. On aurait cru une gigantesque araignée, une araignée de cauchemar, fruit monstrueux de quelque vision de désespoir. Elle se pressait légèrement sur mes vêtements, avec des pattes qui auraient pu être celles d'une araignée. Elles étaient fort nombreuses, et je sentais le contact de chacune d'elles. Leur étreinte était douce et poisseuse, comme si la créature les collait et les décollait à chaque mouvement.

De plus en plus haut! Elle était à la hauteur de mon aine et se dirigeait vers mon ventre. L'impuissance avec laquelle je souffrais cette invasion n'était pas la moindre part de mon agonie: c'était cette impuissance que nous connaissons dans les rêves. Je savais parfaitement qu'il m'aurait suffi d'un sursaut pour faire choir la créature, mais pas un seul de mes muscles ne m'obéissait.

Alors que la créature montait, ses yeux devinrent pareils à des lampes et se mirent à émettre des rais de lumière. Grâce à eux, je commençai à percevoir les contours de son corps. Il semblait plus gros que je ne l'avais cru. Ou bien il était légèrement phosphorescent, ou alors il était d'une couleur jaune assez spéciale, car il brillait dans les ténèbres. Je ne savais toujours pas de quoi il s'agissait, mais j'avais de plus en plus l'impression que c'était un membre de la famille des araignées, quelque parent monstrueux dont je n'avais jamais entendu parler auparavant. La créature était lourde, si lourde que je me demandai comment elle réussissait à maintenir sa prise: j'étais sûr qu'elle usait pour cela d'une substance adhésive, car je pouvais sentir l'extrémité de ses pattes coller à mes vêtements. Son poids augmentait au fur et à mesure qu'elle s'élevait, et son odeur! J'étais devenu conscient de l'odeur déplaisante et fétide qu'elle émettait, et celle-ci devint si intense au fur et à mesure que la créature progressait qu'elle en fut insupportable.

La créature était sur ma poitrine. Je perçus un mouvement de balancier, comme si son corps se soulevait à chaque inspiration. Ses pattes de devant touchèrent la peau nue de mon cou et s'y collèrent. Oublierai-je jamais cette sensation? Elle revient souvent dans mes rêves. Suspendue à ses pattes de devant, elle ramena vers le haut celles de derrière. Elle rampa sur mon cou avec une hideuse lenteur, quart de pouce par quart de pouce, son poids me forçant à tendre les muscles de mon dos. Elle atteignit mon menton, toucha mes lèvres, et je demeurai immobile tandis qu'elle enveloppait mon visage de son corps poisseux et nauséabond et m'étreignait de toutes ses pattes. L'horreur de la situation me rendit fou. Je me secouai comme un malade enfiévré. La créature se détacha de moi et tomba sur le sol avec un bruit sourd. Hurlant comme une âme perdue, je me retournai et me précipitai vers la fenêtre. Mon pied heurta un obstacle invisible et je tombai par terre.

Me relevant aussi vite que je le pouvais, je repris ma fuite: pluie ou pas pluie, sortir de cette pièce! J'avais déjà la main sur le rebord de la fenêtre, dans un instant je l'aurais enjambé, et que quelqu'un essaie de m'arrêter! – quand soudain on alluma la lumière.

Chapitre III

L'homme dans le lit

La survenue de la lumière fut totalement imprévue. Elle me fit sursauter, m'immobilisa, et je me remettais en mouvement quand une voix s'éleva:

«Ne bougez pas!»

Il y avait dans cette voix une qualité que je ne saurais décrire. Pas seulement un accent de commandement, mais quelque chose de malicieux, de pervers. Elle était légèrement gutturale, et je n'aurais su dire si c'était la voix d'un homme, mais j'étais sûr que c'était celle d'un étranger. C'était la voix la plus désagréable que j'eusse jamais entendue, et elle eut sur moi le plus désagréable des effets, car lorsqu'elle dit: «Ne bougez pas!», je restai immobile. C'était comme si je n'avais rien pu faire d'autre.

«Retournez-vous!»

Je m'exécutai mécaniquement, comme un automate. Une telle passivité était pire que malséante, elle était humiliante, et je le savais bien. Elle me plongeait dans une rage secrète mais, dans cette pièce, devant cette présence, je n'étais qu'un mollusque.

Quand je me fus retourné, je me trouvai face à une personne étendue dans un lit. Une lampe était posée sur une tablette près de la tête du lit, et dispensait la lumière la plus brillante que j'eusse jamais vue. Elle me frappa en plein dans les yeux, m'aveuglant à tel point que je ne vis plus rien pendant quelques secondes. Je ne saurais d'ailleurs affirmer que ma vision ait été claire durant toute cette étrange entrevue: cette lueur intense faisait naître des parcelles brillantes qui dansaient devant moi et brouillaient ma vision.

Et cependant, je réussis à voir quelque chose après un certain temps, et j'aurais souhaité que ce que je vis me soit resté caché.

Je vis une forme couchée dans un lit. Je ne sus décider tout de suite s'il s'agissait d'un homme ou d'une femme. En fait, je doutai tout d'abord qu'il s'agît d'un être humain, mais je sus peu après que c'était bien un homme, pour la simple raison qu'il était impossible qu'une telle créature fût féminine. Les draps étaient tirés jusqu'à ses épaules et seule sa tête était visible. Il était étendu sur le côté, la tête reposant sur sa main gauche, immobile, me dévisageant comme s'il essayait de lire au tréfonds de mon âme. Et, en vérité, je crois bien qu'il y parvint. Je n'aurais su deviner son âge, mais je n'avais jamais imaginé qu'on pût avoir l'air si vieux. S'il m'avait affirmé avoir vécu plusieurs siècles, j'aurais été forcé d'admettre qu'il en avait l'air. Et cependant je sentais qu'il ne pouvait être guère plus âgé que moi: la vitalité de son regard était surprenante. Peut-être avait-il été affligé d'une terrible maladie, qui lui avait donné cette laideur surnaturelle.

Il n'y avait pas un seul cheveu sur sa tête ni un poil sur ses joues mais, comme pour compenser cela, sa peau d'un jaune safran était sillonnée de rides. Son crâne était si petit qu'il suggérait l'animalité de façon désagréable. Son nez, en revanche, était anormalement grand: ses dimensions étaient si extravagantes et sa forme si bizarre qu'il ressemblait au bec de quelque oiseau de proie. Une caractéristique de ce visage (et comme elle était déplaisante!) était qu'il semblait s'arrêter à la bouche: celle-ci, avec ses lèvres épaisses, était placée juste au-dessous du nez, et, de menton, il n'y en avait point. Cette difformité (car l'absence de tout menton en paraissait une) était ce qui donnait à ce visage un aspect subhumain – cela, et les yeux. Car les yeux de cet homme étaient si extraordinaires qu'il me sembla un instant qu'ils lui mangeaient le visage.

Ses yeux semblaient vraiment s'étendre sur toute la largeur de la face (rappelez-vous que celle-ci était anormalement petite et que le nez était effilé comme un rasoir), et paraissaient éclairés par une lumière intérieure, car ils brillaient comme un phare. Impossible pour moi de leur échapper, car je me recroquevillais dès que je tentais de croiser son regard. Jamais auparavant je n'avais compris ce que l'on entendait par le pouvoir d'un regard. Ces yeux me tenaient enchaîné, impuissant, pris au piège, j'avais l'impression qu'ils pouvaient faire de moi ce qu'ils voulaient. Cet homme aurait pu me fixer pendant des heures sans jamais ciller, tant le regard de ses yeux vitreux était assuré.

Ce fut lui qui rompit le silence. Je demeurai muet.

«Fermez la fenêtre.» J'obéis. «Baissez le volet.» J'obéis encore. «Retournez-vous.» Je m'exécutai. «Comment vous appelez-vous?»

J'ouvris la bouche pour lui répondre. Les mots que je prononçai avaient ceci d'étrange qu'ils n'étaient pas issus de ma volonté mais de la sienne. Je dis ce qu'il souhaitait que je dise, et rien de plus. A cet instant, je n'étais plus un homme, ma personnalité se confondait avec la sienne. J'étais un exemple extrême d'obéissance passive.

«Robert Holt.

– Quel est votre métier?

– Employé.

– Vous avez effectivement l'air d'un employé.» Il y avait dans sa voix une flamme de mépris qui me carbonisa. «Quelle sorte d'employé êtes-vous?

– Je suis sans travail.

– Vous avez effectivement l'air sans travail.» De nouveau ce mépris. «Etes-vous le genre d'employé qui est toujours sans travail? Vous êtes un voleur.

– Je ne suis pas un voleur.

– Est-ce que les employés ont l'habitude de rentrer dans les maisons en passant par la fenêtre?» Je restai muet: il ne m'avait pas intimé l'ordre de répondre. «Pourquoi êtes-vous passé par la fenêtre?

– Parce qu'elle était ouverte.

– Ah! Et vous passez toujours par les fenêtres dès qu'elles sont ouvertes?

– Non.

– Alors pourquoi celle-là?

– Parce que j'avais froid, parce que j'avais faim, parce que j'étais fatigué.»

Les mots sortaient de moi comme s'il les avait tirés un par un – ce qu'il faisait effectivement.

«Avez-vous un foyer?

– Non.

– De l'argent?

– Non.

– Des amis?

– Non.

– Alors quelle sorte d'employé êtes-vous?»

Je ne répondis rien: je ne savais pas ce qu'il voulait que je dise. J'étais une victime du mauvais sort, rien d'autre, je le jure. Un malheur avait suivi l'autre. La maison qui m'avait employé durant des années avait fait faillite. Je trouvai une situation chez l'un de leurs créanciers, à un salaire inférieur. Ils réduisirent leurs effectifs, ce qui entraîna mon départ. Après un certain temps, je trouvai un emploi temporaire, à un salaire de misère. Après, plus rien. Il y avait neuf mois de cela, et je n'avais pas gagné un penny depuis. C'est si facile de devenir négligé, quand on est sur les chemins et qu'on vit toujours avec les mêmes vêtements. J'avais erré dans tout Londres à la recherche d'un emploi: n'importe quel travail aurait été le bienvenu, pourvu qu'il me permette de survivre. Et j'avais erré en vain. On m'avait même refusé l'entrée de l'asile de nuit: comme il est facile de déchoir! Mais je ne dis rien de tout cela à l'homme couché sur le lit. Il ne souhaitait pas l'entendre car, dans le cas contraire, il m'aurait forcé à le lui raconter.

Il est possible qu'il ait lu mon histoire dans mon esprit. Ses yeux avaient un pouvoir de pénétration que n'appartenait qu'à lui, je le savais bien.

«Déshabillez-vous!»

Il prononça cet ordre sur un ton guttural qui dénotait une origine étrangère. J'obéis, laissant mes vêtements humides et souillés tomber sur le sol. Quand je fus nu devant lui, son visage fut envahi par une expression qui, s'il s'agissait d'un sourire, était un sourire de satyre, et qui me fit trembler de révulsion.

«Comme votre peau est blanche! Que ne donnerais-je pas pour avoir une peau aussi blanche!» Il s'interrompit, me dévorant du regard. Puis il reprit: «Allez vers ce placard, vous y trouverez une robe. Enfilez-la.»

Ses yeux me suivirent tandis que je me dirigeais vers un coin de la pièce. Le placard qui s'y trouvait était empli de vêtements, toutes sortes de costumes qui auraient pu servir pour un bal masqué. Une longue robe noire était suspendue à un cintre. Quand je m'en vêtis, ses larges pans retombèrent jusqu'à mes pieds.

«Dans l'autre placard, vous trouverez de la viande, du pain et du vin. Buvez et mangez.»

De l'autre côté de la pièce, près de la tête du lit, il y avait un second placard. Je trouvai sur une de ses étagères ce qui ressemblait à du bœuf, des petits gâteaux au goût de pain de seigle, et une bouteille d'un vin un peu aigre. Mais je n'étais pas d'humeur critique, et je m'empiffrai comme un loup affamé tandis qu'il m'observait en silence. Quand j'eus fini, c'est-à-dire quand j'eus avalé tout ce que je pouvais avaler, son visage reprit son air de satyre.

«Si seulement je pouvais boire et manger comme cela! Rangez ce qui reste.» Je m'exécutai, ce qui me sembla futile, tant il restait peu de choses. «Regardez mon visage.»

Je fis ce qu'il me demandait, et devins instantanément conscient de ce que quelque chose me fuyait: la capacité que j'avais d'être moi-même. Ses yeux allèrent en s'élargissant, jusqu'à ce qu'ils aient empli tout l'espace, jusqu'à ce que je sois perdu dans leur immensité. Il remua la main, ce qui eut un effet étrange sur moi: le sol sembla s'évanouir sous mes pieds et je tombai de tout mon long. Je restai étendu, immobile comme un morceau de bois.

Et la lumière s'éteignit.

CHAPITRE IV

Une veille solitaire

J'étais conscient de l'obscurité autour de moi. En fait, je ne perdis jamais conscience durant les longues heures qui suivirent, ce qui n'était pas l'aspect le moins singulier ni le moins effrayant de la condition qui était la mienne. Je fus conscient de la lampe qui s'éteignait et des ténèbres qui s'installaient. J'entendis un froissement, comme si l'homme couché s'agitait dans ses draps. Puis tout fut tranquille. Et je restai ainsi durant cette interminable nuit, l'esprit en éveil, le corps engourdi, attendant le jour. Ce qui m'était arrivé, je n'aurais pu le deviner. Mon instinct me disait que je présentais certaines des apparences de la mort. Aussi paradoxal que cela paraisse, je ressentais ce qu'aurait pu ressentir un homme mort, ce que j'aurais pu imaginer être ses sensations. Il n'est pas certain que nos sensations s'interrompent après la fin de ce que nous appelons la vie. Je ne cessai de me demander si je pouvais être mort; cette question s'imposait à mon esprit avec une horrible insistance. Est-ce que le corps peut mourir et l'esprit, le moi, l'ego, lui survivre? Dieu seul le sait. Mais, quelle agonie que cette pensée!

Les heures s'écoulèrent. Peu à peu, le silence s'en fut. Des bruits de circulation, de pas sur le trottoir, les bruits de la vie, annoncèrent le matin. Derrière la fenêtre, des moineaux pépiaient, on entendait le miaulement d'un chat, l'aboiement d'un chien, le bruit de ferraille d'un bidon de lait. Des rais de lumière de plus en plus intenses filtrèrent à travers les volets. Il pleuvait toujours, et les gouttes venaient de temps en temps heurter la fenêtre. Le vent devait avoir tourné car, pour la première fois, j'entendis une horloge qui frappait les coups de sept heures. Puis, à de longs intervalles qui me parurent durer des vies, huit, neuf, dix heures.

Jusque-là, il n'y avait eu aucun bruit dans la pièce. Quand l'horloge sonna dix heures, j'entendis un bruissement venant de la direction du lit. Des pieds se posèrent sur le sol et se dirigèrent vers moi. Il faisait grand jour à présent, et je distinguai une silhouette vêtue d'une robe étrange et colorée qui se tenait près de moi. Elle s'agenouilla. Mes vêtements furent ôtés sans cérémonie et je reposai devant elle entièrement nu. Je sentis des doigts me tâter un peu partout, comme si j'avais été un animal destiné à l'abattoir. Un visage se pencha sur moi, et je vis ces yeux si horribles. Que je sois mort ou vivant, me disais-je, ce qui est devant moi n'a rien d'humain, aucune créature à l'image de Dieu ne pourrait être ainsi faite. Des doigts frôlèrent mes joues, s'introduisirent dans ma bouche, touchèrent mes yeux, fermèrent mes paupières, les rouvrirent et, horreur suprême, des lèvres flasques se posèrent sur les miennes, et l'âme d'une entité maléfique pénétra en moi par ce baiser.

Puis cette imitation d'homme se redressa et dit, s'adressant à lui-même ou à moi, je n'aurais su le dire:

«Mort! Mort! Mort pour ainsi dire! Et mieux! Il nous faut l'enterrer!»

Il s'éloigna de moi. J'entendis une porte s'ouvrir et se refermer, et je sus qu'il était parti.

Il ne revint pas de toute la journée. Je ne l'entendis pas sortir de la maison, mais c'est ce qu'il dut faire, car la demeure semblait déserte. Qu'avait-il fait de la créature, je n'aurais pu le dire. Je redoutai d'abord qu'il l'ait laissée derrière lui, dans la pièce avec moi, comme un chien de garde. Mais, au fur et à mesure que les minutes, puis les heures, s'écoulaient, comme je ne percevais aucun signe de vie, je conclus que, si la chose était là, elle était probablement aussi impuissante que moi et que je n'avais rien à craindre d'elle, du moins pendant l'absence de son maître.

Qu'à l'exception de moi-même, il n'y avait aucun être humain dans la maison, j'en eus plusieurs fois la preuve au cours de la journée. A de nombreuses reprises, aussi bien le matin que l'après-midi, des gens essayèrent d'attirer l'attention des habitants du lieu. Des véhicules (sans doute des livreurs) s'arrêtaient devant le portail, on venait ensuite frapper à la porte ou tirer la sonnette. Mais ces appels restèrent sans suite. Quoi que ces gens aient désiré, ils repartirent sans être satisfaits. Etendu sur le sol, engourdi, sans rien d'autre à faire que d'écouter, je ne percevais peut-être pas grand chose, mais il me sembla que l'un d'entre eux était plus insistant que les autres.

L'horloge venait juste de sonner midi, quand j'entendis le portail s'ouvrir et quelqu'un s'approcher de la porte. Comme aucun bruit ne suivit, je supposai que l'occupant des lieux était revenu et avait choisi de le faire aussi silencieusement qu'il était parti. Cependant, j'entendis bientôt un appel discret mais étrange, qui ressemblait au couinement d'un rat. Il fut répété trois fois, puis j'entendis des pas s'éloigner et le portail se refermer. Le visiteur revint entre une heure et deux heures, et répéta le même signal (à n'en pas douter, il s'agissait bien d'un signal), avant de battre en retraite de nouveau. Il revint aux environs de trois heures. Le signal fut répété et, comme il n'y eut aucune réponse, des doigts heurtèrent doucement la porte de devant. Toujours pas de réponse. J'entendis les pas faire le tour de la maison, et le signal se répéter à l'arrière, puis des doigts heurter ce qui devait être la porte de derrière. Comme ce manège restait sans suite, le visiteur rebroussa chemin et, de nouveau, le portail se referma.

Peu après la tombée du soir, ce visiteur assidu revint, pour attirer une quatrième fois l'attention sur sa présence. Il semblait bien, d'après le caractère particulier de ses manœuvres, qu'il se doutait que quiconque était à l'intérieur avait de bonnes raisons pour vouloir ignorer sa présence. Il répéta sa pantomime à présent familière, trois couinements devant la maison, puis derrière, suivis par des coups à la porte. Cette fois-ci, cependant, il essaya aussi les fenêtres: j'entendis très distinctement le bruit de ses phalanges contre le carreau. De nouveau déçu, il revint à la porte de devant. Ses pas curieusement feutrés firent le tour de la maison, pour s'arrêter devant la fenêtre de la pièce où je me trouvais, et puis quelque chose d'étrange se passa.

Je m'attendais à entendre frapper à la vitre, mais je perçus un bruit de reptation, comme si quelque chose grimpait sur le rebord de la fenêtre, comme si une créature incapable d'atteindre la fenêtre depuis le sol essayait de se hisser sur le rebord. Une créature maladroite, peu habituée à surmonter un obstacle comme un mur de briques vertical. J'entendis un bruit qui ressemblait à un grattement, comme si des griffes s'efforçaient de trouver une prise sur la surface revêche. De quelle créature il s'agissait, je n'aurais su le dire: j'avais cru que le visiteur était un homme ou une femme, et j'étais stupéfait de découvrir que ce n'était pas le cas. Si, comme c'était à présent probable, il s'agissait d'une sorte d'animal, cela expliquait les couinements (mais quel animal, mis à part un rat, pouvait donc couiner de la sorte?) et l'absence de coups sur la porte.

Quoi qu'il en soit, la créature avait atteint son but. Elle haletait, comme si son ascension lui avait coupé le souffle. Puis elle commença à taper sur la fenêtre. A la lumière de ma découverte, je percevais clairement que ce bruit ne pouvait être produit par des doigts humains: il était sec, presque saccadé, et ressemblait à celui que fait un clou que l'on tape sur une vitre. Il n'était pas très fort mais, à force de temps et de persistance, il devint rapidement vicieux. Il était accompagné par des sons tout à fait extraordinaires: des couinements, de plus en plus aigus et colériques, des halètements, et un bourdonnement étrange qui rappelait presque le ronronnement d'un chat.

La colère de la créature devant son manque de succès était évidente. Les coups devinrent de plus en plus fréquents, comme le crépitement de la grêle, ses couinements essoufflés se firent plus aigus, on entendait le bruit d'une large masse se pressant contre la vitre, se plaquant sur elle comme pour se forcer un passage à travers le volet. Ses contorsions devinrent si violentes que je m'attendais à entendre la vitre se briser et à voir la créature en furie faire irruption dans la pièce. A mon grand soulagement, la fenêtre se révéla plus résistante que je ne l'aurais cru, tant et si bien que la patience de la créature s'épuisa. Alors que je m'attendais à une nouvelle manifestation de fureur, elle chut au bas du rebord, puis j'entendis de nouveau le bruit de pas qui s'éloignaient doucement, et, ce qui me sembla encore plus étrange, le bruit du portail que l'on refermait.

Durant les deux ou trois heures qui suivirent, il ne se passa rien d'extraordinaire, puis se produisit l'incident le plus étonnant. L'horloge venait de sonner dix heures. On n'entendait aucun bruit de passage devant la maison. La rue devait être déserte. Soudain, deux sons rompirent le silence: un cri, des bruits de pas. A en juger par leur rapidité, quelqu'un devait fuir pour sauver sa vie en poussant des cris étranges. Ce ne fut que lorsque le fuyard atteignit la porte que je reconnus dans ses cris les couinements du visiteur obstiné. J'imaginai qu'il était revenu seul, comme auparavant, pour renouveler ses tentatives sur la fenêtre, jusqu'à ce qu'il devienne rapidement évident qu'il était accompagné. Des bruits de lutte s'élevèrent. Des créatures, dont les cris étaient si inhabituels que je ne parvins pas à les identifier, semblaient se livrer une bataille impitoyable devant la porte. Après une ou deux minutes de lutte féroce, la victoire sembla choisir son camp, car l'un des combattants s'enfuit en couinant de douleur. Tandis que j'écoutais avec attention, dans l'attente de l'épisode suivant de ce drame curieux, prévoyant un nouvel assaut sur la fenêtre, j'entendis à ma grande surprise le bruit d'une clé dans la serrure; le verrou claqua et la porte s'ouvrit avec fracas. Elle fut refermée aussi bruyamment. Puis la porte de la pièce où je me trouvais fut ouverte avec la même violence, des bruits de pas précipités résonnèrent sur le sol, la porte fut claquée avec une force qui secoua la maison sur ses fondations, il y eut un froissement, la lumière s'alluma, aussi brillante que la nuit précédente, et une voix, que j'avais toutes les raisons de me rappeler, dit:

«Debout.»

Je me levai automatiquement, comme on me l'ordonnait, et me tournai vers le lit.

Là, enfoui sous les draps, la tête reposant sur sa main, dans l'attitude où je l'avais vu la fois précédente, se trouvait l'être dont j'avais fait la connaissance dans des circonstances que je n'étais pas près d'oublier – le même, et cependant différent...

Chapitre V

Des instructions pour un cambriolage

Il ne pouvait y avoir le moindre doute: l'homme couché devant moi était bien celui que j'avais eu la mauvaise fortune de rencontrer la nuit précédente. Et cependant, dès qu'il m'apparut, je vis que son apparence avait subi une étonnante transformation. Pour commencer, il semblait rajeuni: la décrépitude de l'âge avait cédé la place à quelque chose qui ressemblait à la flamme de la jeunesse. Ses traits avaient changé d'étrange façon. Son nez, par exemple, n'était plus aussi grotesque et ne ressemblait plus autant à un bec, et la plupart de ses rides s'étaient évanouies comme par magie. Bien que sa peau fût toujours jaune safran, les contours de son visage s'étaient arrondis, et il était même en possession d'un vague menton. Mais ce qu'il y avait de plus étonnant dans ce visage, c'était son caractère incontestablement féminin, si féminin, en fait, que je me demandai un instant si je n'avais pas pris une femme pour un homme: une représentante si répugnante du sexe faible qu'elle avait donné libre cours à ses instincst les plus bas pour devenir une caricature immonde de la féminité.

L'effet du changement affectant l'apparence de l'homme (il était impossible que je me sois trompé sur son sexe) était encore accentué par les traces qu'il portait d'une récente lutte, sans doute à mains nues et guère sportive. Son adversaire, dont il portait sur le corps les traces de la valeur, avait dû être peu chevaleresque à en juger par les griffures qui striaient la peau de l'homme couché. Celui-ci semblait encore tout excité par le combat, presque débordé par la force de ses sentiments. Ses yeux étaient enflammés, les muscles de son visage se convulsaient de façon spasmodique. Quand il parla, son accent était indubitablement étranger, et les mots jaillirent de ses lèvres en un flot inarticulé. Il répéta plusieurs fois la même chose, d'une façon qui n'était pas sans suggérer la folie.

«Ainsi, vous n'êtes pas mort! Vous n'êtes pas mort! Vous êtes vivant! Eh bien, quelle impression cela fait-il d'être mort? Je vous le demande! N'est-ce pas agréable? C'est bien mieux d'être mort, c'est le plus enviable des sorts! En avoir fini avec tout, cesser de lutter, de pleurer, de désirer et de posséder, cesser de geindre et cesser de regretter, d'aimer, non! Plus rien, plus rien, être libéré de la malédiction de la vie, à jamais! N'est-ce pas là un sort enviable? Oh oui, je vous le dis! Et ne le sais-je pas? Mais un tel savoir n'est pas encore pour vous. Il vous faut maintenant revenir à la vie, vous éloigner de la mort. Vous allez vivre! Pour moi! Vivez, je le veux!»

Il fit un geste de la main et, comme la nuit précédente, une métamorphose s'opéra dans le tréfonds de mon être. Je m'éveillai de ma torpeur et, comme il l'avait dit, je m'éloignai de la mort et fus de nouveau vivant. J'étais loin d'être mon maître, et je me rendis compte qu'il exerçait sur moi une force hypnotique d'une intensité que je n'aurais jamais cru possible, mais je n'avais cependant plus de doute sur mon état: je savais que j'étais en vie.

Il me fixa comme s'il lisait mes pensées – et peut-être y parvenait-il.

«Robert Holt, vous êtes un voleur.

– Non.»

Le son de ma propre voix me fit sursauter, tant j'étais resté longtemps sans l'entendre.

«Un voleur! Seuls les voleurs passent par les fenêtres, et n'est-ce pas ce que vous avez fait?» Je restai muet: à quoi m'aurait-il servi de le contredire? «Mais il est bon que vous soyez entré par la fenêtre, bon que vous soyez un voleur, bon pour moi! pour moi! C'était vous que je voulais, et vous êtes tombé dans mes mains au bon moment. Car vous êtes mon serviteur, mon esclave, fait pour obéir au doigt et à l'œil à ma volonté, et vous le savez, hein?»

Je le savais, et cette connaissance était terrible. Je sentais que, si je j'avais pu m'éloigner de lui et briser les liens qu'il avait tissés avec je ne sais quelle magie, si j'avais pu seulement me nourrir décemment et récupérer mes forces, alors j'aurais pu l'affronter et il ne serait pas parvenu à reprendre son ascendant sur moi. Mais, hélas, je savais mon impuissance et ce savoir était angoissant. Il persista à répéter son affirmation mensongère:

«Je vous dis que vous êtes un voleur, Robert Holt, un voleur! Vous êtes passé par une fenêtre pour votre plaisir, et vous allez passer par une autre pour le mien.» Je ne voyais pas la plaisanterie, mais elle dut l'amuser, car de sa gorge parvint un raclement qui ressemblait à un rire. «Cette fois-ci, vous partirez en voleur, aucun doute là-dessus.»

Il s'interrompit et sembla me percer du regard. Ses yeux ne quittèrent pas mon visage un seul instant. Avec quelle fascination me' retenaient-ils prisonnier, et comme je les détestais!

Quand il reprit la parole, ses mots avaient un nouveau ton: amer, cruel, impitoyable.

«Connaissez-vous Paul Lessingham?»

Il prononçait ce nom comme s'il le haïssait, et comme s'il était heureux de le sentir sur sa langue.

«Quel Paul Lessingham?

– Il n'y a qu'un Paul Lessisngham! *Le* Paul Lessingham, le *grand* Paul Lessingham!»

Il hurla ces paroles avec un accès de rage si frénétique que je crus qu'il allait bondir sur moi. Je tremblais de tous mes membres. Je répondis d'une voix qui était sûrement chevrotante:

«Le monde entier connaît Paul Lessingham, le politicien, l'homme d'Etat.»

Ses pupilles se dilatèrent. Je m'attendais toujours à subir son assaut, mais il se contenta de dire:

«Cette nuit, vous passerez par sa fenêtre comme un voleur!»

Je n'avais aucune idée de ce qu'il voulait dire et, à en juger par ses paroles, je devais bien le montrer.

«Vous ne comprenez pas? Non? C'est pourtant simple! Quoi de plus simple en effet? Je dis que cette nuit, cette nuit! vous allez passer par sa fenêtre comme un voleur! Vous êtes bien passé par la mienne, pourquoi pas par celle de Paul Lessingham, le politicien, l'homme d'Etat?»

Il répéta mes paroles comme pour s'en moquer. Je fais partie (et j'en suis fier!) de cette multitude qui considère Paul Lessingham comme la plus grande des forces œuvrant en politique, et qui lui fait entière confiance pour mener à bien la grande tâche de réforme politique et sociale qu'il s'est imposée. J'ose affirmer que le ton que j'employais en parlant de lui était celui de la louange, ce à quoi l'homme dans le lit trouvait à redire. Je ne voyais toujours pas ce qu'il voulait dire en insinuant que j'aurais à passer par la fenêtre de Paul Lessingham. On aurait cru le délire d'un fou.

Je restai silencieux tandis qu'il me fixait, puis il dit, avec une nuance de tendresse dans la voix dont je ne l'aurais pas cru capable:

«Il est joli à voir, Paul Lessingham, n'est-ce pas?»

Je savais que, physiquement parlant, Mr. Lessingham était un excellent spécimen d'humanité, mais je ne m'attendais pas à le voir proférer une telle affirmation, ni à voir celui qui était le maître de mon sort s'étendre sur le sujet.

«Il est droit, droit comme le mât d'un navire, il est grand, sa peau est blanche, il est fort, comme il est fort! Si fort... Oh oui! Y a-t-il sort plus enviable que d'être son épouse? Sa bien-aimée? La prunelle de ses yeux? Une femme pourrait-elle connaître destin plus gorieux? Oh non, impossible! Sa femme! Paul Lessingham!»

Tandis qu'il exprimait ces sentiments inattendus sur une douce cadence, son expression se métamorphosa. Son visage s'emplit de désir, d'un désir sauvage et frénétique qui, pour répugnant qu'il fût, le transfigura pendant un instant. Mais ce ne fut que fugitif.

«Etre son épouse, oh oui! L'épouse de son mépris! Ecartée! Rejetée!»

Le retour de venin amer dans sa voix fut rapide: aucun doute, il était là dans son état naturel. Pour quelle raison une créature telle que lui irait ainsi parler d'un homme public aussi éminent que Mr. Lessingham, voilà qui dépassait mon entendement. Et cependant, il s'accrocha à son sujet comme une sangsue, comme s'il éprouvait pour lui un intérêt tout-puissant.

«C'est un diable, il est dur comme le granit, froid comme les neiges du Mont Ararat. Le sang chaud de la vie ne coule pas en lui, il est maudit! Il est faux, plein de la fausseté des fables que racontent ceux qui vivent de mensonges, il n'est que tromperie. Celle qu'il a prise sur son sein, il peut la rejeter comme si elle n'avait jamais existé, il la volerait comme une créature de la nuit, il oublierait jusqu'à son existence! Mais le vengeur n'est pas loin, rôdant parmi les ombres, caché dans les rochers, guettant, épiant, attendant son heure. Et son heure viendra. Viendra le jour du vengeur! Le jour, le jour!»

Il se redressa et leva les bras au-dessus de sa tête, hurlant avec une fureur démoniaque. Puis il se calma quelque peu. Se recouchant, reposant sa tête sur sa main, il me regarda de nouveau, puis il me posa une question que je trouvai fort singulière, étant donné les circonstances:

«Vous connaissez sa maison, la maison du grand Paul Lessingham, le politicien, l'homme d'Etat?

– Non.

– Vous mentez!»

Les mots lui vinrent en un rugissement, comme s'il avait voulu m'en lacérer le visage.

«Non. Les hommes de ma condition n'ont pas pour habitude de fréquenter des résidences comme la sienne. J'ai pu voir son adresse un jour, dans le journal, mais je l'ai oubliée.»

Il me regarda, intensément, comme pour vérifier que je lui disais la vérité et, apparemment, il en fut convaincu.

«Vous ne la connaissez pas? Eh bien, je vais vous la montrer, je vais vous montrer la maison du grand Paul Lessingham!»

J'ignorais ce qu'il voulait dire, mais j'allais bientôt le savoir, et quelle étonnante révélation ce serait! Il y avait dans son attitude quelque chose d'à peine humain, quelque chose qui rappelait bizarrement le renard. Son attitude était un mélange de moquerie et d'amertume, comme s'il souhaitait que ses paroles corrosives me brûlent alors même qu'il les prononçait.

«Ecoutez-moi bien. Donnez-moi toute votre attention. Suivez bien mes directives. Vous ne risquez pas de me désobéir, oh non!»

Il s'interrompit, comme pour me faire prendre conscience de mon impuissance.

«Vous êtes entré par la fenêtre comme un voleur, vous sortirez par-là comme un imbécile. Vous irez jusqu'à la maison du grand Paul Lessingham. Vous ne savez pas où elle est? Je vous la montrerai, je serai votre guide. Invisible, je marcherai à vos côtés dans les ténèbres et vous conduirai où je veux que vous alliez. Vous irez comme ceci, les pieds et la tête nus, avec cette seule robe pour couvrir votre nudité. Vous aurez froid, vos pieds seront meurtris, mais que mérite donc un voleur? Si l'on vous voit, on vous prendra pour un fou, il y aura des problèmes. Mais n'ayez pas peur, soyez courageux. Nul ne vous verra tant que je serai à vos côtés. Je vous couvrirai d'un manteau d'invisibilité, pour que vous puissiez pénétrer en sûreté dans la maison du grand Paul Lessingham».

Il s'interrompit de nouveau. Ses paroles, pour démentes qu'elles fussent, commençaient à m'emplir d'un inconfort extrême. D'une étrange façon, ses mots semblaient faire ployer mes membres, m'envelopper dans leur étreinte, me confiner dans une camisole de plus en plus serrée, me rendre de plus en plus impuissant. Je savais désormais que je n'aurais plus d'autre choix que de suivre à la lettre ses ordres les plus insanes.

«Quand vous arriverez à la maison, vous chercherez une fenêtre pour entrer. Peut-être en trouverez vous une ouverte comme ici, sinon vous en ouvrirez une. Comment, c'est votre affaire, pas la mienne. Vous mettrez en pratique vos talents de voleur.»

Le caractère monstrueux de ces instructions me poussa à lutter contre le charme qui m'emprisonnait et me donna le pouvoir de montrer qu'il y avait encore de l'homme en moi, bien qu'à chaque seconde un peu plus de ma personnalité s'enfuît entre ses doigts. Je réussis à dire:

«Non.»

Il me regarda en silence. Les pupilles de ses yeux se dilatèrent jusqu'à envahir son visage.

«Vous le ferez. Vous m'entendez? Vous le ferez.

– Je ne suis pas un voleur, je suis un honnête homme, pourquoi ferais-je une chose pareille?

– Parce que je vous l'ordonne.

– Ayez pitié!

– De qui? De vous? De Paul Lessingham? Qui a jamais eu pitié de moi, que je doive lui rendre la pareille?»

Il s'interrompit, puis reprit sa harangue, répétant ses incroyables instructions avec une insistance qui semblait me dévorer l'esprit.

«Vous mettrez en pratique vos talents de voleur pour pénétrer dans sa maison et, une fois à l'intérieur, vous écouterez. Si tout est tranquille, vous irez jusqu'à la pièce qu'il appelle son bureau.

– Comment la trouverai-je? Je ne connais pas la maison.»

J'eus toutes les peines du monde à poser cette question. Je sentais la sueur couler sur mon front à grosses gouttes.

«Je vous la montrerai.

– Viendrez-vous avec moi?

– Oui, je vous suivrai. Je serai toujours près de vous. Vous ne me verrez pas, mais je serai là. N'ayez crainte.»

Sa prétention à détenir des pouvoirs surnaturels était de toute évidence grotesque, mais je n'étais pas à même de souligner son absurdité. Il reprit:

«Quand vous serez dans le bureau, vous irez vers un certain tiroir, dans un secrétaire au coin de la pièce (Je le vois d'ici, et vous le verrez aussi une fois là-bas.) et vous l'ouvrirez.

– Et s'il est fermé à clé?

– Vous l'ouvrirez quand même.

– Mais comment le pourrai-je?

– En mettant vos talents de voleur en pratique. Je le répète, c'est votre affaire, pas la mienne.»

Je n'essayai pas de lui répondre. Même en supposant qu'il soit capable, grâce aux pouvoirs hypnotiques dont la nature l'avait doué à un degré si dangereux, de m'obliger à lui obéir jusqu'à un certain point, il lui serait difficile de me doter par sa seule volonté de la capacité de forcer les serrures, et si le fameux tiroir se trouvait fermé à clé, rien de grave ne sortirait de cette expédition. Il sembla lire mes pensées.

«Vous l'ouvrirez, serait-il fermé à double tour, je vous dis que vous l'ouvrirez. Vous y trouverez...» Il hésita, réfléchissant. «...des lettres, peut-être deux ou trois, je ne sais pas exactement combien, attachées par un ruban de soie. Vous les prendrez et vous sortirez de la maison pour revenir ici.

– Et si quelqu'un survient pendant que je me livre à cette action illégale, Mr. Paul Lessingham par exemple, que devrai-je faire?

– Paul Lessingham? Vous n'avez pas à le craindre.

– Pas à le craindre? Il me trouverait chez lui en plein milieu de la nuit, moi, un cambrioleur!

– Vous n'avez pas à le craindre.

– Moi... ou vous? Il pourrait me faire jeter en prison.

– Je vous dis que vous n'avez pas à le craindre. Et je sais ce que je dis.

– Alors, comment échapperai-je à sa vindicte? Ce n'est pas le genre d'homme à souffrir qu'un voleur lui échappe. Devrai-je le tuer?

– Vous ne poserez pas un doigt sur lui, ni lui sur vous.

– Et par quel charme l'en empêcherai-je?

– Par le charme de deux mots.

– Lesquels?

– Si Paul Lessingham venait à vous surprendre, vous découvrait chez lui et cherchait à prévenir vos actions, vous ne tenterez pas de fuir, mais vous le confondrez en disant...»

Quelque chose dans le crescendo de sa voix, quelque chose d'étrange et de sinistre, fit palpiter mon cœur contre mes côtes, si bien que je criai quand il s'interrompit.

«En disant quoi?

– LE SCARABÉE!»

Quand il hurla ces mots, la lampe s'éteignit, la chambre fut plongée dans les ténèbres, et je sus avec une certitude terrible que la présence maléfique de l'autre nuit était de nouveau avec moi. Deux points lumineux apparurent, et quelque chose tomba du lit avec un bruit sourd: la créature se dirigeait vers moi. Elle avança lentement sur le plancher. Je restai immobile, muet, malade d'horreur. Jusqu'au moment où je sentis le contact de ses pattes poisseuses sur mon pied nu et où, terrifié à la pensée de la voir grimper sur mon corps dénudé, je poussai un hurlement et tombai sur le sol.

Peut-être mon cri l'effraya-t-il. Tout ce que je sais, c'est qu'elle s'éloigna de moi et que tout devint silencieux. Puis la lampe s'alluma et je vis l'homme couché dans le lit, qui me dévisageait de ses yeux enflammés, l'homme que, dans ma sagesse ou dans ma folie, je savais être doué de pouvoirs maléfiques et impies.

«Vous lui direz ces deux mots, eux seuls et rien de plus. Et vous verrez ce que vous verrez. Mais Paul Lessingham est un homme résolu. S'il persistait à vouloir vous faire obstacle, vous les répétere. Cela suffira. Deux fois suffiront, je vous le promets. Maintenant, allez! Levez le volet, ouvrez la fenêtre, grimpez. Dépêchez-vous d'obéir à mes ordres. J'attends votre retour, et je serai à vos côtés à chaque pas que vous ferez.»

CHAPITRE VI

Un singulier délit

Je me dirigeai vers la fenêtre, tirai le volet, dégageai le châssis et l'ouvris en grand. Puis, vêtu, ou à demi-vêtu, de ma seule robe, je m'engageai à l'air libre. Je n'étais pas seulement incapable de toute résistance, mais aussi incapable d'en formuler le désir: une influence irrésistible me faisait avancer sans la moindre considération pour mes souhaits en la matière.

Et cependant, une fois à l'extérieur, j'exultai confusément d'avoir échappé à cette atmosphère pleine de miasmes et de suggestions impies. Au fur et à mesure que je m'éloignais de la maison, l'espoir ténu naissait en moi de me libérer de cette impuissance cauchemardesque qui m'affligeait tant. Je m'attardai un instant près de la fenêtre, puis enjambai la murette pour atteindre la rue, et m'attardai de nouveau.

Ma personnalité semblait divisée en deux: j'étais physiquement prisonnier, mais j'avais l'impression d'être mentalement libre. Mais cette sensation de liberté ne faisait qu'empirer mon sort car je me rendais bien compte, par exemple, à quel point je devais avoir l'air ridicule, pieds et tête nus à cette heure de la nuit, frissonnant sous la bise. De m'imaginer parcourant la ville dans une telle tenue me remplissait d'un profond dégoût, et je crois bien que je me serais acquitté de la félonie que je devais accomplir avec plus de cœur si mon oppresseur m'avait permis de revêtir mes habits. Je crois aussi que la conscience que j'avais de ma tenue grotesque accroissait encore mon impuissance et que, habillé comme un Anglais ordinaire en promenade, je n'aurais pas été un instrument aussi docile.

A un moment donné, quand mes pieds entrèrent en contact avec le sol caillouteux, quand le vent fit frissonner ma peau, si j'avais serré les dents et tendu mon corps dans l'effort, j'aurais pu réussir à me libérer de cette emprise et à défier le pécheur sénile qui, j'en étais sûr, m'épiait derrière la fenêtre. Mais j'étais si déprimé par mon allure ridicule que le moment passa avant que j'aie pu en tirer avantage, pour ne plus revenir de la nuit.

J'en attrapai, pour ainsi dire, quelques bribes, alors qu'il s'enfuyait, et j'esquissai un geste de côté, le seul que j'aie fait de ma propre initiative. Mais il était trop tard. Mon tortionnaire resserra son emprise, je me retournai et marchai à vive allure dans une direction que je n'avais nul désir de prendre.

Je ne croisai pas une âme sur ma route. Je me suis depuis demandé si, à cet égard, mon expérience était bien normale, si elle avait pu advenir à un autre que moi. Si tel est le cas, il y a des rues dans Londres, des enfilades de rues qui, à certaines heures de la nuit (et probablement le temps y était-il pour quelque chose), sont complètement désertes, dans lesquelles on ne voit ni piéton ni véhicule, même pas un policeman. Je ne connaissais absolument pas la route sur laquelle j'étais mené (je ne trouve pas de mot plus juste); elle conduisait vers ce que je crois être une partie de Walham Green, puis longeait Lillie Road, traversait Brompton, passait par Fulham Road et aboutissait dans Sloane Street pour se poursuivre dans Lowndes Square. Je couvris une longue distance, et empruntai des artères habituellement fréquentées, mais je ne vis personne et, j'imagine, personne ne me vit. En traversant Sloane Street, je crus entendre le grondement d'un véhicule du côté de Knightsbridge Road, mais ce fut le seul bruit que je perçus.

Il m'est pénible de me rappeler l'état dans lequel j'étais quand je fus immobilisé, car je fus brutalement arrêté dans ma course, comme une bête de somme que la bride dans sa gueule stoppe net. J'étais trempé par la pluie qui tombait à verse, transi de froid malgré l'allure que j'avais prise, et mes pieds couverts de boue étaient si meurtris par le pavé (j'étais, hélas, toujours sensible à la douleur) que le simple fait de les poser sur le sol dur, froid et glissant me mettait à l'agonie.

J'étais immobilisé sur le côté de la place qui faisait face à l'hôpital, devant une maison qui me parut être plus petite que ses voisines. Elle était flanquée d'un porche, sur les piliers duquel grimpait un lierre accroché à une grille. Tandis que je restais ainsi, frissonnant, à m'interroger sur la suite des événements, une impulsion subite me saisit, et je me retrouvai à mon grand étonnement en train d'escalader la grille. Ni ma nature ni mon éducation n'ont fait de moi un athlète et je doute d'avoir jamais tenté auparavant de grimper autre chose qu'une échelle, si bien que, malgré l'ordre qui m'était donné, l'habileté me fit défaut et je n'avais pas monté un yard que je me retrouvai sur le sol. Tout secoué que je fusse, il ne me fut pas permis de soigner mes blessures: un instant plus tard, j'étais de nouveau en train de grimper, de nouveau en pure perte. Cette fois, le démon qui s'était emparé de moi sembla prendre mes difficultés en compte et me dirigea vers une autre voie. Je montai l'escalier qui menait à la porte d'entrée, enjambai le parapet sur le côté, et me retrouvai sur le rebord d'une fenêtre; si j'avais glissé à ce moment-là, je me serais retrouvé dans la cour vingt pieds plus bas. Mais le rebord était large et, s'il m'est permis d'user d'une telle expression étant donné les circonstances, la chance était avec moi. Je ne tombai pas. J'avais une pierre dans la main, avec laquelle je brisai une vitre. Je parvins à passer ma main par le trou et à atteindre le loquet. Une minute plus tard, j'avais relevé le châssis et pénétré dans la maison: j'étais devenu un cambrioleur.

Considérer l'audace de mes actes me fait aujourd'hui trembler. Esclave obéissant d'une volonté toute-puissante, j'étais néanmoins conscient du moindre des actes que j'étais forcé d'accomplir, ce qui était loin de rendre ma situation moins désespérée, et chacun d'eux se gravait dans mon esprit d'une façon si nette qu'il ne devait jamais s'en effacer. Aucun monte-en-l'air expérimenté, aucune personne simplement sensée, n'aurait tenté d'imiter ma folle témérité. Briser la vitre fut tout sauf discret: il y eut tout d'abord l'impact lui-même, puis le craquement du verre et le bruit de sa chute sur le sol. Le vacarme qui en résulta aurait réveillé un mort. Mais, là encore, le mauvais temps était de mon côté: à ce moment-là, le vent soufflait avec violence à travers la place, et il est possible que son tumulte ait étouffé tout autre bruit.

Quoi qu'il en soit, je me retrouvai à l'intérieur de la maison, à l'écoute d'une présence, et je n'entendis rien. Il régnait dans cette demeure le silence d'un tombeau. Je baissai le volet et me dirigeai vers la porte.

Celle-ci fut difficile à trouver. De lourds rideaux occultaient les fenêtres et la pièce était plongée dans l'obscurité. Elle semblait remplie de meubles, mais cette impression était peut-être due aux ténèbres: je dus avancer à tâtons au milieu de multiples obstacles, et semblai entrer en contact avec tous les objets possibles, trébuchant plus d'une fois sur des tabourets et ce qui me sembla être de petites chaises. C'était miracle que mes mouvements ne fussent pas entendus, mais je pense que cela s'explique par le fait que la maison était bien bâtie et que les serviteurs étaient les seules personnes présentes, endormis dans leurs chambres à l'étage et peu susceptibles d'être dérangés par des bruits provenant de cette pièce.

Atteignant enfin la porte, je l'ouvris, restai un instant aux aguets et, toujours dirigé par le pouvoir qui me dominait, traversai le hall et montai l'escalier. Je dépassai le premier palier et, parvenu au second, me dirigeai vers une porte sur ma droite. Je tournai sa poignée qui céda, elle s'ouvrit, et j'entrai en la refermant derrière moi. J'allai vers le mur, cherchai un interrupteur, le tirai, et la lumière s'alluma. J'accomplis ces actions de façon si naturelle qu'un jury n'aurait été que difficilement persuadé qu'elles n'étaient pas le fruit de ma volonté.

J'examinai le contenu de la pièce à la lueur des lampes électriques. Comme l'avait dit l'homme dans le lit, c'était un bureau: une grande pièce conçue de toute évidence pour le travail plutôt que pour les apparences. Il y avait trois tables, une grande et deux petites, toutes couvertes d'un amoncellement de papiers. Une machine à écrire reposait sur l'une d'elles. Des livres, des dossiers et des documents d'apparence officielle étaient posés un peu partout sur le sol. Trois des murs de la pièce étaient couverts d'étagères croulant sous les livres. Sur le quatrième, en face de la porte, se trouvait une grande bibliothèque de chêne et, dans un coin, un petit bureau d'allure bizarre. Dès que je le vis, je me dirigeai droit vers lui, comme attiré par un aimant.

Entre la vitrine de sa partie supérieure et les tiroirs du bas, se trouvait un battant vers lequel j'orientai mon attention. J'essayai de le faire basculer, mais il était verrouillé. J'insistai. Il refusa de bouger.

C'était donc là le verrou sur lequel j'étais supposé exercer mes talents de voleur. Je n'étais pas un monte-en-l'air, et je n'avais jamais imaginé en devenir un, mais je me sentis brusquement confronté à ce battant rétif, et découvris qu'une pulsion irrésistible me poussait à en forcer la serrure. Je n'avais d'autre choix que de m'incliner. Je regardai autour de moi à la recherche d'un outil adéquat et le trouvai aussitôt. Près du mur à côté de moi étaient posées plusieurs armes, parmi lesquelles des lances, et je pris l'une d'elles pour enfoncer son fer entre le meuble et le battant, tentant d'ouvrir celui-ci grâce à ce levier improvisé. Le meuble tint bon et la lance se brisa. J'en essayai une deuxième, puis une troisième, toujours en vain. Il n'y en avait pas d'autre, et l'objet le plus pratique à proximité était une lourde hachette au tranchant effilé. Je la saisis et frappai de toutes mes forces le battant réfractaire. La hachette le fracassa et il s'ouvrit avant que j'aie pu faire un autre geste.

Mais il était dit que ma première expérience de cambrioleur serait complète. Je n'avais gagné accès à l'intérieur du meuble que pour découvrir qu'il contenait plusieurs petits tiroirs, dont l'un attira mon attention de façon irrésistible. Il se trouva être fermé à clé, et je cherchai de nouveau un moyen de forcer une serrure.

Parmi les armes à ma disposition, aucune ne pouvait se substituer à la clé manquante: le tiroir était si petit qu'utiliser la hache l'aurait réduit en miettes. Sur le montant de la cheminée se trouvait une sacoche dans laquelle reposaient deux revolvers: de nos jours, les hommes d'Etat sont souvent menacés, et il est possible que Mr. Lessingham les ait portés sur lui pour se protéger d'un éventuel danger. C'étaient des armes en bon état de marche, assez volumineuses et assez lourdes, du type de celles que la police, je crois bien, utilise parfois. Non seulement elles étaient chargées, mais je disposais en plus d'une réserve de cartouches dans le sac, plus que suffisante pour les recharger plusieurs fois.

Je tenais les armes en main, me demandant (si le mot s'appliquait bien à ma condition) comment elles pourraient m'aider à accéder au contenu du tiroir, quand j'entendis, venant de la rue, le bruit d'un véhicule qui s'approchait. Mon esprit se mit à tourbillonner, comme si on lui communiquait la façon de se servir des revolvers, et je m'efforçai de saisir les instructions de mon mentor invisible. Pendant ce temps, le véhicule se rapprochait et, au moment où je m'attendais à l'entendre s'éloigner, il s'arrêta devant la maison. Mon cœur battit à tout rompre. Il y eut un instant où, dans ma terreur frénétique, je faillis briser les liens qui me retenaient et fuir le péril où je me trouvais, mais ces liens étaient plus forts que moi : je fus brusquement enraciné au sol.

On introduisit une clé dans la porte de devant, le verrou s'ouvrit, la porte fut poussée, et j'entendis un bruit de pas. Si j'en avais été capable, je n'aurais pas attendu un instant de plus et je me serais enfui, mais je n'étais pas maître de mes actions. Bien que la panique fît rage dans mon esprit, j'étais extérieurement aussi calme que possible, et je tournai et retournai les revolvers dans mes mains, me demandant ce que j'étais supposé en faire. Un éclair illumina soudain mon cerveau : je devais tirer sur la serrure du tiroir et l'ouvrir de force.

Il aurait été difficile de tomber sur une idée plus insensée. Les domestiques ne s'étaient pas réveillés jusqu'ici, mais la décharge d'un revolver était sûre d'attirer leur attention, sans parler de la personne qui venait d'entrer dans la maison et dont j'entendais les pas dans l'escalier. J'essayai de lutter contre cette idée folle qui me précipiterait vers ma perte, mais sans succès. Je n'avais pas d'autre choix que l'obéissance absolue. Un revolver dans chaque main, je me dirigeai vers le bureau avec nonchalance, comme si je n'eusse pas donné ma vie pour échapper au dénouement que le simple bon sens me faisait prévoir. Je plaçai le canon du revolver contre la serrure du tiroir et pressai la détente : la serrure fut fracassée et le contenu du tiroir à ma portée. Je m'emparai d'un paquet de lettres attachées par un ruban rose. Surpris par un bruit derrière moi, je regardai par-dessus mon épaule.

La porte était ouverte, et Mr. Lessingham était sur le seuil, la main sur le loquet.

CHAPITRE VII

Le grand Paul Lessingham

Il était en habit de soirée et portait une petite serviette à la main. Si ma présence le surprit, comme elle ne manqua sans doute pas de le faire, il ne donna aucun signe d'étonnement : l'impassibilité de Paul Lessingham est proverbiale. Qu'il se trouve sur une estrade en train de s'adresser à la foule ou aux Communes au cœur d'un débat houleux, le monde entier sait que son flegme demeure total. Il est généralement reconnu qu'il doit son succès en politique à cette adresse née d'une extraordinaire présence d'esprit, et il m'en donna un aperçu à cet instant. Debout devant moi, dans cette attitude que les caricatures nous ont rendue familière, les pieds bien écartés, les épaules rejetées en arrière, la tête dressée, une lueur dans ses yeux bleus qui rappelait

38

l'oiseau de proie prêt à fondre sur sa victime, il me dévisagea en silence pendant quelques secondes. Je ne sais si mon visage resta impassible, mais je fléchis intérieurement. Quand il parla, ce fut sans changer de place et sur le ton calme et posé sur lequel il aurait pu s'adresser à un visiteur de sa connaissance.

«Puis-je vous demander, Sir, à quoi je dois le plaisir de votre compagnie?»

Il attendit une réponse. Devant mon silence, il formula sa question d'une autre manière:

«Je vous prie, Sir, qui êtes-vous et qui vous a invité à entrer?»

Je restai immobile et muet, lui faisant face sans trembler ni remuer un cil, et il commença à m'observer avec attention. Sans doute la bizarrerie de mon accoutrement l'amena-t-elle à penser qu'il se trouvait en face d'un être étrange. Je ne saurais dire s'il me prit pour un dément, mais je crois cette hypothèse plausible à en juger par ses gestes. Il commença à se diriger vers moi à travers la pièce, s'adressant à moi avec la plus grande courtoisie:

«Soyez assez aimable pour me rendre ce revolver, ainsi que les papiers que vous tenez dans votre main.»

Alors qu'il s'approchait de moi, quelque chose me pénétra et me força à ouvrir les lèvres, et je dis d'une voix sifflante qui, j'en fais le serment, n'était pas la mienne, ces mots:

«LE SCARABÉE!»

Etait-ce dû, en tout ou partie, à mon imagination, je ne saurais le déterminer, mais, quand je prononçai ces mots, les lumières semblèrent diminuer d'intensité, le bureau fut plongé dans les ténèbres et je fus de nouveau conscient d'une présence maléfique dans la pièce. Mais si mes réactions étaient imaginaires, il n'y eut aucun doute quant à l'effet que mes paroles produisirent sur Mr. Lessingham. Quand les ténèbres, réelles ou rêvées, se furent estompées, je vis qu'il avait reculé jusqu'au fond de la pièce et qu'il s'était recroquevillé contre les étagères, auxquelles il se cramponnait avec désespoir, comme un homme qui vient de recevoir un coup si brutal qu'il n'a pas encore eu le temps de s'en remettre. L'expression de son visage s'était métamorphosée de façon prodigieuse: l'étonnement, la peur et la répugnance s'y lisaient. Je fus empli d'une inconfortable nausée à la vue de cet homme en proie à une terreur abjecte qui était le grand Paul Lessingham, que je considérais comme une idole.

«Qui êtes-vous? Au nom de Dieu, qui êtes-vous?»

Sa voix même semblait transformée: ses amis ou ses ennemis auraient eu de la peine à en reconnaître les accents heurtés et frénétiques.

«Qui êtes-vous? Vous m'entendez? Qui êtes-vous? Au nom de Dieu, répondez-moi!»

Comme il voyait que je restais immobile, il commença à s'agiter d'une façon fort désagréable à voir, toujours blotti contre les étagères comme s'il avait eu peur de se relever. Loin de faire preuve de l'impassibilité qui l'avait rendu célèbre, il tremblait de tous ses membres et son visage était agité de tics: on aurait dit un homme en proie à la fièvre. Ses doigts étaient animés de tremblements convulsifs, il avait les bras en croix, comme s'il cherchait à se soutenir sur les étagères.

«D'où venez-vous? Que voulez-vous? Qui vous a envoyé ici? Que voulez-vous de moi? Pourquoi êtes-vous venu me tourmenter jusqu'ici? Pourquoi? Pourquoi?»

Les questions se pressaient sur ses lèvres. Quand il vit que je demeurais silencieux, elles reprirent de plus belle, mêlées à ce qui me sembla être des injures.

«Que faites-vous ici, ainsi étrangement vêtu? Cette tenue est pire que la nudité, bien pire! Rien que pour cela, je devrais vous punir, et je le ferai! Et votre attitude! Me croyez-vous assez naïf pour être impressionné par le charabia d'un cambrioleur? Si c'est le cas, vous vous trompez, et celui qui vous a envoyé ici aurait dû vous le dire. Si vous me dites qui vous êtes, qui vous a envoyé ici et pourquoi, je serai généreux; sinon, j'appelerai la police et la loi suivra son cours, jusqu'au bout. Je vous ai prévenu. M'entendez-vous? Espèce de crétin! Dites-moi qui vous êtes!»

Il prononça ces derniers mots sur un ton de rage puérile. L'instant d'après, il sembla prendre conscience du peu de dignité de son attitude, et la honte l'envahit. Il se redressa, ôta son mouchoir de sa poche et essuya ses lèvres. Puis, le prenant dans sa main, il me dévisagea d'une façon que j'aurais trouvée inconfortable en d'autres circonstances.

«Eh bien, Sir, est-ce que votre silence fait partie intégrante du rôle que vous entendez jouer?»

Son ton était devenu plus ferme, et plus en accord avec son caractère.

«Si tel est le cas, je présume que j'ai, pour ma part, le droit à la parole. Quand on découvre chez soi un gentleman aussi peu bavard que vous, de toute évidence en train de se livrer à un cambriolage, vous m'accorderez que la victime a bien le droit de prononcer quelques paroles.»

Il s'interrompit de nouveau. Je voyais bien qu'il utilisait cette forme d'ironie forcée afin de gagner du temps et de retrouver quelque courage. L'effet qu'avaient eu mes paroles sur lui était indiscutable et sa tentative pour adopter un ton léger et insouciant trahissait le tourment qui l'avait envahi.

«Pour commencer, puis-je vous demander si vous avez traversé Londres dans cette tenue, ou plutôt dans ce débraillé? Il ne serait pas déplacé dans une rue du Caire, ne croyez-vous pas? Même dans la rue de Rabagas. Car c'est bien son nom, n'est-ce pas? La rue de Rabagas?»

Il posa cette question avec une certaine insistance, dont la cause m'échappa. J'ignorais tout des lieux et des personnes qu'il mentionna par la suite, bien qu'il m'aurait sans doute été difficile de l'en convaincre.

«Vous devez être un souvenir de la rue de Rabagas. C'est bien cela, n'est-ce pas? La petite maison aux volets bleu-gris, et le piano auquel manquait un fa dièse? Le piano est-il toujours là? Avec ses aigus si grêles... En fait, toute cette atmosphère ne sentait-elle pas la fragilité? Vous êtes bien d'accord. Je n'ai rien oublié. Je n'ai même pas peur de me souvenir. Vous voyez?»

Une nouvelle idée sembla lui venir, peut-être provoquée par mon silence.

«Vous avez l'air anglais. Serait-il possible que vous ne soyez pas anglais? Qu'êtes-vous donc? Français? Nous allons bien voir!»

Il s'adressa à moi dans un langage que je reconnus comme étant du français, mais je n'étais pas suffisamment familier de cet idiome pour le comprendre. Bien que je n'aie jamais manqué une occasion de parfaire ma modeste éducation, je regrette de n'avoir jamais eu la chance d'acquérir une connaissance, même rudimentaire, d'un langage autre que le mien. Se rendant compte à mon expression qu'il me parlait dans une langue qui m'était inconnue, il s'interrompit, m'adressa un sourire, et se remit à parler dans une langue dont même les accents m'étaient étrangers: cela pouvait tout aussi bien être du charabia. S'apercevant de ce nouvel échec, il reprit en anglais:

«Vous n'entendez pas le français? Ni le patois de la rue de Rabagas? Très bien. Alors qu'entendez-vous? Etes-vous muet ou avez-vous fait vœu de silence? Votre faciès est anglais, du moins ce que je peux en voir, aussi affirmerai-je qu'un discours en anglais peut être perçu par votre cerveau. Aussi écoutez-moi, Sir, faites-moi le plaisir de me prêter attention.»

Il se ressaisissait de plus en plus. Une menace perçait dans sa voix modulée, une menace qui allait bien au-delà de ses paroles.

«Vous avez connaissance d'une période de ma vie que j'ai choisi d'oublier, cela est clair; vous êtes envoyé par quelqu'un qui en sait encore davantage. Retournez vers lui et dites-lui que, ce que j'ai oublié, je l'ai bien oublié, et que quiconque essaiera de réveiller mes souvenirs échouera dans cette entreprise. Insistez sur ce point. Cette époque était celle du mirage, de l'illusion, de la folie. J'étais dans une condition telle que n'importe qui pouvait me jouer des tours. Et on m'en a joué, je le vois bien à présent. Je ne prétends pas connaître le *modus operandi* de cet homme, mais je me doute bien qu'il avait sa méthode, parfaitement explicable. Retournez auprès de votre ami, et

41

dites-lui que je ne serai plus pour lui le dindon de la farce. Vous m'entendez?»

Je demeurai immobile et silencieux, attitude qu'il réprouvait de toute évidence.

«Seriez-vous sourd-muet? Non, vous n'êtes pas muet, car vous m'avez parlé. Suivez mon conseil, et ne m'obligez pas à prendre des mesures qui vous causeront du tort. Vous m'entendez?»

Toujours aucun signe de ma part, à sa grande irritation.

«Bien. Agissez comme il vous plaira, c'est vous qui aurez à vous en plaindre, pas moi. Vous pouvez jouer à l'idiot, et vous y réussissez très bien, mais il est clair que vous comprenez ce que l'on vous dit. Parlons sérieusement, Sir. Donnez-moi ce revolver, ainsi que ces lettres que vous avez dérobées dans mon bureau.»

Il avait parlé avec l'air de quelqu'un qui cherche à se convaincre, et la bravade n'était pas absente de sa voix. Je demeurai impavide.

«Allez-vous vous exécuter ou êtes-vous assez fou pour refuser? Dans ce cas, je vais appeler au secours, et cette affaire sera conclue. N'allez pas imaginer que vous pouvez me convaincre que la situation vous échappe. Je sais bien que non. Une dernière fois, allez-vous me rendre ce revolver et ces lettres?»

Toujours pas de réponse. Sa colère s'accrût, ainsi que son agitation. Il était dit que je ne serais jamais le témoin des qualités que le monde reconnaissait à Paul Lessingham. Il se montrait aussi différent que possible de l'homme d'Etat que j'avais imaginé et admiré.

«Pensez-vous m'impressionner? Vous! Un être tel que vous! Obéissez, ou je vous y forcerai, et vous donnerai une leçon que vous ne serez pas près d'oublier!»

Il éleva la voix. Son attitude respirait la défiance. Il n'en était peut-être pas conscient, mais ses menaces répétées trahissaient sa faiblesse. Il avança d'un pas, puis, s'immobilisant, il se mit à trembler. Son front se couvrit d'une pellicule de sueur, qu'il essaya d'étancher de son mouchoir avec des gestes spasmodiques. Ses yeux regardaient dans tous les sens, comme en quête de quelque chose qu'il redoutait mais ne cessait de chercher. Il commença à parler tout seul, apparemment oublieux de ma présence.

«Qu'était-ce? Ce n'était rien. Mon imagination... Nerfs fatigués... Travaille trop. Epuisé... *Qu'est-ce que c'est?*»

Cette dernière question fut un véritable hurlement, qu'il poussa en voyant la porte s'ouvrir sur un homme âgé à moitié dévêtu. Il avait l'air égaré de celui qu'on a tiré du sommeil pour le jeter à bas du lit. Mr. Lessingham le regarda comme s'il s'agissait d'un fantôme, tandis que l'autre l'examinait comme s'il avait peine à croire le témoignage de ses yeux. Ce fut lui qui rompit le silence, et dit en hésitant:

«Je vous demande pardon, Sir, mais une des domestiques a cru entendre un coup de feu, et nous sommes descendus pour voir ce qui se passait. J'ignorais que vous étiez rentré.» Ses yeux allèrent de Mr. Lessingham jusqu'à moi, s'écarquillant quand il m'aperçut. «Dieu du ciel! Qui est-ce?»

La couardise de son valet fit prendre conscience de sa propre attitude à Mr. Lessingham, et il fit un effort pour faire montre de plus de courage.

«Tout va bien, Matthews, tout va bien. Je vous suis reconnaissant de votre vigilance. Vous pouvez vous retirer, à présent: je vais m'occuper moi-même de ce monsieur – mais restez sur le palier, je vous appelerai en cas de besoin.»

Matthews obéit et quitta la pièce plus rapidement qu'il y était rentré. Mr. Lessingham se tourna vers moi, l'air résolu, comme si la présence de sa maisonnée avait renforcé sa détermination.

«A présent, mon ami, vous devez avoir conscience de la situation: il suffit que je l'ordonne pour que vous soyez maîtrisé et promis à un long séjour en prison. Mais je suis toujours disposé à être généreux. Posez ce revolver, donnez-moi ces lettres, et je ne serai pas un ingrat.»

J'aurais tout aussi bien pu être une statue. Il se méprit sur la cause de mon silence, ou feignit de le faire.

«Allons, mes intentions ne sont pas aussi mauvaises que vous semblez le supposer. Epargnez-nous un scandale et soyez raisonnable: donnez-moi ces lettres!»

Il se dirigea de nouveau vers moi, se figea après un pas ou deux, trébucha et regarda autour de lui avec des yeux égarés. Il se mit à marmonner pour lui-même:

«C'est un truc! Bien sûr! Quoi d'autre? Je ne dois pas m'y laisser prendre, je ne suis plus aussi jeune. Je suis trop fatigué, voilà tout.»

Soudain, il se mit à crier:

«Matthews! Matthews! Au secours!»

Matthews pénétra dans la pièce, suivi par trois hommes plus jeunes. Ils s'étaient habillés à la hâte et chacun tenait à la main un bâton ou une arme rudimentaire.

Leur maître les encouragea:

«Faites-lui lâcher ce revolver, Matthews! Prenez-lui les lettres! N'ayez pas peur! Est-ce que j'ai peur, moi?»

Comme pour prouver le contraire, il se précipita vers moi en aveugle. Et je fus de nouveau contraint de hurler, avec une voix en laquelle j'aurais eu peine à reconnaître la mienne:

«LE SCARABÉE!»

La pièce fut alors plongée dans les ténèbres, et j'entendis des cris de douleur, de terreur et d'agonie. Je sentis que quelque chose avait pénétré dans la pièce, quelque chose d'horrible. Et la dernière action dont j'eus conscience fut ma fuite éperdue dans l'obscurité.

43

CHAPITRE VIII

L'homme dans la rue

J'ignore si je fus poursuivi. Je me rappelle vaguement un groupe de femmes hurlantes blotties contre le mur sur le palier, mais je ne saurais dire si elles essayèrent de m'arrêter. Je pense que nul effort ne fut tenté pour prévenir ma fuite.

J'ignore dans quelle direction je courus. J'étais en train de fuir comme dans un cauchemar, ne sachant où aller. J'empruntai ce que je crus être un couloir, au bout duquel se trouvait un salon. Je traversai cette pièce à toute allure, renversant des meubles au passage, me dégageant à grand-peine de leur masse. Chaque fois que je tombais, j'étais instantanément remis sur pied, et j'allai fracasser une fenêtre dissimulée par des rideaux. J'aurais pu passer au travers, mais ce sort me fut épargné. Ecartant les rideaux, je tâtonnai à la recherche de l'attache. Quand je l'eus ouverte, j'enjambai le rebord de la fenêtre pour me retrouver dans la véranda au-dessus du portique que j'avais vainement essayé d'atteindre de l'extérieur.

J'empruntai cette voie pour descendre, avançant avec une témérité qui me fait aujourd'hui frissonner. J'étais sans doute à trente pieds du sol, mais je me précipitai avec autant d'inconscience que si j'en avais été à trois pieds. J'enjambai le parapet, trouvant une prise précaire sur la grille, et commençai à descendre. Je ne parvins jamais à trouver une prise plus solide et, quand je fus arrivé à peu près à mi-course (m'arrachant apparemment chaque pouce carré de peau que j'avais à l'air libre), je glissai et tombai. J'atterris sur le sol avec brutalité, rebondissant du trottoir jusqu'à la rue boueuse. Ce fut un miracle que je ne fusse pas sérieusement blessé, mais les miracles étaient de mon côté cette nuit-là. J'étais à peine tombé que je me relevais déjà.

A peine fus-je debout que je sentis une main m'agripper par l'épaule. Je me tournai et découvris un homme mince et élancé, vêtu d'un manteau boutonné jusqu'au cou, porteur d'une moustache fournie, qui me tenait d'une poigne d'acier. Il me dévisagea, et je lui rendis son regard.

«Le bal est fini, hein?»

Même à ce moment-là, je fus frappé par le caractère agréable de sa voix, et par la bonté qui rayonnait de son visage.

Voyant que je restais silencieux, il continua, avec un sourire moqueur:

«Est-ce là une façon de quitter le temple de l'Apôtre? Est-ce un cambriolage ou bien un simple meurtre? Apportez-moi la bonne nouvelle, dites-moi que vous avez tué saint Paul, et je vous laisserai partir.»

Je ne saurais dire s'il était vraiment fou, mais c'était l'impression qu'il donnait. Et pourtant, malgré ses paroles étranges, il n'avait pas l'air d'un dément.

«Et même si vous n'avez accompli qu'un délit mineur, ne dois-je pas bénir l'homme qui a volé Paul? Filez, vite!»

Il relâcha son emprise, me donna une tape dans le dos, et je m'en fus.

Je ne sais rien de l'athlétisme, mais si quelqu'un courut plus vite que moi la distance qui sépare Lowndes Square de Walham Green, j'aurais aimé le voir faire.

Au bout d'un temps incroyablement court, je me retrouvai de nouveau devant la maison à la fenêtre ouverte, le paquet de lettres si chèrement obtenu à la main.

CHAPITRE IX

Le contenu du paquet

Je m'arrêtai pile, comme si l'ordre de freiner m'avait été intimé avec rudesse, et restai à frissonner devant la fenêtre. Il venait de se mettre à pleuvoir, et l'eau tombait à verse au milieu des rafales de vent. Je transpirais terriblement, tout en étant transi de froid, j'étais couvert de boue, blessé, sanguinolent, un objet de pitié à n'importe quels yeux. La douleur exsudait de tous mes membres, de tous mes muscles, j'étais physiquement et mentalement épuisé. N'eût été le charme qui m'emprisonnait, je me serais effondré sur place, misérable carcasse incapable de tenir debout.

Mais mon tourmenteur n'en avait pas fini avec moi.

L'ordre vint. On aurait dit qu'un courant magnétique s'était déversé en moi pour m'attirer vers sa source, derrière la fenêtre. J'enjambai la murette, puis le rebord, et me retrouvai dans cette pièce où avait eu lieu mon humiliation. Et je fus de nouveau conscient d'une présence maléfique. Je ne saurais dire si c'était un fait ou le pur produit de mon imagination mais, avec le recul, il me semble que j'eus la sensation d'avoir été arraché de mon corps pour être précipité dans un antre innommable du péché. J'entendis un bruit de chute, et je sus que la chose avançait sur le plancher dans ma direction. Mon estomac se contracta, mon cœur se mit à battre plus fort, l'angoisse et la terreur me

45

donnèrent la force de hurler, et de hurler encore! Il m'arrive quelquefois d'entendre de nouveau ces cris que je poussai dans la nuit et j'enfonce mon visage dans l'oreiller: je traversais à ce moment la Vallée des Ombres.

La chose recula et je l'entendis glisser sur le plancher. Silence. Puis on alluma la lampe et la pièce fut tout illuminée. Sur le lit, dans son attitude habituelle, la tête posée sur sa main, les yeux brûlant comme des charbons ardents, se trouvait l'homme qui était la cause de tous mes tourments.

«Ah! Encore par la fenêtre, comme un voleur! Vous passez toujours par la fenêtre pour entrer quelque part?»

Il se tut, comme pour me laisser le temps d'apprécier son humour.

«Vous avez vu Paul Lessingham? Et alors? Le grand Paul Lessingham! Est-il si grand que ça?»

Sa voix éraillée, au fort accent étranger, me rappela le bruit que ferait une scie: ce qu'il disait, tout autant que la façon qu'il avait de le dire, me rendaient également mal à l'aise. Mais ce ne fut qu'en raison de mon état pitoyable qu'il réussit partiellement à me démonter.

«Vous êtes entré dans sa maison comme l'aurait fait un voleur. Ne l'avais-je pas prédit? Il vous a pris sur le fait: n'avez-vous pas eu honte? Et comment avez-vous réussi à lui échapper? Par quel artifice de voleur avez-vous réussi à éviter le gibet?»

Son ton changea brusquement, et il me dit dans un grognement:

«Est-ce qu'il est grand, hé? Est-ce que Paul Lessingham est si grand que ça? Vous êtes petit, mais il l'est plus encore, votre grand Paul Lessingham! Y a-t-il jamais eu créature plus minable?»

Avec le souvenir de Mr. Lessingham tel qu'il m'était apparu, je ne pouvais m'empêcher de constater que ces paroles amères contenaient au moins une part de vérité. L'image qui figurait en bonne place dans mon esprit avait été quelque peu ternie.

Comme à son habitude, l'homme dans le lit sembla déchiffrer mes pensées sans aucune difficulté.

«C'est bien ça, vous et lui faites une belle paire: le grand Paul Lessingham n'est qu'un voleur, comme vous, mais un plus grand voleur, car il a plus de courage!»

Il resta silencieux un moment, puis s'écria:

«Donnez-moi votre butin!»

Je me dirigeai vers le lit à contrecœur et lui tendis le paquet de lettres que j'avais trouvé dans le tiroir. S'apercevant de ma répugnance à être près de lui, il résolut d'en jouer. Ignorant ma main tendue, il me regarda droit dans les yeux:

«Que se passe-t-il? Vous n'allez pas bien? N'est-il pas agréable d'être à mes côtés? Dites-moi, vous qui avez la peau si blanche, si j'étais une femme, m'épouseriez-vous?»

Il y avait à ce moment-là quelque chose de si féminin dans ses ma-

46

nières que je me demandai une nouvelle fois si je ne m'étais pas trompé sur son sexe. J'aurais donné tout ce que je possédais pour être capable de le frapper au visage ou, mieux, de l'attraper par le cou et de le jeter par la fenêtre.

Il daigna remarquer que je tendais la main vers lui.

«Ah! Voici ce que vous avez volé, ce que vous avez pris dans le tiroir du bureau, le tiroir fermé à clé, que vous avez pu ouvrir grâce vos talents de voleur. Donnez-moi ça, voleur!»

Il m'arracha le paquet, m'égratignant au passage, comme si ses ongles avaient été des griffes. Il le tourna et le retourna dans ses mains, le touchant de son regard brûlant. Quel soulagement c'était de ne plus savoir ce regard posé sur moi!

«Vous gardiez cela dans votre tiroir, là où personne ne pouvait le voir, n'est-ce pas, Paul Lessingham? Vous le cachiez comme on cache un trésor. Cela doit avoir une valeur immense, pour que vous ayez pris la peine de le dissimuler ainsi.»

Comme je l'ai dit, le paquet était maintenu par un ruban rose, dont il se mit à commenter la présence.

«Avec quel beau ruban vous l'avez attaché! Seule une main de femme pourrait faire un si joli nœud! Qui aurait deviné que vos doigts étaient si agiles? Ah! Une phrase sur la couverture! Qu'est-ce donc? Qu'est-ce qui est écrit là? "Les lettres de mon amour très cher, Marjorie Lindon".»

Tandis qu'il lisait ces mots, son visage se transfigura. Jamais je n'aurais cru qu'un visage humain pût ainsi être possédé par la rage. Sa bouche s'ouvrit si grand que je vis ses dents jaunes luire derrière ses lèvres, il retenait son souffle à tel point que je crus qu'il allait défaillir, les veines saillaient sur son visage. Je ne saurais dire combien de temps il resta silencieux. Quand il reprit son souffle, ce fut pour se mettre à suffoquer et à hoqueter, comme si les mots qui passaient par sa gorge menaçaient de l'étouffer.

«Les lettres de son amour très cher! De son amour très cher! Ah! Paul Lessingham! Je m'en doutais, je le savais! Marjorie Lindon, chère Marjorie! Son amour très cher, l'amour de Paul Lessingham! Avec son visage de lys et ses cheveux couleur des blés! Et qu'est-ce que cet amour a écrit à son cher Paul Lessingham?»

Il s'assit et déchira le paquet. Il contenait environ huit ou neuf lettres, dont certaines étaient très brèves, d'autres de véritables épîtres. Mais, courtes ou longues, il les dévora toutes avec un égal appétit, plusieurs fois même, tant et si bien que je crus qu'il n'en aurait jamais fini. Elles étaient écrites sur des feuilles de papier blanc à fort grain, aux bords non découpés, et en haut de chacune étaient gravés une adresse et un écusson. Si je devais revoir un tel papier, me disais-je, je ne manquerais pas de m'en apercevoir. L'écriture était comme le papier: remarquable et originale, et produite à mon avis par un stylo à plume.

Pendant qu'il lisait, il émettait des sons qui ressemblaient davantage à des glapissements animaux qu'aux grognements d'un être humain, comme s'il avait été une bête enragée. Quand il eut achevé sa lecture, il donna libre cours à sa fureur.

«Ah! Et c'est cela que ce cher amour a cru bon d'écrire à Paul Lessingham! A Paul Lessingham!»

L'écriture est impuissante à décrire la frénésie de haine qui s'emparait de lui quand il prononçait ce nom: c'était démoniaque.

«Il suffit! C'est la fin! Son destin est scellé! Il sera broyé par les pierres supérieures et les pierres inférieures de la tour de l'angoisse, et ce qui restera de lui sera jeté dans le courant maudit des eaux amères pour s'abîmer sous le soleil de sang! Et quant à elle... quant à Marjorie Lindon, son cher amour! Elle en viendra à souhaiter ne jamais être née et ne l'avoir jamais rencontré! Et tous les dieux du gouffre respireront le doux arôme.de sa souffrance! Il en sera fait ainsi, selon ma volonté! J'ai dit!»

Je crois bien que, dans sa folie diabolique, il avait oublié ma présence. Mais il tourna la tête et me vit, se souvint, et fut prompt à tirer avantage d'un objet sur lequel assouvir sa haine.

«Vous! Voleur! Vous êtes toujours en vie! Vous insultez ainsi un des enfants des dieux!?»

Il bondit hors du lit en hurlant et me sauta dessus, enserrant ma gorge de ses horribles mains, me jetant sur le sol. Je sentis son souffle se mêler au mien...

Et Dieu, dans son infinie miséricorde, me donna l'oubli.

LIVRE DEUXIEME

L'homme hanté

L'histoire racontée par Sydney Atherton, Esquire

CHAPITRE X

Rejeté

Je tentai ma chance après notre deuxième valse. Dans le coin tranquille d'usage, en l'occurrence à l'ombre d'un palmier dans le hall. Avant que j'aie pu entamer mon attaque, elle m'arrêta en touchant mon bras de son éventail et tourna vers moi des yeux écarquillés.

«Arrêtez, je vous prie.»

Mais je n'en avais pas l'intention. Cliff Challoner passa près de nous, en compagnie de Gerty Cazell. Je crois bien qu'il m'adressa un hochement de tête, mais je n'y pris pas garde. J'étais bien décidé à poursuivre, et je fonçai. Un homme ne sait pas de quoi il est capable avant d'avoir eu le courage de se déclarer à la femme qu'il veut épouser. Je crois bien lui avoir cité les poètes de la Restauration[1]. Elle sembla surprise, n'ayant jamais décelé en moi une inclination poétique, et m'interrompit de novueau.

«Je regrette, Mr. Atherton.»

Je m'emportai.

«Vous regrettez que je vous aime! Pourquoi? Pourquoi devriez vous regretter d'être devenue la chose la plus précieuse aux yeux d'un homme, même si ce sont les miens? La seule chose précieuse, le seul objet estimable! Est-il si ordinaire pour une femme de rencontrer un homme prêt à donner sa vie pour elle, qu'elle en vienne à le regretter?

– Je n'avais aucune idée de vos sentiments, bien que je confesse avoir entretenu des... doutes.

– Des doutes! Je vous remercie.

– Mr. Atherton, vous savez parfaitement que je vous estime beaucoup.

– Vous m'estimez! Bah!

– Je ne peux pas m'en empêcher, malgré vos «bah».

– Je ne veux pas que vous m'estimiez, je veux que vous m'aimiez.

– C'est précisément là votre erreur.

– Mon erreur! Vouloir que vous m'aimiez! Alors que je vous aime...

– Vous ne devriez pas, et je ne peux m'empêcher de penser que vous vous trompez là aussi.

– Me tromper! En pensant vous aimer! Alors que je ne cesse de vous le répéter de toutes mes forces! Que voulez-vous donc que je fasse pour vous le prouver, que je vous prenne dans mes bras et vous

1. La Restauration anglaise, après le retour de Charles II, en 1660 (NDT).

presse contre mon cœur, et nous donne en spectacle à toute l'assistance?

– Je préférerais que vous vous en absteniez, et j'aimerais également que vous parliez moins fort. Mr. Challoner semble se demander ce qui vous fait crier ainsi.

– Vous ne devriez pas me torturer de la sorte.»

Elle ouvrit et referma son éventail, et je crois bien qu'elle sourit en baissant les yeux vers lui.

«Je suis heureuse que nous ayons pu nous expliquer, car, bien sûr, vous êtes mon ami.

– Absolument pas.

– Bien sûr que si.

– Je vous répète que non. Si je ne peux être rien d'autre, je ne serai pas votre ami.»

M'ignorant toujours, elle continua de jouer avec son éventail.

«Justement, je me trouve en ce moment dans une situation délicate, et un ami serait le bienvenu.

– Que se passe-t-il? Qui vous pose des problèmes? Votre père?

– Eh bien... pas encore. Mais cela ne saurait tarder.

– Qu'est-ce qui se prépare?

– Mr. Lessingham.»

Elle baissa et la voix et les yeux. Sur le moment, je ne saisis pas ce qu'elle avait dit.

«Quoi?

– Votre ami, Mr. Lessingham.

– Excusez-moi, Miss Lindon, mais je ne vois pas en quoi on pourrait dire que Mr. Lessingham est de mes amis.

– Quoi! Même pas si je dois devenir son épouse?»

Voilà qui me désarçonna. J'avais remarqué que l'on voyait bien souvent Paul Lessingham en compagnie de Marjorie, mais je n'aurais jamais supposé qu'elle puisse trouver quoi que ce soit d'agréable à ce freluquet. Sans parler d'une foule d'autres considérations, la moindre d'entre elles n'étant pas l'appartenance de Lessingham et du père de Marjorie à des partis politiques opposés: le vieux Lindon ne manquait jamais une occasion de l'attaquer, fort de ses opinions de Tory[2] et de l'importance de sa famille, sans parler de sa fortune.

Je ne sais pas si mon visage trahissait mes émotions. Si tel était le cas, je devais avoir l'air assommé.

«Miss Lindon, vous avez choisi un moment fort approprié pour me communiquer cette information.»

Elle choisit d'ignorer mon sarcasme.

«J'en suis heureuse, car vous allez pouvoir comprendre dans quelle délicate situation je me trouve.

2. Membre du parti conservateur (NDT).

– Je vous présente mes plus sincères félicitations.

– Et je vous en remercie, Mr. Atherton, dans le même esprit que celui avec lequel elles sont offertes, car je sais que, venant de vous, ces paroles signifient beaucoup.»

Je me mordis les lèvres: ma vie en aurait dépendu que je n'aurais pu dire comment elle souhaitait que j'interprète ses paroles.

«Dois-je comprendre qu'en me disant cela, vous souhaitez que la nouvelle soit rendu publique?

– Absolument pas. C'est une confidence que je fais à un ami, à vous, mon meilleur ami. Parce qu'un mari est plus qu'un ami.» Mon pouls s'accéléra. «Serez-vous de mon côté?»

Elle s'interrompit, et je restai silencieux un instant.

«De votre côté, ou de celui de Mr. Lessingham?

– C'est la même chose. Serez-vous de notre côté?

– Je ne suis pas sûr de vous comprendre.

– Vous êtes le premier à apprendre la nouvelle. Quand papa saura, il est possible qu'il y ait des problèmes, vous vous en doutez bien. Il vous estime beaucoup et attache de la valeur à votre opinion. Quand les problèmes se poseront, je veux que vous soyez de notre côté, de mon côté.

– Pourquoi le devrais-je? Et quelle importance? Vous êtes plus forte que votre père, et il est possible que Lessingham soit plus fort que vous. Ensemble, face à votre père, vous serez invincibles.

– Vous êtes mon ami... Etes-vous mon ami?

– En fait, vous m'offrez là une pomme de Sodome.

– Je vous remercie. Je ne vous croyais pas si cruel.

– Et vous, n'êtes-vous pas cruelle? Au moment où je vous avoue mon amour, vous me demandez de me faire le chantre de l'amour d'un autre.

– Comment pouvais-je deviner que vous m'aimiez? Je n'en avais aucune idée. Vous m'avez connue toute votre vie, et vous n'en avez jamais dit un mot auparavant.

– Et si je l'avais fait?»

J'imagine qu'elle eut à ce moment-là un léger mouvement des épaules.

«Je ne sais pas si cela aurait fait une différence. Je ne peux pas m'engager à l'affirmer. Mais je suis sûre d'une chose: vous n'avez découvert votre sentiment que dans la dernière demi-heure.»

Elle n'aurait pas pu me surprendre davantage en me giflant. Je ne sais si elle prononça ces mots au hasard, mais ils étaient si proches de la vérité que j'en eus le souffle coupé. C'était un fait que je n'avais pris conscience de mon inclination que depuis quelques minutes, que ce n'était qu'à l'issue de la première valse que cette flamme s'était mise à consumer mon âme. Elle avait lu si clairement en moi que je ne sus quoi lui répondre. J'essayai d'être cinglant.

«Vous me flattez, Miss Lindon, vous me flattez énormément. Si vous m'aviez informé de vos sentiments un peu plus tôt, je vous aurais tenue dans l'ignorance des miens.

– Faisons un trait là-dessus.

– Comme vous voulez.» Son calme me sembla provocant, et je la soupçonnai de rire de moi dans son for intérieur. Je décidai d'aller plus loin. «Mais permettez-moi de vous dire que vous ne pouvez plus être aussi innocente que vous prétendez l'avoir été. Ou alors, vous n'avez aucune excuse. Car je veux que vous le compreniez: je vous aime, je vous ai toujours aimée, et je vous aimerai toujours. Ce qu'il y a entre Mr. Lessingham et vous ne fait aucune différence. Miss Lindon, je vous avertis: jusqu'au jour de votre mort, il faudra voir en moi votre soupirant.»

Elle me regarda avec des yeux écarquillés, comme si je l'effrayais. Pour être franc, c'était le but que je recherchais.

«Mr. Atherton!

– Miss Lindon?

– Voilà qui ne vous ressemble guère.

– On dirait que nous venons de faire connaissance.»

Elle continua de me dévisager, et il m'était difficile de soutenir son regard. Soudain, son visage fut éclairé par un sourire qui me mit mal à l'aise.

«Non, pas après toutes ces années! Je vous connais bien et, bien que vous ne soyez pas sans défaut, je sais que vous êtes sincère.»

Elle s'adressait à moi comme une sœur aînée. J'aurais pu la gifler. La venue de Hartridge me donna la chance de me retirer avec le peu de dignité qui me restait. Il s'approcha avec son allure habituelle, les pouces dans les poches de son gilet.

«Miss Lindon, je crois bien que c'est là notre danse.»

Elle acquiesça en inclinant la tête, et se leva pour prendre son bras. Je la quittai sans ajouter un mot.

Alors que je traversais le hall, je tombai sur Percy Woodville. Comme à son habitude, il était tout agité et regardait autour de lui comme s'il venait d'égarer le Koh-i-Nor et se demandait où il pouvait bien être. Quand il m'aperçut, il me saisit par le bras.

«Atherton, avez-vous vu Miss Lindon?

– Oui.

– Non, vraiment? By Jove! Où est-elle? Je n'arrête pas de la chercher partout, j'allais même fouiller la cave et le grenier! C'est notre danse.

– Dans ce cas, j'ai bien peur qu'elle ne vous ait oublié.

– Non! C'est impossible!» Sa bouche s'ouvrit en grand et son œil laissa échapper son monocle. «Ce doit être ma faute. En fait, je n'arrive plus à me retrouver dans mon carnet. Notre danse doit être la prochaine, à moins que ce ne soit celle-ci ou la précédente. Que je sois pendu si je le sais! Jetez donc un coup d'œil, mon vieux, et donnez-moi votre avis.»

Je ne pus faire autrement que de jeter un coup d'œil, puisque l'objet était placé sous mon nez. Un regard me suffit. Il y a des carnets de bal qui relèvent de l'impressionisme, mais celui de Percy était du domaine du délire pur. Il était couvert de signes incompréhensibles, sur la signi-fication desquels il était impossible que j'eusse des lumières. Cet hom-me est un gâcheur notoire.

«Mon cher Percy, j'ai le regret de vous informer que je ne suis pas un expert dans le déchiffrage de l'écriture cunéiforme. Si vous avez des doutes sur l'ordre de vos danses, demandez à vos cavalières, elles en seront sans nul doute flattées.»

Je le laissai à sa confusion et allai chercher mon manteau. Il me tar-dait d'être à l'air libre, et l'idée de danser m'était devenue répugnan-te. Alors que j'approchais du vestiaire, quelqu'un m'arrêta. C'était Dora Grayling.

«Avez-vous oublié que c'est notre danse?»

Je l'avais complètement oublié, en effet, et je n'étais pas heureux qu'elle me le rappelât, bien qu'en regardant ses yeux gris et les traits si doux de son visage, je me donnasse mentalement des coups de pied. C'est un ange, un vrai, mais je n'étais pas d'humeur à rencontrer des anges. Je n'aurais pas pu danser pour une fortune, et je n'aurais pas pu supporter non plus de rester assis à côté de Dora Grayling pendant une valse. Aussi me conduisis-je comme un goujat et dis-je brutale-ment:

«Pardonnez-moi, Miss Grayling, mais... je ne me sens pas très bien et... je ne crois pas que je serai encore capable de danser aujourd'hui. Bonsoir.»

CHAPITRE XI

L'incident de minuit

Dehors, le temps était en harmonie avec mon état d'esprit, égale-ment orageux. Un vent de nord-est, glacé à vous en arracher la peau, jouait à cache-cache avec des averses intermittentes. On n'aurait pas mis un chien dehors, et encore moins un cab: j'étais condamné à mar-cher.

Ce que je fis.

Je longeai Park Lane, et la pluie et le vent m'accompagnèrent, ainsi que le souvenir de Dora Grayling. Quel goujat j'avais été! S'il y a quelque chose pire que retenir une danse pour délaisser ensuite sa cavalière, j'aimerais qu'on me l'enseigne, j'en prendrais bonne note. Si une de mes connaissances devait se rendre coupable d'une telle félonie, je crois que je serais capable de prendre les armes. Il ferait beau voir qu'on se conduise de la sorte avec moi.

Tout était la faute de Marjorie, tout ce qui s'était passé et tout ce qui allait arriver! Je connaissais cette fille depuis qu'elle était enfant (j'avais, à cette époque, presque cessé d'en être un), et je n'avais pas arrêté de la fréquenter depuis. Et durant tout ce temps... et bien, durant tout ce temps, j'étais persuadé que je l'avais aimée. Si je n'en avais jamais parlé, c'était parce que je ne l'avais pas osé, «comme le ver de terre amoureux d'une étoile», aurait dit le poète.

Quoi qu'il en soit, si je m'étais douté qu'elle avait jeté son dévolu sur un homme comme Lessingham, je me serais déclaré il y a longtemps. Lessingham, quelle idée! Quoi, il aurait pu être son père, ou du moins il était bien plus âgé que moi. Et un Radical, en plus! Il est exact que je passe moi aussi, sur certains points, pour un Radical, mais je ne suis pas un Radical de son genre. Dieu merci, non! Il ne fait nul doute que, avant d'apprendre cette chose, j'aie admiré certains traits de son caractère. Je suis même disposé à admettre que l'homme est habile, à sa façon! – qui est loin d'être la mienne. Mais l'associer, même en esprit, à une fille comme Marjorie Lindon... Ridicule! Quoi, l'homme est sec comme une trique! Et aussi froid qu'un iceberg! Un politicien, et puis c'est tout! Lui, un soupirant! Je vois déjà les bancs de la Chambre secoués de rire à cette idée. De par son éducation autant que sa nature, il était incapable de figurer dans un tel rôle, c'était absurde! Si on l'ouvrait en deux pour le disséquer, on ne trouverait rien d'autre que les os secs d'un politicien.

Ce que ma Marjorie (car la considérais comme mienne, maintenant et à jamais) pouvait voir dans un tel ectoplasme qui le lui fasse apparaître sous les traits d'un époux, voilà qui dépassait mon entendement.

De telles réflexions allaient bien de pair avec le vent et la pluie qui faisaient rage autour de moi, aussi me tinrent-elles compagnie jusqu'au bout de la rue. Arrivé au coin, je traversai, contournant l'hôpital pour me diriger vers la place. Cela me conduisit tout droit au temple de l'Apôtre Paul. Comme l'imbécile que j'étais, je me plantai au milieu de la rue pour me mettre à le maudire, lui et sa maisonnée. En y réfléchissant, si l'on considère que j'étais capable d'une telle conduite, il n'est pas surprenant que Marjorie m'ait rejeté.

«Que vos disciples,» criai-je (oui, c'est exact: je criai ces mots!), «aussi bien aux Communes qu'ailleurs, refusent désormais de vous suivre! Que votre parti se détourne de vous! Que vos ambitions politiques s'étiolent et que vos discours ne soient plus écoutés que par des bancs vides! Que le Président refuse de vous donner la parole, et que vos électeurs vous repoussent à la prochaine échéance! – Jehoram!

Qu'est-ce que c'est que ça?»

Jusqu'à ce moment-là, j'étais apparemment le seul dément en liberté dans les parages, dans la maison ou au-dehors, mais soudain, un autre fou entra en scène, et de la plus brutale façon. La fenêtre au-dessus de la porte d'entrée se fracassa et un homme en jaillit. C'était une tentative de suicide, j'en étais sûr, et j'espérais que j'allais être le témoin du suicide de Paul. Mais je ne fus plus aussi sûr des intentions du désespéré quand je le vis descendre le long de la grille du porche et, quand il tomba sur le sol pour s'effondrer à mes pieds, j'avais écarté l'hypothèse du suicide.

Si j'avais été à la place de cet individu, j'aurais bien passé une seconde ou deux à déterminer où je me trouvais et à vérifier si j'étais encore entier. Mais cet inconnu singulièrement agile (il devait être fait de caoutchouc, à n'en pas douter!) ne perdit pas de temps. Si j'ose dire, il se releva avant même d'avoir fini de tomber, et ce fut tout juste si je parvins à l'agripper par le col avant qu'il ait disparu.

Il est rare d'apercevoir des gens comme lui, du moins dans les rues de Londres. Je n'aurais pu déterminer ce qu'il avait fait du reste de ses vêtements, mais tout ce qu'il portait était une grande robe noire dont il essaya de s'envelopper. A part cela (et la boue qui le recouvrait!), il était nu comme un ver. Mais ce fut son visage qui retint mon attention. J'ai vu d'étranges expressions traverser les visages des hommes, mais jamais une comme la sienne. On aurait dit un homme qui, après une vie entière vouée au crime, se trouve finalement face à face avec le diable. Ce n'était pas l'expression d'un fou, loin de là: c'était encore pire.

Ce fut cette expression qui me fit me conduire comme je le fis. Je lui dis quelque chose, quelque stupidité que j'ai oubliée, et il me regarda dans un silence surnaturel. Je parlai de nouveau: aucun mot ne s'échappa de ses lèvres rigides; ses yeux qui, j'en étais presque convaincu, avaient vu quelque chose que je n'avais pas vu, que je ne devais pas voir, restèrent immobiles. Puis j'ôtai ma main de son épaule et le laissai partir. J'ignore pourquoi.

Tandis que je le maintenais en place, il était resté immobile comme une statue, et il aurait tout aussi bien pu en être une, mais dès que je l'eus relâché, comme il courut! Il avait disparu derrière le coin de la rue avant que j'aie pu dire «ouf».

Ce ne fut que lorsqu'il se fut évanoui et que je fus suffisamment étonné de sa célérité phénoménale que je pris conscience de quel acte stupide je m'étais rendu coupable en le laissant filer. Voilà un individu qui vient de commettre, selon toutes les apparences, un cambriolage dans la maison d'un politicien d'avenir, et qui me tombe dans les bras, si bien que je n'ai qu'à appeler un policeman pour le faire jeter en prison... et je trouve moyen d'agir tout à fait autrement!

«Tu fais un drôle de citoyen modèle!» me réprimandai-je. «Un parfait spécimen de crétin, oui, de complice de vol sur la personne de Paul. Puisque tu as laissé filer le voleur, autant rendre visite à l'Apôtre et aller aux nouvelles.»

Je me dirigeai vers la maison de Lessingham et frappai à la porte. Je frappai une fois, deux fois, trois fois et, je vous prie de le croire, à la troisième fois je fis retentir les échos de mes coups, mais pas une âme ne se manifesta.

«Si c'est une affaire de meurtre, et si ce gentleman en robe a assassiné tous les habitants de la maison, il est heureux que je sois passé par-là! Mais je pense qu'un des cadavres pourrait au moins avoir l'obligeance de se lever pour m'ouvrir la porte. On peut faire du bruit à en réveiller les morts, et c'est bien ce que j'ai l'intention de faire!»

Et je m'exécutai! Je frappai ce heurtoir si fort que je jure que l'on m'entendait de l'autre côté de Green Park. Et je réussis enfin à réveiller les morts – ou du moins je réussis à attirer l'attention de Matthews. Il ouvrit la porte d'environ six pouces et tendit en avant son nez vénérable.

«Qui est là?

– Mais personne, mon cher ami, personne. Seule votre imagination si fertile a pu vous persuader qu'il y avait quelqu'un. Vous devriez la surveiller de plus près.»

Puis il me reconnut et ouvrit la porte en grand.

«Oh, c'est vous, Mr. Atherton. Je vous demande pardon, Sir, j'avais cru que c'était la police.

– Et alors? Redoutez-vous enfin les forces de l'ordre?»

Très discret, Matthews, le domestique idéal pour un politicien d'avenir. Il jeta un regard par-dessus son épaule (J'avais soupçonné la présence d'un autre domestique derrière lui, ce geste la confirma.) et posa le doigt sur sa bouche. Je me fis la réflexion qu'il avait vraiment l'air discret dans cette tenue: en chaussettes, la chemise de nuit passée à la diable dans un pantalon dont les bretelles pendaient sur les côtés, les cheveux en bataille...

«Eh bien, Sir, j'ai reçu l'instruction de ne pas laisser entrer la police.

– Diable, diable! Et de qui?»

Toussotant, penché en avant, il me dit sur le ton de la confidence:

«De Mr. Lessingham, Sir.

– Il est possible que Mr. Lessingham ne sache pas qu'un cambriolage vient d'être commis chez lui, que le voleur vient à l'instant de s'enfuir par la fenêtre de son salon, a fait un petit bond, et a détalé à la vitesse d'une fusée.»

Matthews regarda de nouveau par-dessus son épaule, comme indécis quant à la réponse à me donner.

«Merci, Sir. Je crois bien que Mr. Lessingham est au courant.» Il sembla prendre une décision et me dit dans un murmure: «Le fait est,

Sir, que Mr. Lessingham me semble fortement troublé.

– Troublé?» Je le regardai fixement. Il y avait dans son attitude quelque chose qui m'échappait. «Que voulez-vous dire? Y aurait-il eu violence?

– Qui est là?»

C'était la voix de Lessingham, qui appelait Matthews depuis l'escalier, mais je la reconnus à peine tant elle était irritée. Ecartant Matthews, je pénétrai dans le hall. Un jeune domestique, aussi échevelé que Matthews, tenait une chandelle, seule source de lumière du lieu. J'aperçus Lessingham debout sur les marches. Il était en tenue de gala et, comme il n'était pas le genre d'homme à faire des frais pour les Communes, je suppose que ce soir il avait été de sortie.

«C'est moi, Lessingham, Atherton. Savez-vous qu'un individu vient juste de sauter par votre fenêtre?»

Il s'écoula une seconde ou deux avant qu'il ne réponde. Quand il le fit, sa voix avait perdu de son irritation.

«S'est-il échappé?

– Il est loin d'ici à présent.»

Il me sembla soulagé quand il reprit la parole.

«Je me le demandais. Pauvre diable! Il est plus victime que coupable! Suivez mon conseil, Atherton, et ne faites jamais de politique. Cela attirerait sur vous l'attention de toutes sortes de déments. Bonne nuit! Merci d'être venu vous inquiéter de notre sort. Fermez la porte, Matthews.»

Voilà qui était froid, très froid. Un homme qui apporte des nouvelles importantes ne s'attend guère à recevoir ce genre de traitement. Il s'attend à ce qu'on l'écoute avec déférence et avec attention, et pas à ce qu'on le jette dehors sans lui avoir donné la chance d'ouvrir la bouche. Presque avant que je m'en sois rendu compte, la porte avait été refermée et je me retrouvai sur le seuil. Au diable l'impudence de l'Apôtre! La prochaine fois, sa maison pourrait brûler, et lui avec, que je ne ferais aucun effort pour toucher le heurtoir de sa porte!

Et qu'avait-il voulu dire avec son allusion à la politique? Me prenait-il pour un imbécile? Cette affaire était plus trouble qu'il ne semblait, et plus trouble qu'il voulait m'en persuader, d'où son insolence. Le fat!

Ce que Marjorie Lindon pouvait trouver à une telle créature, voilà qui dépassait mon entendement. Surtout quand il y avait à côté un homme tel que moi qui adorait jusqu'au sol où elle posait les pieds...

CHAPITRE XII

Un visiteur matinal

Je me posai la même question toute la nuit, que je dorme ou que je veille. Quand je rêvais, j'étais sûr qu'elle allait le repousser et se tourner vers moi: quel soulagement! Mais quand je m'éveillai, je savais que c'était le contraire qui était vrai, aussi mon réveil fut-il triste. Et plein de pensées de meurtre.

Aussi, après avalé une bouchée en hâte, je me rendis dans mon laboratoire pour y ourdir un meurtre, un meurtre légal, un meurtre sur la plus grande échelle que l'on ait jamais vue. J'étais sur le point d'élaborer une arme grâce à laquelle une guerre ne serait pas réglée en une seule offensive mais en une seule demi-heure. Et je me garderais bien d'ailleurs d'en équiper une armée: il suffirait qu'un seul individu, deux ou trois au plus, en possession de mon arme future, se placent à moins d'un mile du régiment le plus discipliné jamais engagé sur un champ de bataille, et pouf! En moins de temps qu'il n'en faut pour le dire, ils auraient devant eux une troupe de cadavres. Si les armes de précision, destinées à tuer, sont faites pour préserver la paix (et il serait stupide de prétendre le contraire!), alors j'étais sur le point de découvrir le plus grand outil pour la paix jamais conçu.

Quelle pensée sublime que celle de savoir que le sort de nations entières repose entre vos mains! Et les miennes le tenaient presque.

Devant moi se trouvaient certaines des substances les plus meurtrières que l'on connaisse: monoxyde de carbone, trioxyde de chlore, oxyde de mercure, conine, potassamide, carboxyde de potassium, cyanogène... J'étais en train de les contempler quand Edwards entra. Je portais un masque de mon invention, un objet qui me couvrait tout le visage et ressemblait à un casque de plongée: je manipulais des substances dont l'inhalation d'une bouffée pouvait entraîner la mort, et cela avait failli m'être fatal quelques jours plus tôt. J'étais en train de m'amuser avec de l'acide sulfurique et du cyanhydre de potassium quand, à la suite d'un faux mouvement, les deux produits s'étaient combinés. Grâce à Dieu, j'étais tombé en arrière et non en avant. Edwards m'avait découvert une heure après et il avait fallu le reste de la journée et un bataillon de docteurs pour me remettre sur pied.

Edwards annonça sa présence en me tapotant sur l'épaule: quand je porte ce masque, je n'entends pas toujours ce qu'on me dit.

«Quelqu'un désire vous voir, Sir.

– Dites à quelqu'un que je ne veux pas le voir.»

Bien dressé, Edwards: il s'en fut porter le message avec toute l'onction voulue. Mais ce n'était pas la fin de l'histoire.

J'étais en train de régler la valve d'un cylindre dans lequel je faisais réagir quelques oxydes quand je sentis de nouveau le contact d'une main sur mon épaule. Supposant que c'était encore Edwards, je ne me retournai pas.

«Il me suffit de tourner légèrement ce robinet, mon brave, et vous vous retrouverez au pays où éclosent les fleurs d'oranger. Je n'ai nul besoin de vous, alors partez.» Puis je me retournai. «Qui diable êtes-vous?»

Car il ne s'agissait pas d'Edwards, mais d'une tout autre personne.

Je me trouvais face à un individu qui aurait bien pu venir du pays où poussent les orangers auxquels je venais de faire allusion. Son costume me rappelait celui de ces Algériens que l'on trouve un peu partout en France et qui sont les plus insolents et les plus amusants des camelots. Je me souviens de l'un d'eux qui n'arrêtait pas de hanter les répétitions de l'Alcazar de Tours – mais en voir un ici! Cet individu leur ressemblait, tout en étant subtilement différent: sa tenue était moins flamboyante que celle de ses cousins continentaux, et il portait un burnous, la tenue utilitaire de l'Arabe du Soudan et non celle, purement décorative, de l'Arabe du boulevard. Et, différence cruciale, son visage était glabre: qui a jamais vu un Algérien de Paris dont le titre de gloire ne fût pas une moustache impeccablement taillée?

Je m'attendais à ce qu'il m'adresse la parole dans le charabia que ses semblables appellent du français, mais ce ne fut pas le cas.

«Vous êtes Mr. Atherton?

– Et qui êtes-vous, Sir? Comment êtes-vous entré ici? Où est mon valet?»

L'homme leva la main. A ce geste, comme obéissant à un signal convenu d'avance, Edwards pénétra dans le laboratoire, l'air égaré. Je me tournai vers lui.

«Est-ce la personne qui désirait me voir?

– Oui, Sir.

– Ne vous ai-je pas dit de lui faire savoir que j'étais occupé?

– Si fait, Sir.

– Alors pourquoi n'en avez-vous rien fait?

– Je le lui ai dit, Sir.

– Alors pourquoi est-il ici?

– Eh bien, Sir...» Edwards porta la main à son front, comme s'il s'endormait. «Je n'en sais rien.

– Que voulez-vous dire, vous n'en savez rien? Pourquoi ne l'avez-vous pas arrêté?

– Je crois bien, Sir, que j'ai eu un accès de faiblesse, car j'ai essayé de l'arrêter, mais... je n'ai pas pu.

– Vous êtes un imbécile. Partez!» Il sortit et je me tournai vers l'inconnu. «Dites-moi, Sir, êtes-vous sorcier?»

Il répondit à ma question en m'en posant une autre:

«Et vous, Mr. Atherton, êtes-vous aussi sorcier?»

Il regardait mon masque d'un air éberlué.

«Je porte ceci parce que la mort rôde en cet endroit sous plusieurs formes subtiles et que je n'oserais pas respirer sans lui.» Il inclina la tête, bien que je doute qu'il ait compris. «Soyez assez aimable pour me dire, brièvement, ce que vous souhaitez de moi.»

Il glissa une main dans les plis de son burnous et, sortant une feuille de papier, la posa sur une table proche. J'y jetai un coup d'œil, m'attendant à y trouver une pétition, un pamphlet ou la triste histoire de sa vie, mais il ne s'y trouvait que deux mots: «Marjorie Lindon». La vision de ce nom inattendu et tant aimé me fit monter le sang à la tête.

«C'est Miss Lindon qui vous envoie?»

Il baissa les épaules, joignit les mains et inclina la tête, le tout d'une façon typiquement orientale mais peu instructive, aussi répétai-je ma question.

«Dois-je comprendre que vous venez de la part de Miss Lindon?»

Il glissa de nouveau une main dans son burnous, et produisit un nouveau bout de papier, qu'il posa sur la table. Un nom était écrit dessus: «Paul Lessingham».

«Eh bien? Paul Lessingham. Et alors?

— Elle est bonne. Lui est mauvais. Non?»

Il toucha un des bouts de papier, puis l'autre. Je le regardai sans rien dire.

«Puis-je vous demander comment vous savez cela?

— Il ne l'aura jamais. Hein?

— Que diable voulez-vous dire?

— Ah! Ce que je veux dire...

— Précisément! Que voulez-vous dire? Et, tant que j'y suis, qui diable êtes-vous?

— Je viens en ami.

— Dans ce cas, vous pouvez repartir, il se trouve que je ne suis que trop pourvu dans ce genre d'article!

— Vous n'avez aucun ami comme moi!

— Le ciel m'en préserve.

— Vous l'aimez, vous aimez Miss Lindon! Pourriez-vous la voir dans ses bras?»

J'ôtai mon masque: je sentais que l'occasion l'exigeait. De son côté, il écarta les pans de son burnous pour que je puisse voir son visage. Je fus immédiatement conscient qu'il y avait dans ses yeux un degré exceptionnel de ce que j'appellerai, faute de mieux, une qualité hypnotique. Une de ces particularités que l'on rencontre surtout, Dieu merci, en Orient, qui rend celui qui la possède capable d'exercer son pouvoir sur les faibles et les débiles, et qui en fait une créature pour laquelle il est toujours bon d'avoir une corde à proximité. J'étais également conscient qu'il tentait à ce moment d'exercer son pouvoir sur moi, profitant de ce que j'avais retiré mon masque. Il n'aurait pu trouver sujet plus rétif: ce quelque chose de sensible que l'on trouve chez le bon sujet d'hypnose est totalement absent de ma personnalité.

«Vous êtes un hypnotiseur, à ce que je vois.»

Il sursauta.

«Je ne suis rien! Rien qu'une ombre!

– Et je suis un savant. Avec votre permission, ou sans elle, j'aimerais tenter une expérience ou deux sur vous.»

Il recula. Dans ses yeux apparut une lueur qui suggérait un pouvoir porté à un degré inhabituel: aux yeux de son peuple, ce devait être un mage redoutable.

«Nous allons faire une expérience ensemble, vous et moi, sur Paul Lessingham.

– Pourquoi sur lui?

– Vous ne le savez pas?

– Non?

– Pourquoi me mentez-vous?

– Je ne vous mens pas: je n'ai pas la moindre idée de la raison qui vous pousse à vous intéresser à Mr. Lessingham.

– La raison qui...? Aucune importance. C'est de votre intérêt qu'il s'agit.

– Pardonnez-moi, c'est le vôtre qui me préoccupe.

– Ecoutez-moi! Vous l'aimez, et il l'aime aussi! Mais un mot de vous, et il ne l'aura jamais, jamais! C'est moi qui vous le dis, moi!

– Et, je vous le demande à nouveau, qui êtes-vous?

– Je suis l'un des enfants d'Isis!

– Vraiment? Je crois que vous avez fait une petite erreur: nous sommes à Londres ici, pas dans un trou du désert.

– Ne le sais-je pas? Quelle importance? Vous verrez! L'heure viendra où vous aurez besoin de moi, vous ne pourrez supporter de le savoir dans ses bras, dans les bras de celle que vous aimez! Vous m'appellerez, et je viendrai, et c'en sera fini de Paul Lessingham.»

Tandis que je me demandais s'il était aussi fou qu'il en avait l'air, ou s'il ne s'agissait que d'un charlatan animé d'un désir de vengeance auquel il cherchait à m'associer, il disparut de la pièce. Je me précipitai derrière lui.

«Stop! Arrêtez!» criai-je.

Il avait dû faire vite car, avant que j'aie posé un pied dans le hall, j'entendis claquer la porte d'entrée et, quand j'arrivai dans la rue, il n'y avait nulle trace de lui, ni à droite ni à gauche.

CHAPITRE XIII

L'image

«Je me demande ce que voulait ce mendiant si coquet, et qui il peut bien être?» Voilà ce que je me disais en retournant au laboratoire. «S'il est vrai que la Providence écrit parfois le caractère d'un homme sur son visage, il n'y a pas le moindre doute que celui-ci est des plus curieux. Je me demande ce qui le lie à l'Apôtre – ou bien ne serait-ce qu'un bluff?»

J'arpentai la pièce. Pour le moment, les expériences en cours ne m'intéressaient pas.

«Si c'était un bluff, je n'ai jamais vu meilleur acteur, et pourtant qu'est-ce qu'un formaliste comme saint Paul peut avoir de commun avec une telle créature? La moindre mention de l'espoir des Radicaux semblait le mettre en rage. Est-ce une affaire politique? Voyons. Qu'est-ce que Lessingham a bien pu faire qui soit susceptible de froisser les sensibilités politiques ou religieuses des Orientaux? Du point de vue politique, je ne vois rien. Il se tient à l'écart des affaires étrangères. S'il y a eu offense de sa part (et sinon, quoi d'autre?), ce doit être sur un autre terrain. Mais lequel?»

Plus je cherchais à résoudre cette énigme, et plus la solution m'échappait.

«Absurde! Ce gredin n'a rien à voir ni avec saint Paul ni avec saint Pierre! C'est sûrement un cinglé. Ou alors, il essaie de manœuvrer, dans un but apparemment intéressé, et il a tenté de m'impliquer dans ses manigances. Quant à Marjorie (ma Marjorie! – mais elle n'est pas à moi, hélas!)... Si j'avais écouté mon bon sens, je lui aurais brisé le crâne, à cet Infidèle, pour lui apprendre à souiller son nom de ses lèvres! Bon, à présent, retournons à nos travaux sur le meurtre à grande échelle!»

J'enfilai mon masque (une des plus merveilleuses inventions de ces dernières années: si on en équipe les régiments de demain ils pourront défier mes armes!) et j'allais l'ajuster quand on frappa à la porte.

«Qui est là? Entrez!»

C'était Edwards. Il regarda autour de lui, l'air étonné.

«Je vous demande pardon, Sir. Je croyais que vous étiez occupé. J'ignorais que le... le gentleman était parti...

– Il est passé par la cheminée, comme le font les gentlemen de son genre. Pourquoi diable l'avez-vous laissé entrer malgré mes consignes?

64

– A vrai dire, Sir, je n'en sais rien. Je lui ai répété votre message, et... il m'a regardé, et... je ne me souviens plus de rien.»

Si un autre qu'Edwards m'avait raconté cette histoire, je l'aurais soupçonné de s'être laissé graisser la patte, mais je connaissais mon homme. Comme je m'en doutais, mon visiteur était un hypnotiseur de première classe: il avait osé exercer son art en plein jour, sur la personne de mon domestique, et chez moi! Edwards continua:

«Il y a quelqu'un d'autre qui désire vous voir: Mr. Lessingham.

– Mr. Lessingham!» La coïncidence semblait étrange quoique plus en apparence qu'en réalité. «Faites-le entrer.»

Paul entra.

Je dois confesser (comme je l'ai souvent reconnu!) que, dans un certain sens, j'admire beaucoup cet homme – tant qu'il n'essaie pas d'atteindre une certaine position. Il possède des qualités physiques qui sont agréables à mon œil de biologiste. Toute son allure, le moindre de ses mouvements, expriment une emprise sans relâche sur le vie: on sent en lui une réserve de force, une masse d'os et de muscles sur laquelle il peut toujours compter. Il est bien bâti et mène une vie active; il n'est pas excité, mais agile; il est robuste et élancé: le genre d'homme que l'on s'attend à voir faire un prompt rétablissement. Il est possible de le battre au sprint (mentalement ou physiquement), mais il faut pour cela être un bon athlète, et il est imbattable dans une course d'endurance. Il n'est pas de ceux à qui j'accorderais systématiquement ma confiance. Je ne le ferais qu'après m'être assuré qu'il est à son affaire, ce qui dans son cas n'est pas toujours évident. Il est trop calme, trop impassible, avec cette manie qu'il a de regarder autour de lui même dans les moments de péril extrême, et il a toujours une bonne excuse pour justifier ses actions. Il a la réputation, à la Chambre et ailleurs, d'être un homme aux nerfs d'acier, et à juste titre. Et cependant, cependant je ne suis pas sûr de lui. A moins que je ne me trompe, il me semble appartenir à ce type d'homme susceptible de s'effondrer dans certaines circonstances, pour se relever, une fois l'épreuve passée, comme le phénix renaissant de ses cendres. Quel que soit l'état d'esprit de ses partisans, lui resterait inchangé.

Et c'était là l'homme que Marjorie aimait. Eh bien, elle avait de bonnes raisons. C'était un homme arrivé, mais destiné à aller plus loin, un homme plein de qualités et capable d'en faire usage, un homme agréable à regarder, qui savait bien se conduire quand il le voulait. Bref, un homme qui illustrait parfaitement la définition du gentleman: «Il faisait toujours la chose à faire, au moment où il fallait, et de la manière qu'il fallait». Et pourtant! Eh bien, admettons-le, nous sommes tous des fripouilles, et des poseurs pour la plupart: pour l'amour de Dieu, ne nous montrons pas sous notre vrai jour.

Il était habillé comme un gentleman doit l'être: manteau noir, veste noire, pantalon gris, la cravate soigneusement nouée sur le faux-col, des gants de la bonne nuance, les cheveux en bon ordre et un sourire qui, s'il n'était pas enfantin, était au moins inexpressif.

«Je ne vous dérange pas?

— Pas du tout.

— Vous êtes sûr? Je n'arrive jamais à pénétrer dans un tel endroit, là où l'homme lutte avec la nature pour lui arracher ses secrets, sans avoir l'impression de franchir le seuil de l'inconnu. La dernière fois que je suis entré ici, vous veniez juste de mettre au point votre système de télégraphie maritime, dont l'Amirauté a acquis le brevet, avec sagesse dois-je dire. Sur quoi travaillez-vous aujourd'hui?

— La mort.

— Vraiment? Que voulez-vous dire?

— Vous le saurez si vous faites partie du prochain gouvernement. Il est possible que je lui offre une nouvelle variation dans l'art du meurtre.

— Je vois. Un nouveau projectile. Combien de temps cette course infernale va-t-elle durer?

— Jusqu'à ce que le soleil s'éteigne.

— Et après?

— Il n'y aura plus rien à défendre. Plus rien.»

Il me regarda d'un air grave.

«Il est vrai qu'une théorie prétend que nous allons vers une nouvelle ère glaciaire. Ce n'est guère réjouissant.» Il se mit à manipuler une cornue qui traînait sur la table. «Au fait, ce fut très aimable à vous de frapper à ma porte cette nuit. J'ai bien peur d'avoir été un peu vif et je suis venu m'en excuser.

— Je ne vous ai pas trouvé vif. Je vous ai trouvé... bizarre.

— Oui.» Il me regarda avec ce visage sans expression qu'il pouvait prendre à volonté et qui est à l'origine de sa réputation d'impassibilité. «J'étais inquiet et un peu indisposé. De plus, il n'est guère agréable d'être cambriolé par un dément.

— C'était un dément?

— Vous l'avez vu?

— Très distinctement.

— Où?

— Dans la rue.

— Vous étiez près de lui?

— Plus près que je ne suis de vous.

— Ah. Je ne le savais pas. Avez-vous essayé de l'arrêter?

— Plus facile à dire qu'à faire. Il avait l'air très pressé.

— Avez-vous observé la façon dont il était habillé – si je puis dire?

— Oui.

— Qui d'autre qu'un fou aurait pu commettre un cambriolage vêtu d'une seule robe par une nuit pareille?

— A-t-il volé quelque chose?

– Absolument rien.

– Voilà une bien singulière histoire.»

Il haussa les épaules (le seul tic qu'il se permettait, à en croire certains députés).

«Il en arrive de plus en plus. Faites-moi plaisir et ne mentionnez cette «histoire» à personne. A personne.» Il répéta ces deux mots avec insistance. Je me demandai s'il pensait à Marjorie. «Je suis en liaison avec la police. Je ne veux pas que les journaux parlent de cette affaire avant qu'elle soit résolue. Vous comprenez?»

J'acquiesçai. Il changea aussitôt de sujet.

«L'invention sur laquelle vous travaillez, est-ce un projectile ou une arme?

– Vous le saurez si vous êtes membre du prochain gouvernement. Sinon, vous n'en saurez rien.

– Je suppose que vous devez garder secret ce gence de choses?

– Oui. Il semble que bien des choses moins importantes doivent rester secrètes.

– Vous voulez parler de l'histoire de cette nuit? Si les journaux venaient à en parler, ou la rumeur à se répandre, vous n'avez pas idée de la façon dont je serais empoisonné. Cela peut devenir insupportable. Un inconnu a moins de problèmes pour commettre un crime qu'un homme public pour se faire voler, et je n'exagère aucunement. Merci de votre promesse. Au revoir.» Je ne lui avais rien promis, mais c'était sous-entendu. Il se retourna comme pour partir, puis s'immobilisa. «Autre chose: je crois bien me souvenir que vous êtes un spécialiste en anciennes religions et autres superstitions?

– Le sujet m'intéresse, mais je suis loin d'être un spécialiste.

– Pouvez-vous me dire quelle était exactement la doctrine des adorateurs d'Isis?

– Personne ne pourrait vous renseigner avec certitude. Osiris était son frère, et leurs deux cultes se confondaient. Quant à leurs dogmes, leurs pratiques, personne ne les connaît avec précision. Les papyrus qui subsistent sont incomplets et notre connaissance de leur contenu encore plus.

– Je suppose que les histoires que l'on raconte à ce sujet sont pures légendes?

– A quelles histoires faites-vous allusion?

– Est-ce que les prêtres d'Isis n'étaient pas censés avoir des pouvoirs surnaturels?

– En ce temps-là, on attribuait des pouvoirs surnaturels à tous les prêtres de toutes les religions.

– Je vois. Je suppose que ce culte a disparu aujourd'hui, qu'il n'existe plus de nos jours d'adorateurs d'Isis.»

J'hésitai. Je me demandai pourquoi il avait abordé un tel sujet: avait-il de bonnes raisons pour le faire ou était-ce une manœuvre destinée à amener d'autres questions? Je connaissais mon homme.

«Ce n'est pas si sûr.»

Il me regarda d'un œil inquisiteur.

«Vous pensez qu'on la vénère encore aujourd'hui?

– Je pense qu'il est possible, et même probable, qu'on rende encore hommage à Isis quelque part en Afrique – L'Afrique est si grande!

– Mais êtes-vous sûr du fait?

– Excusez-moi, mais êtes-vous sûr du fait? Vous rendez-vous compte que vous me traitez comme si j'étais à la barre des témoins? Avez-vous une raison pour me poser toutes ces questions?»

Il sourit.

«En fait, oui. J'ai récemment eu vent d'une curieuse histoire, et j'essaie d'approfondir ce que j'ai appris.

– Et quelle est cette histoire?

– J'ai bien peur de ne pouvoir vous en dire plus aujourd'hui. Quand j'aurai toute liberté de le faire, je vous la raconterai. Cela vous intéressera: un exemple passionnant de survivance. Est-ce que les adorateurs d'Isis ne croyaient pas à la transmigration?

– Certains d'entre eux, sans nul doute.

– Qu'entendaient-ils au juste par transmigration?

– Transmigration.

– Oui, j'entends bien, mais celle de l'âme ou du corps?

– Que voulez-vous dire? La transmigration, c'est la transmigration. Est-ce que vous pensez à quelque chose en particulier? Si vous consentiez à m'exposer clairement votre problème, je ferais de mon mieux pour vous donner l'information que vous désirez mais, pour l'instant, vos questions sont assez confuses.

– Oh, cela n'a pas d'importance. Comme vous le dites, «la transmigration, c'est la transmigration».» Je l'examinai subrepticement. Il semblait étrangement peu désireux d'approfondir la discussion qu'il avait lui-même engagée. Il continua de tripoter la cornue. «Est-ce que les adorateurs d'Isis n'avaient pas une sorte... d'emblème sacré?

– Comment cela?

– Est-ce qu'ils n'avaient pas une sorte de vénération pour... n'était-ce pas un scarabée?

– Vous voulez parler du *Scarabaeus Sacer*, ou, selon Latreille, du *Scarabaeus Egyptiorum*. Indubitablement. Toute l'Egypte vénérait le scarabée, ainsi que toutes les créatures vivantes, le chat par exemple. Vous n'êtes pas sans savoir qu'une des incarnations d'Osiris était le bœuf Apis.

– Est-ce que les prêtres d'Isis (du moins certains d'entre eux) n'étaient pas censés prendre la forme d'un... scarabée, après leur mort?

– Jamais entendu parler de ça.

– En êtes-vous sûr? Réfléchissez!

– Je ne pourrais pas répondre à une telle question de but en blanc mais, sur le moment, je ne me souviens pas d'avoir jamais lu d'histoire de la sorte.

– Ne riez pas! Je ne suis pas fou! Mais je sais que des recherches récentes ont permis de déterminer qu'il y a une base réelle à certaines des légendes antiques les plus étonnantes. Est-il vraiment certain qu'une telle croyance soit sans fondement?

– Quelle croyance?

– Celle qui dit qu'un prêtre d'Isis peut prendre après sa mort la forme d'un scarabée.

– Lessingham, j'ai l'impression que vous êtes récemment entré en possession de certaines informations dont il est de votre devoir de faire part au public, ou du moins à cette partie du public que je représente. Allons, racontez-nous ça. De quoi avez-vous peur?

– Je n'ai pas peur. Et je vous raconterai tout en détail, un autre jour. A présent, répondez à ma question.

– Alors répétez votre question – clairement.

– Etes-vous sûr, absolument sûr, que la croyance qui veut qu'un prêtre d'Isis prenne après sa mort la forme d'un scarabée soit sans fondement?

– Je n'en sais fichtre rien! Comment le saurais-je? Une telle croyance est peut-être purement symbolique. Les Chrétiens croient que le corps prend la forme d'un ver après la mort – et, dans un sens, c'est exact.

– Ce n'est pas ce que je veux dire.

– Alors expliquez-vous.

– Ecoutez. Si une personne, quelqu'un dont vous ne puissiez contester le témoignage, vous affirmait avoir vu une telle transformation se produire sous ses yeux, pourriez-vous l'expliquer de façon rationnelle?

– Quelqu'un qui aurait vu un prêtre d'Isis prendre la forme d'un scarabée?

– Un prêtre ou un disciple.

– Avant ou après sa mort?»

Il hésita. Je ne l'avais jamais vu aussi intéressé (et, à parler franc, j'étais également passionné), mais une lueur de terreur apparut soudain dans ses yeux. Quand il parla, ce fut en trébuchant sur les mots de façon peu caractéristique:

«Au... au moment même de mourir.

– Au moment même de mourir?

– Si... si cet homme avait vu un disciple d'Isis à... à l'agonie se transformer en... un scarabée, comment une telle métamorphose pourrait-elle recevoir une explication rationnelle?»

Je restai sans voix. Une question aussi étonnante, posée de façon si extraordinaire par un tel homme... et cependant, je commençais à croire qu'il y avait là-dessous quelque chose d'encore plus stupéfiant.

«Ecoutez, Lessingham. Je sens bien que vous avez une histoire à raconter, alors racontez-la! A moins que je ne me trompe, ce ne doit pas être le genre de récit pour lequel les scrupules ordinaires sont de mise. De toute façon, convenez qu'il est frustrant pour moi de voir ma curiosité ainsi titillée et laissée insatisfaite.»

Il me dévisagea longuement, et je vis la lueur d'intérêt s'éteindre dans ses yeux et son visage reprendre cette expression impassible qui lui était habituelle: ce qu'il avait lu sur mon visage n'avait pas dû lui plaire. Sa voix était de nouveau égale et retenue.

«A ce que je vois, votre opinion est que l'on m'a raconté un bobard. Ce doit être le cas.

– Mais quel est ce bobard? Enfin, parlez, je brûle de curiosité!

– Malheureusement, Atherton, cela m'est impossible, c'est une question d'honneur. Je n'ai pas encore reçu la permission de parler.» Il ramassa son chapeau et son parapluie sur la table, puis s'avança vers moi en me tendant la main. «Vous avez été très aimable de me supporter ainsi. Je ne sais que trop combien il est pénible d'être interrompu dans son travail. Je vous suis reconnaissant, croyez-le. Mais... qu'est-ce que c'est?»

Une feuille de papier était posée sur une étagère à deux pas de moi. Il se pencha pour l'examiner. Une chose surprenante se produisit alors: son visage fut envahi par une expression qui le transforma littéralement. Chapeau et parapluie roulèrent sur le sol. Il recula en bredouillant, les bras tendus comme pour écarter une menace invisible, jusqu'à se trouver dos au mur. Je n'avais jamais vu un spectacle aussi étonnant.

«Lessingham! Qu'avez-vous donc?»

Ma première impression fut qu'il était victime d'une crise d'épilepsie, quoique je visse difficilement un tel homme en proie à ce mal. Dans mon étonnement, je regardai autour de moi à la recherche de la cause de son attitude, et mes yeux se posèrent sur la feuille de papier. Je la regardai avec surprise: je ne l'avais jamais remarquée auparavant, ne l'avais jamais posée à cet endroit – d'où sortait-elle? Le plus curieux, c'était l'image qui y était imprimée, représentant un type de scarabée qui aurait dû m'être familier, mais ne l'était pas. Il était d'une couleur vert terne, avec des reflets dorés, si bien reproduite qu'elle semblait scintiller. En fait, la reproduction était d'une telle qualité que la créature paraissait vivante, et il me fallut y regarder à deux fois avant de me défaire de cette illusion. La présence de cette image ici était étrange, vu notre conversation, mais il était absurde de supposer qu'elle seule était à l'origine du comportement de Lessingham.

Tenant la feuille à la main, je me dirigeai vers lui: il s'était effondré au pied du mur contre lequel il s'était appuyé.

«Lessingham! Qu'est-ce qui vous prend?»

Je l'agrippai par l'épaule et le secouai avec quelque vigueur. Cela eut pour effet de le faire sortir de sa torpeur et de l'arracher aux cauchemars avec lesquels il était aux prises. Il me regarda avec cette expression rusée qui va de pair avec la terreur la plus abjecte.

«Atherton? C'est vous? Ce n'est rien... non, rien... Tout va bien... Très bien...»

Il se redressa jusqu'à se tenir debout.

«Dans ce cas, laissez-moi vous dire que vous avez une étrange façon d'être en bonne santé.»

Il porta sa main à sa bouche, comme pour dissimuler le tremblement de ses lèvres.

«C'est le surmenage, sans doute... J'ai déjà eu une ou deux attaques comme celle-ci... mais ce n'est rien... lésion locale.»

Je l'observai avec attention, et lui trouvai vraiment quelque chose de bizarre.

«Lésion locale! Suivez mon conseil, et allez sans tarder voir un médecin, si vous ne l'avez déjà fait!

– Aujourd'hui même. Mais je suis sûr que ce n'est que de la fatigue.

– Vous êtes sûr que ça n'a rien a voir avec ça?»

Je lui tendis l'image représentant le scarabée. Il se mit à reculer en criant, tremblant comme une feuille.

«Non, non! Eloignez ceci!» cria-t-il.

Je restai quelques secondes à le regarder en silence, puis je m'exclamai:

«Lessingham! Ce n'est qu'un dessin! Etes-vous fou?»

Il reprit de plus belle:

«Eloignez ça de moi! Déchirez-le! Brûlez-le!»

Son agitation était si extraordinaire que, redoutant une nouvelle attaque, je lui obéis et déchirai la feuille avant de brûler chacun des morceaux. Il me regarda faire d'un air fasciné. Quand il ne resta plus que quelques cendres, il poussa un soupir de soulagement.

«Lessingham, ou bien vous êtes en train de devenir fou, ou alors vous l'êtes déjà!

– Ni l'un ni l'autre, je crois. Je suis aussi sain d'esprit que vous. C'est... c'est cette histoire dont je vous ai parlé. C'est... c'est très curieux. Je vous raconterai ça un autre jour. Comme je le disais, un exemple intéressant de survivance.» Il fit un effort pour se ressaisir. «Il est vraiment regrettable que je vous aie offert un tel spectacle, Atherton, surtout sans pouvoir vous fournir la moindre explication. Je vous demanderai une chose: que ce qui s'est passé ici reste confidentiel, que cela reste entre vous et moi. Je suis entre vos mains, mais je vous sais un ami, je sais que je peux vous faire confiance et que vous n'en toucherez mot à personne – surtout pas à Miss Lindon.

– Pourquoi donc particulièrement pas à Miss Lindon?

– Ne le devinez-vous pas?»

Je haussai les épaules.

«Si je devine bien ce que vous sous-entendez, ne devrait-elle pas être mise au courant, justement?

– C'est à moi de le faire. Promettez-moi que vous ne lui direz rien de ce que vous avez eu l'infortune de voir.»

Je lui fis la promesse demandée.

* *

Je ne travaillai plus ce jour-là. L'Apôtre et ses divagations, son histoire de coléoptère, son ami arabe, toutes ces choses agissaient comme des microbes sur un organisme déjà en proie à la fièvre. Car j'étais fiévreux et agité: Marjorie, Paul, Isis, le scarabée, l'hypnotisme, tout cela tourbillonnait dans mon cerveau en proie au délire. Ah, les désordres de l'amour! Et quand viennent s'y ajouter des complications telles que vous ne savez pas si elles relèvent ou non du domaine des rêves, si votre température ne s'élève pas aussi vite que la fusée que Monsieur Verne envoya dans la Lune, alors vous êtes un monstre d'un genre tellement spécial que la Faculté se devrait de vous conserver dans un bocal et de vous exposer au public de peur que la postérité ne néglige un homme tel que vous quand vous ne serez plus là pour donner la preuve de votre existence!

Quant à moi, je ne suis pas de ce genre d'homme. Quand je m'échauffe, la température monte, et on assiste à un spectacle particulièrement coloré. Lorsque Paul fut parti, j'essayai de réfléchir à ce qui s'était passé et, si j'avais insisté, les conséquences auraient été sans nul doute désastreuses. J'allai donc me promener.

CHAPITRE XIV

Le bal de la Duchesse

Cette nuit-là, la Duchesse de Datchet donnait un bal, et la première personne que je vis en entrant fut Dora Grayling.

Je me dirigeai droit vers elle.

«Miss Grayling, je me suis conduit d'une façon lamentable hier soir. Je suis venu vous présenter mes plus humbles excuses et quémander votre pardon.

– Mon pardon?» Elle pencha légèrement la tête en arrière, dans ce geste charmant qui lui était familier. «Vous n'étiez pas bien. Vous sentez-vous mieux?

– Tout à fait. Me pardonnerez-vous? Alors achevez de m'absoudre en m'accordant une danse pour compenser celle que j'ai perdue.»

Elle se leva. Un homme, un inconnu, apparut: c'est une des femmes les plus courtisées d'Angleterre.

«Miss Grayling, cette danse est pour moi.»

Elle le toisa du regard.

«Excusez-moi, j'ai bien peur d'avoir commis une erreur. J'avais oublié que je l'avais déjà réservée.»

Je ne l'aurais pas crue capable d'une telle action. Elle prit mon bras et nous le plantâmes là.

«C'est lui qui souffre à présent», murmurai-je tandis que nous valsions (et de quelle façon!).

«Croyez-vous? Hier soir, c'était moi qui souffrais, mais je le referais avec joie pour vous être agréable. Danser avec vous est si important pour moi.» Elle rougit et ajouta: «Il y a si peu d'hommes qui savent bien danser de nos jours. Sans doute est-ce parce que vous dansez si bien.

– Merci.»

La valse s'acheva, et nous allâmes nous asseoir sur un balcon. Puis nous discutâmes. Il y a quelque chose de si sympathique dans la personnalité de Miss Grayling qu'elle invite aux confidences. Bientôt, je fus en train de lui parler de mes plans et de mes projets, et lui exposai même ma dernière idée, dont le résultat serait la possibilité d'anéantir des armées entières en un clin d'œil. L'intérêt qu'elle afficha me surprit.

«Le principal obstacle dans un tel travail n'est pas la théorie mais la pratique: il est facile de prouver ce que l'on dit sur le papier, ou même au cours d'une expérience de laboratoire, mais il manque la possibilité de faire une démonstration sur une grande échelle, qui seule serait vraiment concluante. Si je pouvais par exemple aller installer mon laboratoire dans les forêts d'Amérique du Sud, là où toute vie humaine est absente mais où grouille la vie animale, il me serait facile de prouver la justesse de ma théorie.

– Et pourquoi ne le faites-vous pas?

– Pensez à l'argent que cela coûterait.

– Je croyais que j'étais de vos amis.

– Je l'espère!

– Alors pourquoi ne me laissez-vous pas vous aider?

– M'aider? Comment?

– En vous prêtant l'argent nécessaire à cette expérience sud-américaine. J'ai l'impression que cet investissement aurait de bons rapports.»

Je m'agitai sur mon siège.

«C'est très aimable à vous, Miss Grayling, de parler ainsi.»
Elle se raidit.

«Ne soyez pas stupide! Je vois très bien que mon offre vous paraît idiote et que vous essayez de ne pas me vexer!

– Miss Grayling!

– Je comprends très bien qu'il est impertinent de ma part de vous proposer une aide dont vous ne voulez pas. C'est assez évident à vous regarder.

– Je vous assure...

– S'il vous plaît. Bien sûr, si j'avais été Miss Lindon, j'aurais au moins reçu une réponse polie. Mais je ne suis pas Miss Lindon.»

J'étais mortifié. Cette pique était tellement inattendue... Je n'avais pas la moindre idée de ce que j'avais pu dire ou faire pour la causer. Elle était dans une telle colère (et comme cela l'embellissait!) que je ne pus que rester muet. Elle reprit:

«Voici venir quelqu'un à qui j'ai promis une danse: je ne peux pas laisser choir tous mes cavaliers. Vous ai-je offensé de si grave façon qu'il vous sera impossible de danser de nouveau avec moi?

– Miss Grayling! Ce sera un plaisir.» Elle me tendit son carnet. «Laquelle prendrai-je?

– Vous avez intérêt à choisir la plus éloignée.

– Elles sont toutes prises.

– Aucune importance. Rayez un nom de votre choix et inscrivez le vôtre à la place.»

Elle me faisait là une faveur presque embarrassante. Je me réservai l'antépénuèltième danse, sans me soucier de savoir qui j'en frustrerais.

«Mr. Atherton, est-ce vous?»

C'était... c'était elle. Marjorie! Et dès que je la vis, je sus qu'une seule femme existait à mes yeux. Sa seule vue fit bouillir le sang dans mes veines. Elle se tourna vers son cavalier et le congédia d'une révérence.

«Puis-je m'asseoir?»

Elle prit place sur le siège que Miss Grayling venait de quitter. Je m'assis à côté d'elle. Elle me regarda avec des yeux pleins de malice. J'étais en train de trembler de façon stupide.

«Vous rappelez-vous l'autre soir, quand je vous ai dit que j'aurais peut-être besoin de votre aide?» J'acquiesçai, bien que trouvant l'allusion déplacée. «Eh bien, le moment est venu, ou du moins il approche.» Elle se tut, et je ne fis rien pour l'aider. «Vous savez comme papa est peu raisonnable.»

Je ne le savais que trop: il n'y a pas pire tête de cochon que Geoffrey Lindon dans tout le Royaume. Mais je n'étais pas disposé à le dire à sa fille.

«Vous savez comme il s'oppose de façon absurde à... à Paul.»

74

L'accent de tendresse avec lequel elle prononça ce nom m'irrita. Me parler, à moi, de cet homme sur un tel ton: c'était bien d'une femme!

«Mr. Lindon ignore tout de vos sentiments?

– Il n'a que des soupçons. C'est là que vous intervenez: papa vous estime tant. Je veux que vous lui chantiez les louanges de Paul, pour le préparer à ce qui doit arriver.» Un soupirant éconduit fut-il jamais confronté à pareille tâche? L'énormité de sa requête me laissa muet. «Sydney, vous avez toujours été mon ami, mon confident. Quand j'étais toute petite, vous me protégiez de papa lorsqu'il était en colère. A présent que je suis grande, je veux que vous soyez aussi de mon côté.»

Sa voix s'adoucit. Elle posa sa main sur mon bras. Comme je brûlais sous ce contact!

«Mais je ne comprends pas: quelle raison avez-vous pour garder le secret?

– C'est la volonté de Paul: papa ne doit rien savoir.

– Mr. Lessingham aurait-il honte de vous?

– Sydney!

– Ou bien redouterait-il votre père?

– Vous êtes injuste. Vous savez parfaitement que papa lui est hostile depuis ses débuts, et vous savez que sa position politique est très délicate en ce moment, que toutes ses ressources nerveuses sont mobilisées pour la défendre, et qu'il est absolument nécessaire pour sa carrière qu'aucune complication ne se présente au grand jour. Il est parfaitement conscient de l'opposition que papa manifesterait à sa cour, et il souhaite qu'il n'en soit fait aucune mention avant la fin de la session parlementaire. Voilà tout.

– Je vois! Mr. Lessingham fait aussi montre de prudence dans ses intrigues amoureuses: politicien d'abord, soupirant ensuite!

– Eh bien! Pourquoi pas? Voudriez-vous qu'il sacrifie une cause qui lui est chère par simple manque de patience?

– Cela dépend de la cause.

– Qu'est-ce qui vous prend? Pourquoi parlez-vous ainsi? Cela ne vous ressemble guère.» Elle me regarda d'un air pénétrant. «Serait-il possible que vous soyez jaloux? Que vous ayez été sincère hier soir? Je croyais que vous disiez ceci à toutes les jeunes filles.»

J'aurais tout donné pour pouvoir la prendre dans mes bras à cet instant, pour pouvoir la presser contre mon cœur: penser qu'elle puisse insinuer que je m'adressais à toutes les jeunes filles comme je m'étais adressé à elle!

«Que savez-vous de Mr. Lessingham?

– Ce que sait le monde entier: il marquera l'histoire de son époque.

– Il y a certaines parties de l'Histoire avec lesquelles il est peu souhaitable d'être associé. Que savez-vous de sa vie privée? C'est à cela que je faisais illusion.

– Vraiment, vous allez trop loin. Je sais que c'est un des plus grands hommes de ce temps, et aussi un des meilleurs. Cela me suffit.

– Si vous en êtes sûre, cela doit vous suffire.

– J'en suis certaine, et le monde entier aussi. Tous ceux qui l'ont rencontré sont conscients de ce qu'il est incapable d'un acte déshonorant.

– Suivez mon conseil et ne placez jamais un homme sur un piédestal. Chaque homme a dans le livre de sa vie une page qu'il aimerait voir effacée.

– Ce n'est pas le cas de Paul. Peut-être est-ce le vôtre, c'est sans doute probable.

– Merci. J'ai bien peur que ce ne soit plus que probable et que, dans mon cas, vous ne trouviez un chapitre entier! Il n'y a rien d'apostolique en moi, même pas mon nom.

– Sydney! Vous êtes insupportable! Il est d'autant plus étrange de vous entendre parler ainsi que Paul vous considère comme son ami.

– J'en suis flatté.

– Ne l'êtes-vous pas?

– Il me suffit d'être le vôtre.

– Non: celui qui est contre Paul est contre moi.

– Voilà qui est sévère.

– Comment cela? Celui qui est opposé au mari ne peut être l'allié de l'épouse, quand mari et épouse sont unis.

– Mais vous n'êtes pas encore unis. Ma cause est-elle sans espoir?

– Qu'appelez-vous votre cause? Pensez-vous encore à ces stupidités que vous m'avez racontées hier soir?»

Et cela la faisait rire!

«Des stupidités! Vous demandez ma sympathie, et voilà ce que vous m'offrez en retour!

– Je vous offrirai toute la sympathie dont vous avez besoin, je vous le promets! Mon pauvre Sydney, ne soyez pas absurde! Comme si je ne vous connaissais pas! Vous êtes le meilleur des amis et le pire des amoureux, fidèle en amitié, inconstant en amour. De combien de jeunes filles êtes-vous déjà tombé amoureux... pour un temps? Il est vrai que, aussi loin que je me souvienne, vous n'avez jamais été amoureux de moi, mais c'est sûrement par accident. Croyez-moi, cher Sydney, vous serez amoureux de quelqu'un d'autre dès demain, si ce n'est déjà fait ce soir. Je dois vous confesser en toute franchise que l'expérience que j'ai de vous n'intensifie en rien mes dons de prophétesse. Allons, souriez! On ne sait jamais! Mais qui vient?»

C'était Dora Grayling. Je partis avec elle sans un mot. La danse était déjà bien engagée quand elle me parla:

«Je suis désolée d'avoir été si brusque avec vous tout à l'heure. Il semble que je sois destinée à ne vous montrer que mes mauvais côtés.

– La faute m'en incombe: sous quels aspects me montré-je donc à vous? Vous êtes bien plus aimable avec moi que je ne le mérite.

– C'est vous qui le dites.

– Non, non, c'est la vérité. Comment expliquer sinon que je me retrouve en ce moment sans un seul ami au monde?

– Vous! Sans un ami! Je n'ai jamais connu d'homme qui en ait autant! Je n'ai jamais vu de personne dont autant de monde chante les louanges!

– Miss Grayling!

– Et pensez à tout ce que vous avez déjà accompli. Pensez à vos découvertes, à vos inventions, pensez à... mais qu'importe! Le monde sait que vous avez fait de grandes choses, et il s'attend à ce que vous vous surpassiez. Vous vous dites sans ami et quand je vous demande, par faveur, de me donner l'occasion de vous montrer mon amitié, vous me remettez à ma place!

– Je vous ai fait cela?

– Si fait, et vous le savez bien.

– Voulez-vous dire que vous êtes réellement intéressée par... par mon travail?

– Je suis sincère, et vous le savez bien.»

Elle se tourna vers moi, le visage rayonnant, et je fus convaincu.

«Voulez-vous venir à mon laboratoire demain matin?

– Si je veux...? Bien sûr.

– Avec votre tante?

– Oui, je l'amènerai.

– Je vous ferai visiter les lieux, vous exposerai ma théorie et, si vous êtes convaincue de son bien-fondé, j'accepterai votre offre pour cette expérience en Amérique du Sud, si elle tient toujours, bien sûr.

– Mais elle tient toujours.

– Et nous serons associés.

– Associés? Bien sûr, nous serons associés.

– Cela coûtera énormément d'argent.

– Certaines choses ne sont jamais trop onéreuses.

– Ce n'est pas ce que m'a appris l'expérience.

– J'espère que c'est ce qu'elle m'enseignera.

– Marché conclu?

– En ce qui me concerne, sûrement.»

Quand je sortis, je me retrouvai flanqué de Percy Woodville. Son visage rondelet était, pour ainsi dire, long comme mon bras. Il ôta son monocle et le frotta avec son mouchoir, le remit en place, puis l'ôta de nouveau pour le nettoyer. Je crois bien ne l'avoir jamais vu dans un tel état d'agitation et, quand on connaît Woodville, ce n'est pas rien.

«Atherton, je suis bouleversé.» Il en avait bien l'air. «J'en suis tout bête! Je viens d'être frappé d'un coup dont je ne me relèverai jamais!

– Je vous en prie, mon cher, restez assis.»

Woodville fait partie de ces gens qui insistent pour me confier les moindres détails de leur vie privée, jusques et y compris leurs notes de blanchisserie. Pourtant, Dieu sait que je ne suis pas spécialement connu pour ma compassion.

«Ne soyez pas stupide! Vous ne savez pas ce que je puis souffrir! J'en deviendrai fou!

– Ce n'est pas grave, mon vieux, personne ne s'apercevra de la différence.

– Arrêtez de me parler ainsi, vous n'êtes pas une brute!

– Je vous parie un shilling sur le contraire.

– Cessez de me torturer! Atherton!» Il me saisit par les revers de mon manteau, à moitié hors de lui. Heureusement, il m'avait attiré dans un coin où personne ne pouvait nous voir. «Que croyez-vous qu'il me soit arrivé?

– Mon pauvre ami, comment diable le saurais-je?

– Elle m'a repoussé!

– Vraiment! Eh bien! Ressaisissez-vous, et frappez à une autre porte. L'océan est plein de poissons, comme on dit.

– Atherton, vous êtes ignoble!»

Il porta son mouchoir tout froissé à ses yeux pour sécher ses larmes. L'idée de voir Percy Woodville éclater en sanglots était du plus haut comique, mais je n'avais pas le cœur de le lui dire à ce moment-là.

«Sans aucun doute. C'est ma façon d'être compatissant. Allons, ne soyez pas aussi défaitiste, essayez encore!

– Cela ne servirait à rien, je le sais, il suffit de voir la façon dont elle m'a traité.

– N'en soyez pas si sûr. Les femmes agissent souvent à l'inverse de leurs intentions. Mais de quelle dame parlez-vous?

– De qui? Y a-t-il jamais eu une autre femme pour moi? Qui d'autre existe au monde pour mon cœur sinon Marjorie Lindon?

– Marjorie Lindon?»

Je crois bien que ma mâchoire en tomba et que, pour user de son langage, je me retrouvai "tout bête".

Je m'éloignai, le laissant à sa stupeur, et faillis tomber dans les bras de Marjorie.

«J'allais partir. Voulez-vous m'accompagner jusqu'à mon cab, Mr. Atherton?» Je m'exécutai. «Vous partez? Puis-je vous conduire?

– Non merci, je ne m'en vais pas tout de suite.

– Je vais aux Communes. Ne voulez-vous pas venir?

– Qu'allez-vous faire là-bas?»

Je ne le savais que trop bien et sa réponse montra qu'elle n'était pas dupe.

«Vous savez parfaitement ce qui m'amène là-bas. Vous n'ignorez sans doute pas que l'on discutera ce soir des amendements sur la loi agraire, et que Paul doit prendre la parole. J'essaie toujours d'être présente quand il le fait, et compte bien continuer ainsi.

– Voilà un homme heureux.

– En vérité, oui. Un homme doué comme lui est plus qu'heureux. Mais je dois partir. Il croyait prendre la parole plus tôt, mais il m'a fait prévenir tout à l'heure que son intervention serait retardée et n'aurait lieu que dans une demi-heure. Au revoir.»

Alors que je retournai vers le bal, je croisai Percy Woodville dans le hall. Il avait mis son chapeau.

«Où allez-vous?

– A la Chambre.

– Ecouter Paul Lessingham?

– Au diable Paul Lessingham!

– Je suis de tout cœur avec vous!

– Il doit y avoir un vote, il faut que j'y aille.

– Quelqu'un d'autre vient de partir pour aller écouter Paul Lessingham: Marjorie Lindon.

– Non! By Jove! Atherton, j'aimerais pouvoir faire un discours, mais je n'y arrive jamais. Quand je fais campagne, il faut que l'on écrive mes discours, et je n'ai plus qu'à les lire. By Jove, si je savais que Miss Lindon est dans la tribune publique, et si je savais de quoi discourir à ce moment-là, ou si on pouvait me le dire, je n'hésiterais pas une seconde à prendre la parole: je lui montrerais que je ne suis pas l'imbécile qu'elle croit!

– Mais allez-y, Percy, faites un discours! Vous les étonnerez tous! Tenez, je viens avec vous! Moi aussi, je vais à la Chambre: cette nuit, Paul Lessingham aura un public de trois personnes!»

CHAPITRE XV

Mr. Lessingham prend la parole

La Chambre des Communes était comble. Percy et moi montâmes jusqu'à la tribune réservée en principe aux "distingués visiteurs", ces bêtes curieuses. Trumperton était à la barre, en train de marteler des phrases sentencieuses avec sa lourdeur habituelle. Personne ne l'écoutait, sinon quelques journalistes, dans la tribune desquels on trouve quatre-vingt-dix pour cent de la quantité totale de sagesse de cette assemblée.

Je n'aperçus Lessingham que lorsque Trumperton eut achevé son intervention. Le vénérable «casse-pieds» retourna à son siège au milieu d'un murmure que certains journalistes ne manquaient pas d'interpréter comme «des applaudissements nourris». La Chambre laissa échapper ce qui était sans doute un soupir de soulagement. Puis un bruit d'applaudissements s'éleva des rangs de l'opposition, et j'aperçus Paul Lessingham, tête nue, debout sur un banc près de l'allée centrale.

Je le regardai d'un œil critique, un peu comme un collectionneur observerait un spécimen de valeur, ou n pathologiste un sujet intéressant. Durant les dernières vingt-quatre heures, mon intérêt pour lui s'était accru et, à mes yeux, il était à ce moment-là l'homme le plus intéressant du monde.

Quand je me rappelai l'état dans lequel je l'avais vu le matin même, épave terrifiée, tremblante sur le sol, effrayée par une ombre (et même moins qu'une ombre) jusqu'à en devenir presque débile, je fus obligé de choisir entre deux hypothèses: ou bien j'avais exagéré la gravité de son état le matin, ou alors j'exagérais son apparence de santé à ce moment. Il était incroyable que je fusse en face du même homme.

Je dois confesser que mon sentiment devint rapidement de l'admiration pure et simple. J'aime les battants, et je reconnus en lui un lutteur de la plus belle espèce, un combattant jusqu'au bout des ongles, un homme né pour la lutte. Il était plein de sang-froid, et toutes ses facultés étaient mobilisées à ses ordres. Sans jamais s'exposer lui-même un seul instant, il serait prompt à trouver le point faible de son adversaire et à frapper comme l'éclair. S'il venait à être vaincu, il ne pourrait jamais être disgrâcié, et les victoires de ses opposants seraient si chèrement acquises qu'ils en viendraient sans aucun doute à conclure qu'il avait en fait triomphé.

«Que je sois pendu,» me dis-je, «si je ne vois pas ce que Marjorie peut lui trouver.» Une femme intelligente et imaginative, le découvrant ainsi à son avantage, faisant face tel un chevalier à des périls sans nombre, pourrait être facilement séduite par l'homme, ignorant comment il deviendrait après la lutte.

Ce fut agréable de l'entendre, je dois l'admettre, et il m'était facile d'imaginer l'effet qu'il faisait à certaine auditrice dans la tribune réservée aux dames. Son discours était loin de ceux du style américain, il n'avait rien à voir avec les démonstrations de fureur à la française, et il n'y avait aucune trace en lui de la lourdeur et du sentimentalisme allemands, mais il était aussi satisfaisant que ceux de ces trois écoles, produisant sans aucun doute l'effet voulu par l'orateur. Sa voix était claire et posée, pas précisément musicale mais agréable à l'oreille, et chaque mot qu'il prononçait était audible par tous. Ses phrases étaient courtes et précises, il usait de mots simples, mais les amenait avec aisance, et parlait assez rapidement pour maintenir en éveil l'intérêt de ses auditeurs sans leur demander un effort d'attention démesuré.

Il commença par émettre, de fort courtoise façon, des commentaires sarcastiques sur les discours de Trumperton et de ses amis, qui plongèrent la Chambre dans l'hilarité. Mais il ne commit pas l'erreur

80

d'aller trop loin. Pour certain type d'orateur, il n'est rien de plus facile que l'injure, et il n'hésitera pas à faire de chaque mot une insulte. Les blessures qu'il inflige ne s'effacent pas facilement et on ne les oublie pas. Or, il est essentiel pour un politicien d'avoir ses plus fidèles partisans parmi les imbéciles, ou son ascension s'arrêtera très vite. Lessingham en eut bientôt fini avec les sarcasmes.

Il les remplaça par des paroles de miel. En fait, il se mit à commenter de façon favorable les positions de ses adversaires. Il fit remarquer combien elles étaient sensées et raisonnables puis, comme par accident, montra comme il serait aisé de les amender. Il fit siens leurs arguments, et les flatta en leur démontrant à quel point ils étaient fondés, puis leur ajouta d'autres propositions qui semblaient être leur suite logique, les prolongea, les développa, et parvint à partir d'eux à une position diamétralement opposée à celle de ses adversaires. Et il accomplit cela avec une intelligence et une élégance incontestables. Quand il se rassit, il venait de réussir la plus difficile des tâches: prononcer un vrai discours d'homme d'Etat qui plaise à son auditoire.

Ce fut un immense succès, un triomphe parlementaire de premier ordre. Paul Lessingham avait sauté tous les obstacles. La Chambre des Communes éclata en applaudissements qui, cette fois-ci, étaient bien réels, et il se trouvait peu de députés pour douter que cet homme irait encore plus loin. Jusqu'où, seul le temps le dirait, mais il apparaissait à ce moment-là que le couronnement de sa carrière était à sa portée.

Pour ma part, j'étais enchanté. Je venais de jouir d'une démonstration d'intelligence pure, ce qui n'est pas si courant. L'Apôtre avait presque réussi à me persuader que le jeu de la politique valait la peine d'être joué, et que ses victoires pouvaient être séduisantes. C'est une chose considérable que de réussir à susciter les passions de vos pairs, à gagner leurs applaudissements, à prouver votre habileté au jeu que vous avez choisi et à être l'objet de l'admiration universelle. Et quand une femme vous observe, qu'elle boit la moindre de vos paroles, que son cœur bat au rythme du vôtre, quand cette femme est celle que vous aimez, savoir qu'elle partage votre triomphe, voilà le plus beau dans l'histoire!

En cette heure, l'heure de l'Apôtre, j'en vins presque à souhaiter être un politicien!

Le vote avait pris fin, la session nocturne était presque achevée. Je retournai dans les couloirs. On ne parlait que du discours de l'Apôtre.

Soudain, Marjorie fut à mes côtés. Son visage rayonnait. Je ne l'avais jamais vue aussi belle, ni aussi heureuse. Elle semblait être seule.

«Ainsi vous avez fini par venir! N'était-ce pas splendide? N'était-ce pas magnifique? Quel bonheur d'avoir de tels dons et de pouvoir en user ainsi pour une bonne cause! Allons, Sydney, répondez! Ne feignez pas une froideur qui vous est étrangère!»

Je vis qu'elle s'impatientait de me voir louer l'homme qu'elle honorait ainsi. Mais son enthousiasme avait refroidi le mien.

«Ce n'était pas un mauvais discours, dans son genre.

– Dans son genre!» Comme ses yeux fulminaient! Comme elle me méprisait! «Qu'entendez-vous par cela? Mon cher Sydney, ne savez-vous pas que seuls les petits esprits essaient d'amoindrir les grands? Même si vous êtes conscient de votre infériorité, il est peu sage d'en faire étalage. Le discours de Mr. Lessingham était un grand discours, point. Votre incapacité à l'admettre ne fait que révéler votre absence de jugement.

– Il est heureux pour Mr. Lessingham qu'il se trouve ici au moins une personne dont le jugement soit développé. Selon vous, toute critique est condamnable.»

Je crus qu'elle allait éclater. Mais elle se mit à rire et posa sa main sur mon épaule.

«Pauvre Sydney! Je comprends! C'est si triste! Savez-vous que vous ressemblez à un petit garçon battu qui accuse son vainqueur d'avoir triché? Peu importe! Vous comprendrez quand vous serez plus grand.»

L'insulte était intolérable et je répondis sans réfléchir:

«Vous, à moins que je ne me trompe, allez comprendre plus vite.

– Que voulez-vous dire?»

Lessingham survint avant que j'aie pu poursuivre – si j'avais réussi à le faire.

«J'espère que je ne vous ai pas fait attendre. J'ai été retenu plus longtemps que je ne le croyais.

– Pas du tout, mais je ne suis pas mécontente de partir, je commençais à m'ennuyer.»

En disant ces mots, elle me jeta un regard de côté, qui attira sur moi l'attention de Lessingham.

«Vous ne nous faites pas souvent l'honneur de votre présence.

– En effet. J'ai de meilleures façons d'employer mon temps.

– Vous avez tort. Il est de bon ton de nos jours de dénigrer la Chambre et le travail qu'elle accomplit. Je vous en prie, ne rejoignez pas le concert des imbéciles. On ne peut mieux employer son temps qu'en essayant d'améliorer le monde politique.

– Merci. J'espère que vous allez mieux que la dernière fois que je vous ai vu.»

Une lueur fugitive éclaira son regard, mais il ne montra aucun signe de ressentiment.

«Merci. Je vais très bien.»

Mais Marjorie s'était rendu compte que je sous-entendais quelque chose, et que ce quelque chose était désagréable.

«Allons-nous en. Ce soir, c'est Mr. Atherton qui ne se sent pas bien.»

Elle venait juste de prendre le bras de Lessingham quand son père apparut. Le vieux Lindon observa le spectacle sans rien dire, comme s'il ne pouvait en croire ses yeux.

«Je croyais que tu étais au bal de la Duchesse.

– J'en viens, papa. A présent, je suis ici.

– Ici!» Le vieux Lindon se mit à bafouiller et devint écarlate, comme à chaque fois qu'il s'excitait. «Que... que veux-tu dire par "ici"? Où est le cab?

– Il m'attend dehors, je suppose, à moins que les chevaux ne se soient sauvés.

– Je... je vais t'y conduire. Je... je n'aime pas te voir dans un tel endroit.

– Merci papa, mais Mr. Lessingham va me reconduire. A tout à l'heure.»

Jamais je n'ai vu quelqu'un faire une sortie avec autant de flegme. Notre époque est celle de l'émancipation féminine, et les jeunes filles trouvent tout naturel de mener leurs parents par le bout de leur nez, mais la façon dont cette jeune fille s'éloigna au bras de l'Apôtre en laissant son père planté là était un modèle du genre.

Lindon sembla à peine se rendre compte que le couple était parti. Même après qu'ils se furent fondus dans la foule, il resta à regarder dans leur direction, rougissant au point que les veines de son visage se mirent à saillir et que je redoutai une crise d'apoplexie. Puis il poussa un hoquet et se tourna vers moi:

«La fieffée canaille!» Je supposai que ces mots désignaient le gentleman, bien que la suite de ses paroles ne l'ait point suggéré. «Ce matin même, je lui ai interdit de le revoir, et m... maintenant, il l'emmène avec lui! Es... espèce d'aventurier! Voilà ce qu'il est, un aventurier, et je lui dirai ce que je pense de lui avant peu!»

Enfonçant ses poings dans ses poches et soufflant comme un phoque courroucé, il s'en alla enfin, et il était grand temps, car il parlait fort et certains se demandaient déjà de quoi il était question. Tandis que Lindon s'éloignait, Woodville apparut, toujours aussi dépité.

«Elle est partie avec Lessingham. Vous l'avez vue?

– Bien sûr que oui. Quand un homme fait un discours du calibre de celui de Lessingham, n'importe quelle jeune fille serait fière de partir à son bras. Quand vous serez doué de pouvoirs aussi grands que les siens et que vous en userez pour une aussi juste cause, elle sera à vos côtés, mais, en attendant, ne rêvez pas!»

Il s'était remis à frotter son monocle.

«Ah, comme c'est dur. Quand j'ai su qu'elle était ici, j'ai eu envie de faire un discours moi aussi, mais je ne savais pas de quoi parler, et de toute façon j'en étais incapable: comment faire un discours depuis la tribune du public?

— Comme vous dites, on ne peut s'attendre à vous voir grimper sur la balustrade, même si vous avez un ami pour vous retenir.

— Un jour, je le sais, je prendrai la parole, mais elle ne sera pas là.

— Cela vaudra sans doute mieux pour vous.

— Vous croyez? Peut-être avez-vous raison. Je risquerais de me rendre ridicule, et si elle me voyait, je serais bien en peine. Ah, je vous le jure, je me suis pris ces derniers temps à souhaiter être malin!»

Il frotta le bout de son nez avec son monocle, l'air inconsolable, et j'avais rarement vu figure plus comique.

«Allons, Percy! Ressaisissez-vous et oubliez votre cafard. Le vote est fini, vous êtes libre, allons faire un tour!»

Et c'est ce que nous fîmes.

CHAPITRE XVI

La vapeur magique d'Atherton

Je l'emmenai dîner à l'Hélicon. Durant tout le trajet, il essaya de me raconter la façon dont il s'était déclaré à Marjorie, et il était loin d'avoir fini quand nous atteignîmes le club. Celui-ci était comble, comme d'habitude, mais on nous trouva une petite table dans un coin, et il reprit son histoire pendant que nous attendions le repas. La plupart des convives parlaient fort et semblaient le faire tous en même temps et, en plus, l'orchestre jouait et il n'est pas réputé pour sa discrétion, aussi Percy éprouvait-il quelques difficultés à se faire entendre, mais il fit de son mieux pour les surmonter, compte tenu de la délicatesse de son sujet. Bref, il hurlait dans mes oreilles. Mais Percy est unique.

«Je ne sais plus combien de fois j'ai essayé de lui dire.

— Vraiment?

— Oui, presque chaque fois que je la rencontrais, mais je ne suis jamais parvenu à aller jusqu'au bout.

— Comment se fait-il?

— Eh bien, juste au moment où j'allais déclarer: "Miss Lindon, puis-je vous offrir le don de mon affection"...

— Vous avez toujours essayé cette approche?

— Non, pas toujours, cela changeait parfois. En fait, j'ai appris par cœur un petit discours, mais je n'ai jamais eu la chance de le prononcer, aussi ai-je fini par décider de lui dire n'importe quoi.

– Et que lui avez-vous dit?

– Eh bien, rien. Je ne suis jamais arrivé à ce stade, voyez-vous. Juste au moment où j'allais me lancer, elle me demandait si je préférais les manches longues aux manches courtes, les hauts-de-forme aux chapeaux melon, ou une autre stupidité de ce genre.

– Vraiment?

– Oui, oui, et il fallait que je réponde, bien sûr, et après ça j'avais laissé passer ma chance.» Percy se remit à frotter son monocle. «J'ai essayé d'y arriver tant de fois, et elle m'a interrompu si souvent que j'ai fini par me demander si elle ne se doutait pas de mes sentiments.

– Vous croyez?

– Sans doute. Une fois, je l'ai suivie le long de Piccadilly et l'ai entraînée dans une ganterie de Burlington Arcade. J'avais l'intention de me déclarer: je n'avais pas dormi de la nuit tellement j'avais rêvé d'elle, et j'étais désespéré.

– Et qu'avez-vous fait?

– La vendeuse m'a persuadé d'acheter une douzaine de paires de gants. Quand on me les a livrés, je me suis aperçu qu'ils étaient trop grands de trois tailles. Elle a dû croire que je courtisais cette vendeuse, car elle m'a planté là. Cette fille n'a pas cessé de me baratiner quand elle fut partie, je n'arrivais pas à m'enfuir. Je crois bien qu'elle me retenait grâce à son œil de verre.

– Miss Lindon?!

– Non, non, la vendeuse. Elle m'a fait livrer toute une caisse de cravates vertes et a prétendu que je les avais commandées. Jamais je n'oublierai ce jour. Je ne suis plus jamais retourné à Burlington Arcade, et je n'y mettrai plus jamais les pieds!

– Miss Lindon a dû se tromper sur votre compte.

– Je ne sais pas. J'ai l'impression qu'elle est toujours comme ça. Une fois, elle m'a dit que je n'étais pas du genre à me marier, que cela se lisait sur mon visage.

– Etant donné les circonstances, ce dut être fort pénible.

– Ce fut très dur.» Il poussa un soupir. «Si je n'étais pas aussi abattu, cela me serait égal. Ce n'est pas mon habitude d'être abattu, mais quand je le suis, je le suis!

– Buvez un verre, Percy, c'est la meilleure chose à faire!

– Vous savez bien que je pratique l'abstinence.

– Comment peut-on parler de son cœur brisé et invoquer son abstinence dans le même souffle? Si vous étiez vraiment désespéré, vous renonceriez à votre lubie!

– Vous croyez? Pourquoi?

– Parce que cela se fait: les hommes au cœur brisé agissent toujours ainsi. Si j'étais à votre place, j'engloutirais au moins un magnum.»

Percy poussa un grognement.

«Je suis toujours malade quand je bois. Mais je vais essayer.»

Ce qu'il fit en vidant d'un trait le verre que le garçon avait posé sur notre table. Puis il se replongea dans sa mélancolie.

«Dites-moi, Percy, honnêtement, l'aimez-vous vraiment?

– Si je l'aime?» Ses yeux s'élargirent comme des soucoupes. «Est-ce que je ne vous l'ai pas dit?

– Si, si, mais ce genre de chose est facile à dire. Cet amour dont vous parlez tant, que vous fait-il ressentir?

– Que me fait-il...? Tout et n'importe quoi. Si vous regardiez à l'intérieur de moi, vous verriez bien.

– Je vois. Ainsi, c'est comme ça, hein? Et supposez qu'elle en aime un autre, que ressentiriez-vous envers cet homme?

– Est-ce qu'elle en aime un autre?

– J'ai dit: "Supposez".

– Je m'en doutais. Quel idiot j'ai été de ne pas y avoir pensé plus tôt.» Il soupira et remplit son verre. «Voilà un veinard, quel qu'il soit. J'aimerais... j'aimerais le lui dire.

– Vraiment?

– Il a une telle chance! Ne trouvez-vous pas?

– Sans doute. Mais sa chance est votre malheur. Accepteriez-vous de la lui abandonner sans rien faire?

– S'il l'aime...

– Mais vous dites l'aimer!

– Bien sûr que oui.

– Alors, quoi!

– Vous n'allez pas supposer que, parce que je l'aime, je souhaite la voir malheureuse? Je ne suis pas une brute! Je veux la voir heureuse plus que tout au monde!

– Je vois. Même avec un autre? J'ai bien peur de ne pas être aussi philosophe que vous. Si j'étais amoureux de Miss Lindon, et si elle aimait, disons, Jones, j'ai bien peur que mes sentiments envers Jones ne soient pas aussi altruistes.

– Et que lui souhaiteriez-vous?

– La mort. Percy, venez donc avec moi. Nous avons commencé la nuit ensemble, finissons-la ensemble. Je vais vous montrer la façon la plus efficace de commettre un meurtre sur une grande échelle que vous ayez jamais vue. J'aimerais pouvoir en user sur Jones pour lui montrer mon sentiment: il le comprendrait parfaitement après ça.»

Percy me suivit sans un mot. Il n'avait pas beaucoup bu, mais c'était déjà trop pour lui, et sa sentimentalité devenait nauséeuse. Je le fis monter dans un cab et nous fonçâmes dans Piccadilly.

Il restait silencieux et regardait en face de lui d'un air maussade qui ne lui seyait guère. Je demandai au cocher de passer par Lowndes Square. Quand nous fûmes devant la maison de l'Apôtre, je lui ordonnai de s'arrêter et désignai l'endroit à Woodville.

«Regardez, Percy, la maison de Paul Lessingham! La maison de l'homme qui a emmené Marjorie!

– Oui.» Les mots lui venaient avec difficulté et il les prononçait fort lentement. «Parce qu'il a fait un discours. J'aimerais faire un discours. Un jour, je ferai un discours.

– Oui, à cause de son discours, et rien de plus! Quand un homme parle comme un Apôtre, il peut ensorceler n'importe quelle femme... Hé! Qui est-ce? Lessingham, est-ce vous?»

Je vis, ou crus voir, quelqu'un ou quelque chose monter les marches et se dissimuler dans l'ombre de la porte, comme pour ne pas être vu. Personne ne répondit à mon appel. Je criai:

«Allons, ne soyez pas timide!»

Je me ruai hors du cab, traversai le trottoir et montai les marches. A ma grande surprise, il n'y avait personne devant la porte. Cela semblait incroyable, mais l'endroit était désert. Je tâtonnai autour de moi, comme si je jouais à Colin-Maillard, mais ne trouvai que le vide. Je reculai d'un pas.

«C'est vraiment du vide, et la nature en a horreur. Cocher, n'avez-vous pas vu quelqu'un monter les marches?

– Si fait, Sir. J'aurais pu en jurer!

– Moi de même. Voilà qui est bizarre.

– Peut-être est-il entré dans la maison, Sir.

– Impossible: nous aurions entendu la porte s'ouvrir, à défaut de la voir, et il ne fait pas si sombre que ça. J'ai bien envie de sonner.

– Si j'étais vous, Sir, je ne ferais pas ça. C'est chez Mr. Lessingham, Sir, le grand Mr. Lessingham.»

J'ai l'impression que le cocher me croyait ivre, et peu susceptible d'être une connaissance du grand Mr. Lessingham.

«Réveillez-vous, Woodville. Il y a un mystère ici, j'en suis sûr. J'ai l'impression que nous sommes en présence de quelque chose d'inexplicable, que l'on ne peut ni voir, ni entendre, ni toucher.»

Le cocher se pencha vers moi et me dit d'une voix doucereuse:

«Allons, Sir, remontez et allons nous-en.»

Je m'exécutai, mais nous ne nous éloignâmes guère. Avant que le cab ait parcouru une douzaine de yards, j'avais bondi au-dehors sans prévenir le cocher. Celui-ci s'arrêta brusquement.

«Que se passe-t-il, Sir? Vous allez finir pas vous blesser, et vous direz ensuite que c'est ma faute!»

J'avais aperçu un chat blotti dans l'ombre d'une grille, un chat noir. Ce chat était ma cible. La créature devait être à moitié endormie ou complètement stupide (ce qui est rare pour un chat!) car je réussis à l'attraper par la peau du cou sans qu'elle réagisse.

Dès que nous fûmes dans mon laboratoire, je fourrai l'animal dans une boîte de verre. Percy le regarda stupidement.

«Pourquoi l'avez-vous mis là-dedans?

– Vous allez le découvrir dans un instant, mon cher Percy. Préparez-vous à être le témoin d'une expérience pleine d'intérêt pour un représentant du pays tel que vous. Je vais vous démontrer l'action d'une force que je me propose d'employer, sur une plus grande échelle, au service de ma patrie.»

Il ne montra aucun signe d'intérêt. S'affaissant sur une chaise, il se mit à gémir:

«J'ai horreur des chats! Ne le laissez pas sortir! Je suis toujours misérable en présence d'un chat.

— Billevesées! Ce n'est que votre imagination! Ce qu'il vous faut, c'est un peu de whisky, vous irez tout de suite mieux.

— Ne me donnez plus à boire! J'ai déjà assez bu!»

Je ne l'écoutai pas et nous servis deux verres. Sans paraître savoir ce qu'il faisait, il vida la moitié de l'un d'eux d'un seul trait. Reposant son verre sur la table, il se prit la tête dans les mains et gémit:

«Que penserait Marjorie si elle me voyait à présent?

— Ce qu'elle penserait? Rien! Pourquoi devrait-elle penser à un homme tel que vous alors qu'elle a trouvé mieux?

— Je me sens malade! Je vais être ivre!

— Alors, soyez ivre, mais, de grâce, n'ayez pas le vin triste! Allons, Percy, du courage!» Je lui tapai sur l'épaule, le faisant presque choir de son siège. «Je vais vous montrer l'expérience dont je vous parlais. Vous voyez ce chat?

— Bien sûr que je le vois! Sale bête! Pourquoi ne le laissez-vous pas partir?

— Pourquoi le ferais-je? Savez-vous à qui est ce chat? C'est celui de Paul Lessingham.

— Paul Lessingham?

— Oui, Paul Lessingham, l'homme qui a prononcé un discours, l'homme qui est parti avec Marjorie.

— Comment le savez-vous?

— Je n'en sais rien, mais je crois que c'est son chat. Je choisis de le croire! Il était devant sa maison, donc c'est son chat, voilà mon raisonnement. Lessingham ne peut pas rentrer dans cette boîte, aussi y fais-je rentrer son chat.

— Mais pourquoi donc?

— Vous allez voir. Observez comme il a l'air heureux.

— Cela ne me semble guère être le cas.

— Nous avons chacun notre manière d'être heureux: c'est la sienne.»

Le chat avait l'air positivement enragé et bondissait sur les murs de sa prison de verre, feulant de colère ou de terreur, ou des deux à la fois. Peut-être savait-il ce qui allait suivre: il ne faut pas sous-estimer l'intelligence de ceux que nous appelons nos frères inférieurs.

«Drôle de manière.

— Il n'y a pas que les chats qui ont de drôles de manières. A présent, faites attention! Regardez bien ce petit jouet. Vous en avez déjà vu de semblables. C'est un pistolet à ressort: on tire le ressort, on charge, on presse la détente, et feu! Je vais ouvrir ce coffre-fort encastré dans le mur. La combinaison pour ouvrir la serrure est "whisky" – resservez-vous, Percy. Voyez comme ce coffre est solide: il est étanche, à l'épreuve du feu, et son enveloppe extérieure est un blindage d'acier. Le contenu a beaucoup de valeur (pour moi!) et est extrêmement dangereux: le cambrioleur inconscient qui percerait ce coffre le ferait pour son malheur! Regardez: ce coffre est plein de petites boules, des petites boules de verre, chacune dans son petit écrin; elles sont légères comme des plumes, et si transparentes! En voilà deux, on dirait des petites pilules. Elles ne contiennent ni dynamite, ni cordite, ni aucun autre explosif, et pourtant, si les conditions sont réunies, elles sont capables d'être plus meurtrières que toutes les bombes jamais inventées! Prenez-en une. Vous avez le cœur brisé? Cassez-la sous votre nez, il suffit de la presser à peine, et vous vous retrouverez dans un endroit où les cœurs brisés n'existent pas!»

Il recula.

«Je ne veux pas de cette chose! Eloignez ça de moi!

– Réfléchissez bien: une telle occasion ne se présentera peut-être plus.

– Je vous dis que je n'en veux pas.

– Vous en êtes certain?

– Bien sûr que j'en suis certain!

– Alors elle sera pour le chat.

– Laissez partir cette pauvre bête!

– La pauvre bête va s'en aller, dans ce pays qui est à la fois si proche et si lointain. Veuillez me prêter attention. Observez ce pistolet: je tends le ressort, je place la petite boule de verre, j'enfonce le canon dans la petite ouverture de la boîte contenant le chat de l'Apôtre (vous remarquerez qu'il s'y insère parfaitement, ce qui vaut mieux pour nous). Observez bien les effets.

– Atherton, laissez cette pauvre bête!

– La pauvre bête est partie! J'ai pressé la détente, la boule a été éjectée, elle est venue frapper le couvercle de la boîte, elle s'est brisée, et pouf! Voilà un chat qui a perdu ses neuf vies d'un coup! Observez comme il est immobile, sans mouvement! Espérons qu'il est heureux, à présent. Ce chat, que je veux croire être celui de Paul Lessingham, a reçu son coup de grâce. Je le lui ferai envoyer demain matin avec mes respects. Il lui manquera plus qu'à moi. Réfléchissez, Percy! Imaginez une grosse bombe, pleine de ce que nous appellerons la Vapeur Magique d'Atherton, éjectée par un canon et explosant à une hauteur choisie d'avance au-dessus d'une armée ennemie. Si tout se passe bien, vous éliminez en un instant plus de cent mille soldats, qui s'effondreront comme s'ils avaient été frappés par la foudre! Est-ce que ce n'est pas une arme magnifique?

– Je ne me sens pas bien! Je veux m'en aller! Oh, je souhaiterais n'être jamais venu ici.»

C'était tout ce qu'il trouvait à dire.

«Billevesées! Chaque seconde, vous accroissez votre stock d'informations et, de nos jours, un membre du parlement est censé tout savoir sur tout! Videz votre verre, mon ami!»

Je lui tendis son verre, il le vida d'un trait et le jeta loin de lui d'un geste puéril. J'avais posé la deuxième boule près du bord de la table, et le choc causé par le verre tombant sur celle-ci la mit en mouvement. Je me précipitai pour l'arrêter, mais trop tard: avant que j'aie pu atteindre la petite boule de cristal, elle était tombée sur le sol en se brisant aux pieds de Woodville. Cet imbécile resta sans rien faire en regardant le nuage s'élever, ignorant les avertissements que je lui lançais. A l'instant où la vapeur atteignit son visage, il s'écroula sur le sol. Je le saisis vigoureusement et le traînai jusqu'à la porte donnant sur la cour, que j'ouvris d'un coup de pied pour l'amener à l'air libre.

Je me trouvai alors face à face avec un visiteur inattendu: le mystérieux ami égypto-arabe de Lessingham, que j'avais vu chez moi le matin même.

Chapitre XVII

Magie... Ou miracle?

En quittant le laboratoire éclairé à l'électricité pour aller dans la cour, j'étais passé du royaume de la lumière à celui des ténèbres. La silhouette encapuchonnée qui me faisait face dans l'ombre semblait sortie d'un rêve. Je fus pris de vertige. Je n'avais échappé au sort de Woodville qu'en retenant mon souffle et en écartant mon visage: si j'avais tardé à ouvrir la porte, il aurait été trop tard. Etendant Woodville sur le sol, je trébuchai et me sentis défaillir. Je fus conscient de m'exclamer tout en tombant, ainsi que l'ingénieur victime de son propre pétard:

«La Vapeur Magique d'Atherton!»

J'éprouvai de curieuses sensations en revenant à moi. Je me retrouvai dans les bras d'un inconnu dont le visage était penché sur moi, et dont les yeux étaient les plus extraordinaires que j'aie jamais vus.

«Qui diable êtes-vous?» demandai-je.

Puis, comprenant qu'il s'agissait de mon visiteur du matin, je m'écartai de lui sans cérémonie. A la lueur venant du laboratoire, je vis Woodville étendu à côté de moi – immobile.

«Est-il mort?» criai-je. «Percy! Allons, parlez! Ne me dites pas que vous êtes...»

Mais hélas, en me penchant sur lui, je sentis les battements de mon cœur s'accélérer et je redoutai le pire. Son cœur semblait silencieux: la vapeur avait un effet foudroyant sur le muscle cardiaque, et il était indispensable de le stimuler immédiatement pour le faire fonctionner de nouveau. Mais mon esprit était si agité que je ne savais par où commencer. Il est plus que probable que Percy serait mort si j'avais été seul. Tandis que je restais à le regarder sans rien faire, l'inconnu se coucha sur la forme immobile et, à ma grande surprise, posa ses lèvres sur celles de Percy, semblant lui insuffler un peu de sa force vitale. Le corps de Percy fut pris de convulsions, comme s'il souffrait, et il eut un tel sursaut que l'inconnu lâcha prise et roula sur le côté. Je me penchai sur le jeune gentleman et me rendis compte que son état était encore loin d'être satisfaisant: les muscles de son visage étaient rigides, sa peau était froide et moite, et la façon dont ses dents et le blanc de ses yeux étaient visibles était inquiétante.

L'inconnu avait dû lire dans mon esprit, ce qui n'était pas difficile. Désignant le corps étendu, il dit d'une voix à l'accent bizarre mais qui me sembla presque musicale à ce moment-là:

«Tout va bien.

– Je n'en suis pas si sûr.»

Il ne daigna pas répondre. Il était agenouillé d'un côté de cette victime de la science moderne et moi de l'autre. Quand il passa la main au-dessus du visage de Percy, la grimace de douleur disparut comme par enchantement, et le jeune gentleman plongea apparemment dans un sommeil paisible.

«L'avez-vous hypnotisé?

– Quelle importance?»

Si c'était une démonstration d'hypnotisme, elle était parfaite. Les conditions dans lesquelles elle avait été effectuée étaient des plus délicates, et le résultat semblait être exactement celui que l'on désirait: le changement n'était intervenu qu'au bout de quelques secondes et était tout à fait remarquable. Je commençai à éprouver un certain respect pour l'ami de Paul Lessingham. Son sens moral et ses manières laissaient peut-être à désirer, mais, en cette occasion du moins, la fin avait justifié les moyens. Il reprit:

«Il dort. Quand il se réveillera, il ne se souviendra de rien. Laissez-le ici, la nuit est douce, tout ira bien.»

Comme il le disait, la nuit était douce, et cela ne ferait aucun mal à Percy de dormir à la belle étoile. Suivant le conseil de l'inconnu, je le laissai étendu dans la cour pendant le reste de mon entrevue avec ce médecin improvisé.

CHAPITRE XVIII

L'apothéose du scarabée

La porte du laboratoire était fermée, et l'inconnu se tenait à un pied ou deux d'elle. De l'endroit où je me trouvais, je l'observais avec autant d'attention que le permettaient les circonstances. Il en était sans doute conscient, mais il affichait une attitude qui suggérait l'indifférence. C'était un Oriental jusqu'au bout des ongles, cela ne faisait aucun doute, mais, en dépit de la connaissance que j'avais de cette race, je ne pouvais déterminer de quelle partie de l'Asie il provenait exactement. Ce n'était ni un Arabe ni un fellah, et je doutais même qu'il fût musulman: quelque chose dans son allure suggérait le contraire. En ce qui concerne son physique, ce n'était pas un représentant très flatteur pour sa race, quelle qu'elle soit: la seule taille de son nez l'aurait fait chasser d'un concours de beauté, ses lèvres étaient molles et épaisses, et certains détails de sa physionomie suggéraient la présence de sang noir dans ses veines, notamment son grand âge. Je me rappelai en le regardant les légendes que l'on raconte sur ces hommes qui gardent l'apparence de la jeunesse après avoir vécu des siècles. Mais je me demandais s'il était aussi vieux qu'il en avait l'air, et même s'il était vraiment vieux tout court. Les Noirs ont la particularité de vieillir très vite, et on rencontre parfois chez eux des femmes dont le visage semble avoir été marqué par le passage des siècles alors qu'elle sont encore dans la force de l'âge. De plus, l'apparence sénile de cet homme était en contradiction avec la jeunesse de ses yeux: aucun vieillard ne pourrait avoir un pareil regard. Ses yeux étaient curieusement allongés, rappelant ceux d'une créature dont l'apparence m'était familière mais que je ne parvenais pas à identifier. Ils brûlaient avec la force, mais aussi la frénésie de la jeunesse: je n'avais jamais rencontré des yeux aussi extraordinaires, et je doutais que leur possesseur fût admis un jour dans un club. On avait l'impression en les regardant qu'ils vous transperçaient littéralement. Jamais je n'avais vu sur un visage de signe proclamant plus clairement: danger! Quiconque ayant bien observé cet individu n'aurait que lui-même à blâmer si le malheur l'avait frappé après qu'il eut persisté à le fréquenter.

Il se trouve que j'ai moi aussi un regard tenace. Je peux faire baisser les yeux à tous ceux que je rencontre. Et cependant, je constatai que ce n'était qu'au prix d'un certain effort que je parvenais à résister au courant qui passait de ses yeux dans les miens. C'était peut-être mon imagination, mais elle n'est pas précisément orientée dans cette direction, et je trouvai cette expérience déplaisante. Je pouvais comprendre qu'une personne nerveuse ou sensible pût se trouver assujettie à l'influence de ce regard, une influence qui pourrait se révéler désastreuse et apparaître comme surnaturelle à certaines de ses victimes. Si jamais homme fut doué de ce que les Italiens appellent le mauvais œil, c'est bien celui-ci.

Quand nous nous fûmes dévisagés pendant cinq bonnes minutes, je commençai à me lasser. Je lui posai une question pour rompre le silence:

«Puis-je vous demander comment vous êtes entré dans ma cour?»

Il ne répondit pas, mais éleva les mains, puis les abaissa, paumes tournées vers le sol, dans un geste typiquement oriental.

«Vraiment? La signification de votre geste est peut-être claire pour vous, mais je préférerais que vous le traduisiez en paroles pour mon édification personnelle. Je vous le redemande: comment êtes-vous entré dans ma cour?

De nouveau ce geste énigmatique.

«Peut-être n'êtes-vous pas suffisamment familier des coutumes anglaises et ignorez-vous que vous êtes en situation illégale. Si j'appelais la police, vous vous trouveriez bien ennuyé et, à moins que vous ne vous expliquiez clairement, je crois bien que je serai forcé de l'appeler.»

En guise de réponse, son visage se tordit dans une grimace qui pouvait passer pour un sourire et qui suggérait tout le mépris qu'il avait pour la loi.

«Pourquoi riez-vous? Pensez-vous que la menace de la police soit une plaisanterie? Vous allez avoir des surprises. Avez-vous donc perdu l'usage de votre langue?

Il me prouva brusquement le contraire.

«Je n'en ai pas perdu l'usage.

– A la bonne heure. Puisque vous hésitez à me dire comment vous êtes entré dans ma cour, peut-être consentiriez-vous à me dire pourquoi?

– Vous le savez parfaitement.

– Je suis au regret de vous contredire, mais je n'en ai pas la moindre idée.

– Vous le savez.

– Vraiment? Eh bien, en ce cas, je suppose que vous êtes ici pour la raison qui me paraît la plus évidente: commettre un délit.

– Vous me traitez de voleur?

– Que seriez-vous d'autre?

– Je ne suis pas un voleur. Vous savez pourquoi je suis venu.»

Il leva la tête. Une expression envahit son regard, dont la signification m'échappa sur le moment. Je haussai les épaules.

«Je suis venu parce que vous le vouliez.

93

– Parce que je le voulais! Ma parole! Voilà qui est sublime!

– Toute la nuit, vous avez voulu me voir, ne le sais-je pas? Quand elle vous parlait de lui, et que le sang bouillait dans vos veines, quand il parlait et que tout le monde l'écoutait, quand vous le détestiez parce qu'il était honorable à ses yeux.»

Je sursautai. Ou bien il parlait vraiment de ce que je pensais, ce qui était incroyable, ou alors il y avait confusion quelque part.

«Mon ami, suivez mon conseil et ne mettez pas la charrue avant les bœufs, sinon nous serons deux à jouer à ce jeu-là, et j'y suis assez fort.»

Cette fois, ce fut à mon tour de marquer un point.

«Je ne sais pas de quoi vous parlez.

– En ce cas, nous sommes à égalité: je ne sais pas de quoi vous parlez moi non plus.

– Mais... Ce matin, n'ai-je pas dit: vous m'appellerez, et je viendrai?

– Je crois me souvenir que vous avez effectivement dit quelque chose de la sorte. Mais quel rapport?

– Ne ressentez-vous pas la même chose envers lui?

– Qui est «lui»?

– Paul Lessingham.»

Il parla doucement, mais avec une voix méprisante qui suggérait qu'il ne voulait guère du bien à l'Apôtre.

«Et, je vous prie, quel est ce sentiment que nous avons en commun à son égard?

– La haine.»

De toute évidence, la haine n'était pas un vain mot pour ce gentleman. Je n'aurais pas été surpris si le simple fait de prononcer ce mot lui avait brûlé les lèvres.

«Je ne suis en aucune façon disposé à admettre ce sentiment que vous me prêtez mais, en supposant que vous ayez raison, et alors?

– Ceux qui partagent la haine sont alliés.

– Vous me trouverez aussi peu disposé à admettre cela. Mais allons plus loin: Quel rapport avec votre présence chez moi à cette heure de la nuit?

– Vous l'aimez.» Cette fois, je ne lui demandai pas de prononcer un nom, peu désireux de le voir souillé par ses lèvres. «Et elle l'aime: cela n'est pas bon. Si vous le voulez, elle vous aimera: voilà qui sera bon.

– Vraiment. Et, je vous prie, comment arriverons-nous à ce résultat tant souhaité.

– Donnez-moi votre main. Exprimez votre souhait. Et il en sera ainsi.»

Il avança d'un pas et me tendit sa main. J'hésitai. Quelque chose dans ses façons exerçait sur moi une fascination malsaine. Je me souvins d'histoires stupides de pactes avec le diable. J'avais l'impression d'être en face d'un représentant du mal. Je pensai à mon amour pour Marjorie, qui s'était enfin révélé à moi après toutes ces années: la prendre dans mes bras, sentir ses lèvres sur les miennes! Tandis que mon regard croisait celui de l'inconnu, j'imaginai ce que serait la conquête de cette jeune fille, et des visions inavouables enflammèrent mon esprit. Ah, la conquérir!

Quelles stupidités il me racontait là! Quelle vantardise était la sienne! En supposant que je pose ma main dans la sienne et souhaite ce qu'il savait que je désirais, quel mal y aurait-il à cela? Cela ne serait qu'une plaisanterie! Et il n'en serait que plus ridicule car, bien sûr, rien ne se réaliserait! Alors, pourquoi pas?

J'obéirais à sa suggestion, je ferais ce qu'il voudrait. J'étais déjà en train de me diriger vers lui, quand je m'arrêtai brusquement, sans savoir pourquoi. En un instant, mes pensées avaient pris une tout autre direction.

Quelle canaille étais-je donc pour penser à invoquer le nom d'une femme à la seule fin de m'amuser avec une créature aussi repoussante que ce vagabond en face de moi? Je devins enragé.

«Scélérat!» criai-je.

Passant soudainement d'une humeur à une autre, je fus pris du désir de le secouer avec vigueur. Mais je n'avais pas fait un pas dans sa direction, empli d'intentions hostiles, qu'il tendait ses mains vers moi comme pour m'empêcher d'avancer. Je m'immobilisai aussitôt, comme si des barres de fer m'avaient arrêté dans ma course.

Je fus empli de stupéfaction. Je ressentais une sensation étrange, comme si j'avais perdu l'usage de mes membres: il m'était même impossible de vouloir tenter d'avancer. Je ne pus que rester ébaubi, avant de prendre conscience de ce qui m'était arrivé.

Le félon avait presque réussi à m'hypnotiser.

Voilà qui est fort désagréable pour un homme comme moi. Je frissonnai des pieds à la tête: que me serait-il arrivé si je ne m'étais pas arrêté à temps? Quels tours une telle créature aurait-elle pu me jouer? C'était la vieille histoire de l'homme qui jouait avec un couteau aiguisé: j'avais commis une erreur fatale en sous-estimant la force de mon adversaire. Il était évident que l'homme était tout à fait extraordinaire dans sa partie.

Je crois bien qu'il pensait m'avoir pris dans ses filets. Je le vis trembler quand je m'écartai de lui pour m'appuyer sur la table, comme s'il était surpris de me voir lui échapper. Je restai silencieux pendant les quelques secondes qui me furent nécessaires pour me remettre du péril auquel j'avais failli succomber, puis je résolus de faire à ce gentleman si doué la démonstration de ma puissance.

«Suivez mon conseil, mon ami, et n'essayez plus de me jouer un tour pareil.

– Je ne sais pas de quoi vous parlez.

– Ne mentez pas, ou je vous réduirai en cendres!»

Derrière moi se trouvait une machine électrique capable de produire une étincelle de dix-huit pouces de long. Pour la mettre en marche, il suffisait d'abaisser un levier qui se trouvait à portée de ma main. Je fis donc une petite démonstration d'électricité amusante pour le bénéfice de mon visiteur. Son attitude changea de fort cocasse façon: il se mit à trembler et s'agenouilla pour se prosterner devant moi.

«Oh Seigneur! Seigneur! Ayez pitié!

– Alors soyez prudent. Vous vous croyez sans doute un magicien, mais il se trouve que je connais moi aussi un ou deux trucs dans ce domaine, et peut-être même suis-je plus fort que vous. Surtout au cœur de ma forteresse, qui contient suffisamment de magie pour en abattre mille comme vous.»

Prenant une bouteille, je fis tomber une goutte ou deux de son contenu sur le sol. Immédiatement, des flammes s'élevèrent, accompagnées d'une vapeur aveuglante. Simple démonstration des propriétés du bromure phosphoreux, mais son effet sur mon visiteur fut aussi étonnant qu'imprévu. Si je dois en croire le témoignage de mes yeux, il disparut subitement en poussant un cri de terreur: comment, pourquoi, et pour aller où, je n'en savais rien. Là où il se trouvait auparavant, il n'y avait plus qu'un objet minuscule qui s'agitait avec frénésie sur le sol. Le rideau de vapeur m'empêchait de voir, et il me sembla que la lumière diminuait d'intensité. Avant que j'aie eu le temps d'aller regarder de plus près, les flammes avaient disparu et l'inconnu était de nouveau là, se prosternant de plus belle, en proie à une terreur abjecte.

«Seigneur! Seigneur!» gémit-il. «Je suis votre esclave!

– Mon esclave, vraiment!» Lequel de nous deux était le plus secoué, il aurait été difficile de le dire, mais je me forçai à ne pas trahir mon agitation. «Debout!»

Il se leva. Je l'observai attentivement avec un intérêt renouvelé. Avais-je ou non été la victime d'une illusion d'optique, je n'en étais pas sûr. Il était incroyable qu'il ait pu tout simplement disparaître comme il avait semblé le faire, et tout aussi incroyable que je n'aie fait que l'imaginer. Si la chose était un tour, j'étais incapable de dire comment il pouvait le réussir et, dans le cas contraire, qu'était-ce? Etait-ce une nouvelle merveille scientifique? Pourrait-il m'enseigner autant de choses sur les forces inconnues que je pouvais lui en apprendre?

Pendant ce temps, il restait figé dans son attitude de soumission, les yeux baissés et les mains croisées sur la poitrine. Je commençai à l'interroger.

«Je vais vous poser quelques questions. Tant que vous répondrez vite et sincèrement, il ne vous arrivera rien. Sinon, gare!

– Demandez, ô Seigneur.

– Quelle est la nature de votre grief contre Mr. Lessingham?

– La vengeance.

– Que vous a-t-il donc fait, que vous désiriez vous venger de lui?

– Il y a querelle de sang entre nous.

– Que voulez-vous dire?

– Il a sur les mains du sang innocent, le sang de mon sang qui crie vengeance!

– Qui a-t-il tué?

– Cela, Seigneur, est entre lui et moi.

– Je vois. Dois-je comprendre que vous refusez de me répondre et que je dois encore faire usage de ma... magie?»

Je le vis frémir.

«Seigneur, il a versé le sang de celle qu'il avait tenue contre son cœur.»

J'hésitai. La signification de ses paroles n'était que trop claire. Peut-être valait-il mieux ne pas insister davantage. Tout me portait à envisager ce que l'on pourrait appeler une romance exotique, bien qu'il me soit difficile de voir l'Apôtre en héros d'une telle aventure. C'était la vieille histoire tant rabâchée: il y a quelque chose de caché dans la vie de tous les hommes, et ce quelque chose est d'autant plus ténébreux qu'on s'y attend le moins. Si une telle histoire venait à se répandre dans le pays, quelle serait l'attitude de ceux qui se disent dotés d'une conscience non-conformiste? La carrière de Paul ne s'effondrerait-elle pas?

«'Verser le sang' est une expression fort jolie, mais néanmoins assez vague. Si vous voulez dire que Mr. Lessingham est coupable de meurtre, le plus sûr moyen d'exercer votre vengeance est d'en appeler à la justice.

– Que peut la justice anglaise pour un homme comme moi?

– Si vous êtes en mesure de prouver sa culpabilité, tout. Je peux vous assurer que la justice anglaise, à cet égard, ne connaît pas les privilèges. Démontrez-lui que Paul Lessingham est coupable, et elle le fera pendre comme elle ferait pendre John Smith.

– Vraiment?

– Oui. Si tel est votre choix, il vous sera facile d'en avoir la preuve.»

Il avait relevé la tête et regardait droit devant lui avec une lueur maléfique dans les yeux qui n'était pas belle à voir.

«Il connaîtrait la honte?

– Assurément.

– Aux yeux de tous les hommes?

– De tous les hommes et de toutes les femmes.

– Et il serait pendu?

– S'il était reconnu coupable de meurtre, très certainement.»

Son visage hideux fut envahi par une exultation diabolique qui le

97

rendit encore plus répugnant. Je lui avais apparemment ouvert des horizons fort plaisants.

«Peut-être agirai-je ainsi après, oui, après!» Il ouvrit les yeux en grand, et les referma comme pour emprisonner l'image que formait son esprit. Puis il les rouvrit. «Mais je me vengerai d'abord à ma manière. Il sait déjà que le vengeur est sur sa piste, il a de bonnes raisons de le savoir. Et cette certitude sera avec lui le jour et la nuit, et elle sera pour lui aussi amère que la mort, oui, que mille morts. Car il va découvrir qu'il n'y a pas d'issue pour lui, que le soleil ne brillera plus pour lui, que la terreur sera avec lui dans la nuit et en plein jour, à son lever et à son coucher, partout où il posera ses yeux. Et le suc de ma vengeance sera ceci: bien qu'il sache le jour de sa mort tout proche, il aura conscience de ce que LA MORT, LA GRANDE MORT sera sur lui quand je le voudrai!»

L'inconnu parlait comme un fou en plein délire. S'il n'était qu'à moitié sérieux (et, dans le cas contraire, les apparences étaient fort trompeuses!), alors Mr. Lessingham avait devant lui un avenir radieux – ainsi que Marjorie, étant donné les circonstances. Ce fut cette pensée qui me fit réfléchir. Ou bien ce fanatique devait être éliminé, par Lessingham lui-même ou par quelqu'un agissant en son nom, et ses menaces ne seraient plus alors que des paroles en l'air, ou alors il fallait prévenir Marjorie qu'il y avait dans le passé de son soupirant des éléments sur lesquels il était plus prudent de se renseigner avant qu'il ne soit trop tard. Laisser Marjorie lier son destin à celui de l'Apôtre sans la prévenir que celui-ci était un homme hanté, voilà qui était impensable.

«Vous employez de bien grands mots.»

Mes paroles refroidirent son enthousiasme. Il baissa de nouveau les yeux et croisa les mains sur sa poitrine.

«Je demande pardon à mon Seigneur. Cette vieille blessure est toujours ouverte.

– Au fait, quelle est la signification de l'incident de ce matin, avec le cafard?»

Il releva vivement la tête.

«Un cafard? J'ignore de quoi vous parlez.

– Enfin, c'était plutôt un scarabée, non?

– Un scarabée!»

Il sembla tout à coup perdre la voix.

«Après votre départ, nous avons trouvé une feuille de papier, une gravure représentant un scarabée, que vous avez dû oublier. *Scarabeus Sacer*, n'est-ce pas?

– Je ne sais pas de quoi vous parlez.

– Sa découverte a eu un singulier effet sur Mr. Lessingham. Alors, qu'était-ce?

– Je n'en sais rien.

– Oh si, vous savez, et je saurai quoi, moi aussi, avant que vous ne soyez parti.»

Il tremblait de tous ses membres et regardait autour de lui comme un homme pris au piège. J'étais convaincu de l'importance de cette gravure: le scarabée est une figure importante de la mythologie égyptienne, et l'effet que cette image avait eu sur un homme aussi endurci que Paul Lessingham demandait à être élucidé. Le comportement de l'étranger ne faisait que renforcer mes soupçons, et je décidai d'en avoir le cœur net immédiatement, si cela était possible.

«Ecoutez-moi, mon ami, je suis un homme simple et j'emploie des mots simples; je suis ainsi fait. Vous allez me fournir tout de suite les informations que je demande ou ce sera ma magie contre la vôtre – et je doute que vous sortiez gagnant de ce combat.»

J'abaissai le levier et recommençai ma petite démonstration d'électricité. Il se mit à trembler de plus belle.

«J'ignore de quoi vous parlez, Seigneur.

– Assez de mensonges! Dites-moi pourquoi Paul Lessingham a changé de couleur à la seule vue de ce bout de papier.

– Demandez-le lui, Seigneur.

– Peut-être le ferai-je plus tard. Pour le moment, c'est vous que j'interroge. Répondez, ou il va y avoir du grabuge.»

La démonstration continuait, et il regardait l'appareil comme s'il avait souhaité le voir disparaître. Soudain, comme honteux de sa couardise, il fit un effort désespéré pour surmonter sa peur, et y réussit plus aisément que je ne l'aurais souhaité. Il se redressa avec ce qui était sans doute pour lui de la dignité.

«Je suis un enfant d'Isis!»

Il me sembla qu'il affirmait cela non pas dans le but de m'impressionner mais dans celui de raffermir sa résolution.

«Vraiment? Dans ce cas, je regrette de ne pas pouvoir congratuler cette dame pour sa progéniture.»

A ces mots, sa voix prit un ton qui en avait été jusqu'ici absent:

«Silence! Vous ne savez pas ce que vous dites! Je vous préviens comme j'ai prévenu Paul Lessingham, prenez garde à ne pas aller trop loin. Ne faites pas comme lui et suivez mon conseil!

– Et contre quoi suis-je mis en garde? Le scarabée?

– Oui: le scarabée!»

Si je devais décrire ce qui se passa ensuite sous le sceau du serment, devant des tiers et en courant le risque d'être condamné pour faux témoignage, je crois bien que je resterais silencieux. Personne n'aime passer pour un imbécile, et je me suis souvent demandé depuis cette nuit-là si cet «enfant d'Isis» ne m'avait pas fait jouer le rôle d'un imbécile. Le ciel m'est témoin que son numéro fut des plus convaincants, mais plus le temps passe et je plus je suis conduit à me demander si ce n'était justement pas cela: un simple numéro, une illusion presque surhumaine dans son exécution, mais rien qu'une illusion. S'il s'agissait d'autre chose, alors vraiment: «Il y a plus de choses dans le ciel et sur la terre que n'en rêve notre philosophie». Cette seule hypothèse ouvre des horizons redoutables à contempler pour un esprit sensé.

Mais, puisque je n'ai pas prêté serment et n'ai pas à redouter les foudres de la justice, voici ce qui sembla se passer.

L'étranger se tenait debout à environ dix pieds de moi. La lumière l'éclairait parfaitement, aussi n'y a-t-il aucun doute sur la façon dont je pouvais percevoir les événements. Au moment où il faisait écho à mes paroles moqueuses, il disparut, ou plutôt je le vis prendre une autre forme sous mes yeux. Ses vêtements churent autour de lui et il en sortit une monstrueuse créature ressemblant à un scarabée: l'homme lui-même s'était évanoui. Que les choses soient claires quant à la taille de la créature. Quand elle m'apparut, j'eus l'impression qu'elle était aussi grande que l'homme et qu'elle se tenait debout, les pattes tendues vers moi. Mais elle commença tout de suite à rétrécir, et de façon si rapide qu'il ne s'écoula pas deux secondes avant que le coléoptère se retrouve sur le tas de vêtements. Le scarabée faisait à peu près un pied de long et six ou sept pouces de haut. Sa carapace était d'un vert superbe aux chauds reflets mordorés. Je distinguais parfaitement les élytres sur son dos, et crus voir les ailes s'agiter en dessous, si bien que je m'attendis à voir la chose s'envoler.

J'étais si étonné (et qui ne l'aurait été à ma place?) que je restai immobile, stupéfié, pendant un long moment. Je connaissais la légende d'Isis et de ses transformations, l'histoire du scarabée issu de sa matrice, et tous les autres contes, mais le spectacle qu'il m'était donné de contempler était totalement nouveau. Si l'homme qui se trouvait là auparavant avait disparu, alors où était-il? Si cette créature avait vraiment pris sa place, d'où sortait-elle?

Après le choc initial, je réussis à recouvrer ma présence d'esprit. Je me sentais dans la peau d'un chercheur qui vient de faire par hasard une découverte fondamentale. Si je voulais profiter de cet incident, il me fallait user de toutes mes facultés mentales. Je gardai les yeux fixés sur la créature, essayant d'imprégner mon esprit de son image. S'il est un jour possible de prélever une empreinte rétinienne, je pourrai vous la restituer sans peine. C'était sans doute un lamellicorne, de la famille des *copridae*. A l'exception de sa taille monstrueuse, elle en avait toutes les caractéristiques: le corps convexe, la tête proportionnellement assez grande, les mandibules. De plus, la patine de sa tête et de sa gorge semblait suggérer qu'il s'agissait d'une femelle. Mais des caractéristiques autres que sa taille me parurent inhabituelles. Ses yeux n'étaient pas seulement volumineux, ils brillaient comme s'ils étaient éclairés par une flamme intérieure; d'une certaine façon, ils me rappelaient mon visiteur disparu. Sa couleur était superbe, et la créature semblait avoir la faculté d'en éclaircir ou d'en assombrir la nuance à volonté. Mais sa qualité la plus curieuse était son agitation continuelle, comme si l'inspection à laquelle je la soumettais lui était pénible. Plus je l'observais, et plus elle frétillait: je m'attendais à la voir s'envoler d'un instant à l'autre.

Pendant tout ce temps, je cherchais un moyen de capturer cette créature. Je pensai un instant à la tuer, et je regrette aujourd'hui de ne pas l'avoir tenté (il y avait autour de moi des douzaines d'objets qui auraient pu se transformer en armes meurtrières), mais la seule idée qui me vint à l'esprit fut de l'attraper vivante en l'emprisonnant sous une grande cuvette en étain qui avait contenu de l'eau de chaux. Cette cuvette était posée sur le sol à ma gauche, et je me dirigeai vers elle aussi discrètement que je le pouvais, sans quitter la créature des yeux. Dès que je bougeai, son agitation s'accrût; elle était, pour ainsi dire, toute tremblements, elle scintillait comme si toute sa carapace avait été couverte de facettes et elle commença à faire frémir ses ailes comme si elle avait décidé de s'envoler enfin. Je m'emparai de la cuvette, jetai son couvercle au loin et bondis sur ma victime. Ses ailes s'ouvrirent en grand, mais il était trop tard. La cuvette la recouvrit avant qu'elle ait pu quitter le sol.

Elle ne resta en place qu'un instant. Dans ma hâte, j'avais trébuché et lâché la cuvette pour me rétablir. Avant que j'aie pu affermir ma prise, la cuvette s'envola et le scarabée se mit à enfler démesurément jusqu'à ce qu'il ait retrouvé ses dimensions premières. Puis il sembla être enveloppé par une silhouette humaine et, en moins de temps qu'il n'en faut pour le dire, mon ami oriental se retrouva devant moi, nu comme un ver. Je me rendis alors compte avec surprise que je m'étais totalement trompé sur son sexe: mon visiteur n'était pas un homme mais une femme et, à en juger par l'aperçu fugitif que j'eus de son corps, pas désagréable à regarder.

Si cette transformation-là ne fut pas étourdissante, alors c'est que deux et deux font cinq. Le savant le plus rationnel aurait perdu son équilibre mental à la vue d'une telle métamorphose. Tandis que je restais là, complètement ébaubi, la femme se baissa pour récupérer sa robe, l'enfila rapidement et se dirigea vers la porte. Je réussis à maîtriser ma stupéfaction et bondis pour la retenir.

«Arrêtez!» criai-je.

Mais elle était trop rapide. Avant que j'aie pu l'atteindre, elle avait déjà ouvert la porte – et me l'avait refermée au nez! Le temps que je trouve le loquet et que j'arrive dans la cour, elle avait disparu. Je crus voir une silhouette passer par-dessus le mur du fond et je me précipitai vers cet endroit. Je grimpai sur le mur et regardai dans toutes les directions, mais il n'y avait rien ni personne à l'horizon. Je tendis l'oreille en quête d'un bruit de pas, sans succès. Apparemment, le quartier entier était désert. Ma visiteuse s'était évanouie. Ç'aurait été perdre mon temps que d'essayer de la retrouver.

Tandis que je traversais la cour, Woodville, qui reposait toujours sous le firmament, se redressa. Sans doute l'avais-je tiré de son sommeil. Quand il me vit, il bâilla et se frotta les yeux.

«Où suis-je?» demanda-t-il, ce qui était fort raisonnable.

«Vous êtes dans un endroit béni des dieux, ou hanté, au choix.

– By Jove! Je me sens tout drôle! Je crois bien que j'ai la migraine.

– Je n'en serais pas surpris le moins du monde, quoi que vous ayez. Rien ne peut plus me surprendre. Vous avez besoin d'une goutte de whisky, et moi aussi d'ailleurs, mais, par pitié! dispensons-nous de verres! Il me faudra au moins une bouteille entière pour me remettre!»

Je lui pris le bras et l'entraînai dans le laboratoire. Une fois à l'intérieur, je fermai la porte à double tour.

CHAPITRE XIX

Une dame en colère

Dora Grayling était à la porte du laboratoire.

«J'ai dit à votre domestique de ne pas bouger, et je suis venue sans ma tante. J'espère que je ne vous dérange pas.»

Hélas, c'était bien ce qu'elle faisait, et j'avais bien envie de le lui dire. Elle entra dans la pièce, les yeux brillants, l'air radieux, avec cette expression qui peut transfigurer la plus quelconque des femmes.

«Je vous dérange? J'ai bien peur que oui.»

Elle me tendit la main alors qu'elle était encore loin de moi et, voyant que je ne me précipitais pas pour la saisir, secoua la tête et fit la moue.

«Que vous arrive-t-il? Vous n'êtes pas bien?»

Je n'étais pas bien du tout, en fait. J'étais aussi barbouillé qu'on peut l'être sans être totalement malade et toute personne dotée de discernement l'aurait aperçu d'un coup d'œil. Mais je n'avais pas envie d'admettre une telle chose devant elle.

«Je vais très bien, je vous remercie.

– Alors, si j'étais vous, je ferais de mon mieux pour avoir l'air moins bien. Ça ne pourrait que vous faire paraître à votre avantage.

– J'ai bien peur de faire partie de ces créatures qui se soucient comme d'une guigne de paraître à leur avantage. Ne vous l'ai-je pas dit hier soir?

– Je crois bien que vous avez dit quelque chose d'approchant. C'est très aimable à vous de vous en souvenir. Avez-vous oublié le reste de ce que vous m'avez dit?

– Ne soyez pas déçue si je ne me rappelle pas toutes les stupidités que ma bouche peut proférer.

– Merci. Bon. Cela suffira pour aujourd'hui. Au revoir.»

Elle se retourna pour partir.

«Miss Grayling!

– Mr. Atherton?

– Que se passe-t-il? Qu'est-ce qu' j'ai bien pu dire?

– Hier soir, vous m'avez invitée à passer ici. Est-ce là une des stupidités que votre bouche a pu proférer?»

J'avais totalement oublié ce rendez-vous, et elle dut le voir à mon visage.

«Vous aviez oublié?» Ses joues s'enflammèrent et ses yeux crachèrent des étincelles. «Pardonnez ma bêtise: j'aurais dû me rendre compte que cette invitation était de celles que l'on lance sans penser avoir à les honorer.»

Elle était presque parvenue à la porte quand je l'arrêtai en posant ma main sur son épaule.

«Miss Grayling! Vous êtes cruelle avec moi!

– Sans doute. Y a-t-il chose plus pénible que de souffrir l'irruption d'un visiteur indésirable?

– Là, vous êtes encore plus cruelle. Si vous saviez ce qui s'est passé depuis notre conversation, vous seriez prête à me pardonner.

– Vraiment? Qu'est-il arrivé?»

J'hésitai. Je n'avais aucune intention de lui raconter ma nuit dans les détails. Entre autres choses, je n'avais nulle envie de passer pour fou, et il m'était impossible de raconter les agissements de ma visiteuse de minuit sans courir le risque de passer pour un dément. J'essayai de temporiser.

«Eh bien, pour commencer, je n'ai pas dormi de la nuit.»

C'était exact: je n'étais pas parvenu à fermer l'œil. Quand je m'étais retrouvé entre mes draps, j'avais souffert le pire des cauchemars, celui qui vous maintient en éveil. La silhouette de cette Chose Innommable n'arrivait pas à me fuir. J'avais souvent ri à la lecture d'histoires de fantômes et je me retrouvais à présent hanté moi aussi. Et j'étais de plus en plus convaincu que, si j'avais réussi à garder la présence d'esprit qui sied à un scientifique, j'aurais pu élucider le mystère de mon amie orientale et parvenir à épingler (avec quelle épingle!) ce membre des *copridæ* sur une planche de liège. Il était fort frustrant pour moi de me rendre compte que j'avais été la victime, et la civilisation avec moi, d'un gigantesque bluff.

Elle ne pouvait pas lire tout cela sur mon visage, bien sûr, mais elle y vit apparemment quelque chose, car son regard s'adoucit.

«Vous avez l'air fatigué.» Elle sembla chercher dans son esprit la raison de cette fatigue. «Vous avez l'air inquiet.» Elle embrassa le laboratoire du regard. «Avez-vous passé toute la nuit dans votre antre de sorcier?

– A peu près, oui.

– Oh!»

Ce monosyllabe était lourd de signification. Elle s'assit dans un grand fauteuil de cuir qui aurait pu en contenir une demi-douzaine comme elle. Son allure rappelait celle des femmes d'autrefois. Ses yeux gris semblaient percevoir plus de choses qu'il n'y paraissait.

«Comment se fait-il que vous ayez oublié votre invitation? N'était-elle pas sincère?

– Bien sûr que si.

– Alors comment avez-vous pu l'oublier?

– Je ne l'ai pas oubliée.

– Ne me racontez pas d'histoires. Il s'est passé quelque chose. Quoi? Suis-je arrivée trop tôt?

– Pas du tout. Vous n'êtes jamais là trop tôt.

– Merci. Quand vous adressez un compliment à quelqu'un, même s'il est aussi sec, vous devriez avoir l'air sincère. Je sais bien qu'il est tôt, mais je voulais vous inviter à déjeuner ensuite. J'ai dit à ma tante que vous viendriez.

– Vous êtes plus aimable avec moi que je ne le mérite.

– Peut-être.» Sa voix prit des accents presque pathétiques. «Je crois bien que certains hommes ne méritent pas la bonté que les femmes ont pour eux. Je ne sais pas pourquoi. Cela doit nous plaire. Bizarre.» Elle devint sèche: «Avez-vous oublié la raison de ma visite?

– Nullement. Je ne suis pas aussi grossier que j'en ai l'air. Vous êtes venue assister à une petite démonstration de l'art de tuer son prochain, un domaine où j'ai quelque talent. Malheureusement, je ne suis guère d'humeur à l'exercer ce matin, je ne l'ai que trop fait cette nuit.

– Que voulez-vous dire?

– Eh bien, pour commencer, j'ai assassiné le chat de Lessingham.

– Le chat de Mr. Lessingham?

– Puis j'ai presque tué Percy Woodville..

– Mr. Atherton! J'aimerais que vous cessiez ce discours!

– Je n'invente rien. Il a suffi d'un objet mal placé au mauvais moment et, si un miracle ne s'était pas produit, il serait mort.

– J'aimerais que vous n'ayez plus rien à faire avec ces choses. Je déteste cela.»

Je la regardai fixement.

«Vous les détestez? Je croyais que vous étiez venue ici pour en avoir la démonstration?

– Qu'entendez-vous par démonstration?

– Eh bien, il m'aurait fallu au moins tuer un autre chat.

– Et vous supposez que je serais restée là sans rien faire à vous regarder tuer un chat pour... pour mon édification?

– Cela n'aurait pas été nécessairement un chat, mais il aurait bien fallu tuer quelque chose. Quelle autre façon voyez-vous d'utiliser une arme meurtrière?

– Est-il possible que vous vous soyez imaginé que je venais ici pour assister à un meurtre?

– Pourquoi êtes-vous venue ici, alors?»

J'ignore ce qu'il y avait de surprenant dans ma question, mais elle devint toute rouge dès que je l'eus posée.

«Parce que je suis une idiote.»

J'étais éberlué. Ou bien elle s'était levée du mauvais pied, ou alors c'était moi, ou les deux. Elle m'agressait avec une fureur inouïe, apparemment sans raison aucune.

«Vous avez bien du plaisir à vous moquer de moi.

– Jamais je ne l'oserais: vous me perceriez à jour bien trop facilement.»

Je n'étais pas d'humeur à plaisanter, et je m'éloignai d'elle. Immédiatement, elle fut à mes côtés.

«Mr. Atherton?

– Miss Grayling?

– Etes-vous fâché contre moi?

– Pourquoi le serais-je? S'il vous plaît de rire de ma stupidité, vous avez entièrement raison.

– Mais vous n'êtes pas stupide.

– Non? Ni vous une moqueuse.

– Vous n'êtes pas stupide et vous le savez bien. C'était idiot de ma part de le prétendre.

– Très aimable à vous. Mais j'ai bien peur de me montrer un hôte déplorable. Si vous n'avez nulle envie de voir ma démonstration, j'ai d'autres choses fort amusantes à vous montrer.

– Pourquoi me remettez-vous sans cesse à ma place?

– Moi! Vous remettre à votre place!

– Oui, tout le temps. J'ai parfois le sentiment de vous détester.

– Miss Grayling!

– Si! Si! Si!

– Après tout, c'est naturel.

– Vous parlez tout le temps ainsi, comme si j'étais une enfant et vous... oh, je ne sais pas. Bien. Mr. Atherton, je suis au regret de devoir vous quitter. Cette visite m'a beaucoup plu. J'espère que je ne vous ai pas trop dérangé.»

Elle se dirigea vers la porte d'un air indigné. Je l'attrapai au passage.

«Miss Grayling, je vous supplie...

– Ne me suppliez de rien, Mr. Atherton.» Elle se tourna vers moi. «Je préférerais sortir comme je suis entrée, par mes propres moyens, mais si c'est impossible, auriez-vous l'obligeance de ne pas m'adresser la parole jusqu'à la rue?»

Cette suggestion était suffisamment appuyée pour que je la comprenne. Je l'escortai en silence jusqu'à l'entrée, et elle quitta ma maison sans avoir ajouté un mot.

J'avais l'impression d'avoir gâché la situation. Je l'observai du haut des marches s'enfuir à vive allure. Je n'avais même pas osé demander la permission d'appeler un cab.

Je commençais à penser qu'une promenade ne pourrait que me faire du bien, et je me dirigeais vers mon manteau quand un cab s'arrêta devant la maison et le vieux Lindon en descendit.

CHAPITRE XX

Un père intraitable

Mr. Lindon était excité. Il n'y avait pas moyen de s'y tromper, car cet état se manifestait généralement chez lui par une transpiration abondante, et il ôta son chapeau dès qu'il fut sorti du cab, afin d'en essuyer le rebord.

«Atherton, il faut que je vous parle. En privé.»

Je l'emmenai dans mon laboratoire. J'ai pour règle de n'y faire entrer personne: cet endroit est un lieu de travail, pas une salle de jeux. Mais cette règle était devenue lettre morte ces derniers temps. Dès que la porte fut fermée, Lindon se mit à souffler et à fulminer, épongeant son front, bombant le torse comme s'il était plein du sentiment de sa propre importance. Puis il commença à parler fort et haut, ce qui n'était pas des plus agréables.

«Atherton, je... je vous ai toujours considéré comme... comme mon fils.

– C'est très aimable à vous.

– J'ai toujours vu en vous un homme qui a... qui a la tête sur les épaules. Quelqu'un de bon conseil sur qui on peut compter quand... quand on a beson d'un conseil.

– C'est également très aimable à vous.

– Je n'hésite donc pas à venir vers vous en... en ce qu'on peut considérer comme un... moment de crise, de crise domestique. Un moment dans l'histoire des Lindon où... où on a plus que jamais besoin du bon sens et... et de la délicatesse.»

Cette fois, je me contentai de hocher la tête. Je voyais déjà ce qui

106

allait suivre. Curieusement, je me sens plus lucide en compagnie d'un homme qu'en compagnie d'une femme: je perçois mieux la nature du terrain sur lequel je dois avancer.

«Que savez-vous de cette homme, de ce Lessingham?»

Je ne m'étais pas trompé.

«Ce qu'en sait tout le monde.

– Et qu'en sait donc tout le monde? Je vous le demande. Un démagogue habile, séduisant et creux, voilà comment il apparaît. Cet homme est un aventurier... il tire sa notoriété de la crédulité de ses contemporains. Il est dénué de toute décence, de tout principe, et de toutes les qualités qui font le vrai gentleman. Que savez-vous de lui à part cela?

– Je ne suis pas prêt à tomber d'accord avec vos dires.

– Allons, allons! Ne dites pas de bêtises! Choisiriez-vous de le protéger? Je sais ce que je dis... tel a toujours été le cas. Que savez-vous de lui en dehors de la politique? Que savez-vous de sa famille? de sa vie privée?

– Eh bien, pas grand-chose.

– Exactement! Et personne n'en sait plus que vous! Cet homme est apparu comme par magie, presque d'un seul coup, sorti d'on ne sait quel cloaque. Enfin, il est non seulement dénué d'intelligence, mais il n'a même pas le sens des bonnes manières!»

Il s'était mis dans un tel état d'énervement que sa peau prenait toutes les nuances de l'écarlate et du pourpre, une harmonie de couleurs ma foi fort agréable à l'œil. Il se jeta dans un fauteuil, déboutonna son manteau et leva les bras au ciel.

«La famille Lindon est représentée aujourd'hui par... par une jeune femme, par ma fille. Elle me représente, et il est de son devoir de le faire avec correction. Avec correction! Et de plus, il est de son devoir de se marier. Je n'ai pas envie que tous mes biens échoient à mes imbéciles de frères et... et ceux-ci ne me représentent en aucune façon. Ma fille peut épouser qui elle veut, parfaitement, qui elle veut! Personne en Angleterre, pair du Royaume ou homme du peuple, ne rougirait d'avoir obtenu sa main, et je le lui ai dit, parfaitement, bien que... bien qu'on puisse penser qu'elle n'en ait pas besoin. Mais que croyez-vous qu'elle ait fait? Elle... elle entretient ce que je ne peux m'empêcher d'appeler des... des relations compromettantes avec ce Lessingham!

– Non!

– Si! Et plût au ciel que je n'aie pas eu à le reconnaître! Je... je l'ai avertie plus d'une fois. Je... je lui ai dit de ne plus le revoir. Et cependant, comme... comme vous avez pu vous en rendre compte hier soir, devant... devant toutes les Communes, après ce discours stupide où il n'y avait aucun sentiment sensé, aucune idée crédible, elle... elle est partie à son bras de... de la façon la plus scandaleuse possible en... en

107

faisant un véritable affront à son père. Il est monstrueux qu'un père, qu'un père! soit ainsi traité par son enfant.»

Le malheureux se mit à éponger son front avec sa pochette.

«Quand je suis rentré, je... je lui ai dit ce que je pensais d'elle, vous pouvez me croire, ainsi que ce que je pensais de lui. Je n'ai pas mâché mes mots, soyez-en sûr. Il y a des moments où il faut parler clair et... et c'en était un. Je lui ai interdit de parler à cet homme, et de le saluer si elle le croise dans la rue. Je lui ai démontré, en toute logique, que c'était un scélérat, et rien de plus! Et qu'il ne pouvait qu'apporter le malheur à qui le fréquentait. Et que croyez-vous qu'elle ait répondu?

— Elle a promis de vous obéir, sans nul doute.

— Ah vous croyez ça! By Jove! Cela prouve à quel point vous la connaissez mal! Elle a répondu, et sur un ton qui... qui aurait pu faire croire qu'elle était l'adulte et moi l'enfant que l'on gronde, elle a dit que... que je lui faisais de la peine, que je la décevais beaucoup, que les temps ont changé! Que les parents ne doivent plus se conduire comme des autocrates russes! Parfaitement, des autocrates russes! Qu'elle regrettait de ne pouvoir m'obéir, mais qu'il était hors de question qu'elle mette fin à une amitié si estimable simplement à cause de... de mes préjugés irrationnels, et... et... et en bref, elle m'a dit d'aller au diable!

— Et est-ce que...»

J'allais lui demander s'il y était effectivement allé, mais je me retins à temps.

«Examinons la question posément. Que savez-vous de Lessingham sur un plan autre que politique?

— Justement, je ne sais rien.

— Est-ce que ce n'est pas un argument en sa faveur?

— Je ne vous comprends pas. Je n'ai pas peur de l'admettre, j'ai... j'ai fait faire une enquête. Cela fait moins de six ans qu'il est aux Communes. C'est son deuxième mandat. Il a été élu à Harwich (et grand bien leur fasse!), mais comment il a pu se présenter là-bas, d'où il sort, et que faisait-il avant ça, personne ne semble en avoir la moindre idée.

— Est-ce qu'il n'a pas voyagé?

— Je n'en ai pas eu connaissance.

— Quelque part en Orient, non?

— C'est lui qui vous l'a dit?

— Non, non, je réfléchissais à voix haute. Enfin, il me semble que c'est plutôt un point en sa faveur si on ne trouve rien contre lui, non?

— Mon cher Sydney, soyons sérieux! Ce que cela prouve, c'est... c'est qu'il n'est personne! S'il avait été quelqu'un, on aurait pu trouver quelque chose à dire contre lui! Je ne veux pas que ma fille épouse un homme qui... qui... qui sort de nulle part, simplement parce que personne ne sait rien de lui! Que je sois pendu si je ne vous préférerais pas pour gendre!»

Mon cœur bondit dans ma poitrine et je dus me détourner.

«J'ai bien peur que cela soit hors de question.»

Il s'arrêta d'arpenter la pièce et me regarda de travers.

«Pourquoi?»

Il me fallait être prudent, sinon je sentais que j'étais perdu – et Marjorie aussi.

«Mon cher Lindon, je ne peux vous dire à quel point je vous suis reconnaissant de votre suggestion, mais je ne peux que vous répéter qu'une telle chose est hors de question.

– Je ne vois pas pourquoi.

– Sans doute que non.

– Vous... vous êtes intraitable!

– J'en ai bien peur.

– Je... je veux que vous lui fassiez comprendre que Lessingham est un scélérat!

– Je vois. Mais je me permets de vous suggérer une tactique moins brutale si vous désirez que je conserve sur elle l'ascendant que vous m'attribuez.

– Agissez comme vous l'entendez. Mais... mais je veux que son esprit soit imprégné du plus profond mépris pour cette canaille. Je... je... je veux que vous le peigniez sous ses vraies couleurs. En... en... en fait, je veux que vous le réduisiez à néant à ses yeux!»

Tandis qu'il était occupé à bégayer et à essuyer la sueur sur son front, Edwards entra dans le laboratoire. Je me tournai vers lui.

«Qu'y a-t-il?

– C'est Miss Lindon, Sir. Elle désire vous voir en particulier, le plus vite possible.»

Cette nouvelle me laissa perplexe, mais elle réjouit le vieux Lindon. Il se mit à bafouiller:

«C'est... c'est parfait! Je... je n'aurais pas pu souhaiter mieux! F... faites-la entrer! C... cachez-moi quelque part, n'importe où – derrière ce paravent! P... persuadez-la de votre mieux. S... sermonnez-la. D... dites-lui ce que je vous ai rap... rapporté et... et au m... au moment critique, je sur... je surgirai et.. c'est bien le diable si, à nous deux, nous... nous ne réussissons pas à la convaincre!»

Cette proposition m'ébranla.

«Mais, mon cher Lindon, j'ai bien peur de...»

Il m'interrompit.

«Là voilà!»

Avant que j'aie pu l'arrêter, il s'était dissimulé derrière le paravent (je ne l'avais jamais vu se déplacer avec autant de souplesse!) et Marjorie était entrée. Il y avait quelque chose dans son attitude, dans son visage, dans ses yeux, qui fit accélérer les battements de mon cœur.

109

On aurait dit que le malheur avait fait brusquement irruption dans sa vie.

CHAPITRE XXI

Terreur dans la nuit

«Sydney!» s'écria-t-elle. «Je suis si heureuse de vous voir!»

C'était peut-être le cas, mais je n'étais guère en état de partager sa joie.

«Je vous avais dit que je viendrais à vous en cas d'ennuis et... j'ai des ennuis. Des ennuis étranges.»

Je pouvais en dire autant. J'eus l'idée de berner son père indiscret.

«Suivez-moi au salon. Nous en discuterons là-bas.»

Elle refusa de bouger.

«Non, je vous dirai tout ici.» Elle regarda attentivement autour d'elle, d'une façon qui me sembla étrange. «C'est l'endroit idéal pour raconter une histoire comme la mienne. Si bizarre!

– Mais...

– Pas de mais! Sydney, cessez de me tourmenter, laissez-moi me reposer. Ne voyez-vous pas que je suis hantée?»

Elle s'était assise, pour se relever aussitôt. Elle était dans un état d'agitation extrême, aussi bien dans ses gestes que dans ses paroles.

«Pourquoi me regardez-vous ainsi? Me croyez-vous folle? Je me demande si je ne suis pas en train de le devenir. Sydney, est-il possible de perdre subitement la raison? Vous savez tant de choses, vous êtes aussi un peu docteur: prenez mon pouls, ici, dites-moi si je suis malade.»

Je n'avais pas besoin de prendre son pouls pour me rendre compte qu'elle avait une forte fièvre. Je lui tendis un verre qu'elle examina longuement.

«Qu'est-ce que c'est?

– Un remède de ma composition. Un sédatif que j'utilise en cas de migraine. Buvez, cela vous fera du bien.»

Elle le vida d'un trait.

«Cela va déjà mieux, je crois. Vous êtes un bon docteur. Sydney, l'orage a éclaté. Hier soir, papa m'a interdit de revoir Paul Lessingham, et ce n'est qu'un début.

– Exactement. Mr. Lindon...

– Oui, Mr. Lindon. Papa. Nous nous sommes presque disputés. Papa m'a dit des choses étonnantes, mais j'en ai l'habitude: il est comme ça. C'est le meilleur des pères, mais il se méfie un peu des gens intelligents, comme tous les Tories. J'ai toujours pensé que c'était pour ça qu'il vous aimait bien.

– Je vous remercie. C'est sans doute la raison de son amitié, bien que je n'y aie jamais pensé.»

Je retournais la situation dans mon esprit depuis son arrivée. j'en vins à conclure que son père avait autant que moi le droit d'écouter ses confidences, même dissimulé derrière un paravent, et qu'il ne lui ferait aucun mal d'entendre quelques vérités bien senties, même venant de la bouche de sa fille. Une telle mise au point ne pourrait que servir cette dernière, dont le but de la visite m'échappait toujours.

Elle poursuivit la conversation dans une autre direction:

«Vous ai-je raconté ce qui m'est arrivé hier matin, ma petite aventure dans la rue?

– Pas un mot.

– Je suis presque sûre que tous mes ennuis viennent de là. Est-ce qu'il n'est pas dit quelque part qu'abriter un inconnu chez soi porte malheur?

– Au nom de l'humanité, j'espère bien que non.

– Je crois que si, j'en suis même sûre. Enfin. Ecoutez mon histoire. Hier matin, avant le petit déjeuner, entre huit et neuf heures pour être précise, j'ai vu un attroupement dans la rue et j'ai envoyé Peter voir ce qui se passait. Il est revenu me dire qu'un homme semblait avoir eu un malaise. Je suis allée voir de plus près. j'ai trouvé un homme couché sur le sol au milieu de la foule, vêtu en tout et pour tout d'une seule robe en lambeaux. Il était couvert de poussière, de boue et de sang séché. Quel horrible spectacle! Comme vous le savez, j'ai suivi des cours de secourisme, et comme personne ne semblait décidé à intervenir, je me suis approchée de lui. Savez-vous ce qu'il a dit alors?

– Merci.

– Idiot. Il a dit, d'une voix curieusement éraillée: «Paul Lessingham». J'en ai été stupéfaite. Entendre un parfait inconnu, un homme dans un tel état, prononcer ce nom, et devant moi! Le policeman qui lui tenait la tête déclara que c'était la première parole à franchir ses lèvres depuis qu'on l'avait trouvé. On l'avait cru mort. Il ouvrit de nouveau la bouche, un frisson le secoua de la tête aux pieds et il s'exclama, si fort qu'on pouvait l'entendre de l'autre bout de la rue: «Prenez garde, Paul Lessingham, prenez garde!» C'était peut-être stupide de ma part, mais je ne puis vous dire à quel point je fus affectée par ses mots, ainsi que par son état. Enfin bref, je l'ai fait amener chez moi, laver et mettre au lit, et j'ai fait appeler un docteur. Celui-ci n'a pas pu m'éclairer. Il s'est contenté de me dire que l'homme souffrait d'une sorte de catalepsie, et j'ai vu à ses yeux qu'il trouvait le cas fort intéressant, mais c'est tout.

«– Avez-vous informé votre père de la présence de cet homme chez vous?»

Elle me regarda avec indulgence.

«Quand on a un père comme le mien, il vaut mieux ne pas tout lui dire à la fois. Un temps de réflexion est parfois nécessaire.»

Voilà qui plairait fort au vieux Lindon.

«Hier soir, après que papa et moi eûmes échangé nos bonsoirs (j'espère que ce fut à sa satisfaction, car je n'y trouvai pas la mienne), je suis allée voir mon pensionnaire. A ce qu'on me dit, il n'avait ni parlé ni bougé depuis le matin. Mais, dès que j'approchai de son lit, il commença à s'agiter. Il se redressa sur son oreiller et cria, comme s'il s'adressait à une foule, et avec une expression indescriptible sur son visage: «Paul Lessingham! Prenez garde! Le scarabée!»

Ces paroles me stupéfièrent.

«Etes-vous sûre que ce furent là ses mots exacts?

– Tout à fait sûre. Croyez-vous que je puisse me tromper, surtout après ce qui suivit? Elles résonnent encore dans mes oreilles, sans arrêt.»

Elle dissimula son visage derrière ses mains. J'étais de plus en plus convaincu que la relation unissant l'Apôtre et son amie orientale demandait à être élucidée.

«Ce pensionnaire, à quoi ressemble-t-il?»

J'avais une idée sur l'identité de ce gentleman, mais ses paroles l'infirmèrent immédiatement et ne firent qu'augmenter ma confusion.

«Il doit avoir entre trente et quarante ans. Cheveux et moustache clairs. Il n'a plus que la peau sur les os, le docteur affirme que c'est dû à la faim.

– Vous dites qu'il a les cheveux et la moustache clairs? Est-ce que ce n'est pas une fausse moustache?»

Elle écarquilla les yeux.

«Bien sûr que non! Quelle idée!

– Est-ce qu'il ne vous a pas semblé... étranger?

– Au contraire. Il a l'air bien anglais et parle sans accent, même pas celui des rues. Il est vrai que sa voix a une qualité étrange, du moins d'après ce que j'ai pu en juger, mais c'est bien la voix d'un Anglais. S'il souffre de catalepsie, alors je n'en ai jamais rencontré de la sorte. Avez-vous déjà vu un clairvoyant?» J'opinai du chef. «Il me semble être dans un état de clairvoyance. Bien sûr, le docteur a éclaté de rire quand je lui ai dit ça, mais vous connaissez les médecins aussi bien que moi, et je n'ai pas changé d'avis. Il m'a semblé qu'il se trouvait sous influence, pour ainsi dire, et que celui qui le dominait le forçait à parler contre sa volonté, car les mots sortaient de sa bouche comme si on les lui avait soutirés par la torture.»

Sachant ce que je savais, je trouvai remarquable qu'elle soit arrivée à cette conclusion aidée de sa seule intuition, mais je préférai ne pas l'en informer.

«Ma chère Marjorie! Vous vous flattez d'ordinaire de savoir contrôler votre imagination, et voilà que vous vous mettez à raconter des fables!

– Est-ce que mon caractère rationnel ne rend pas plus crédible ce que je raconte? Ecoutez-moi. Quand j'eus laissé ce malheureux aux bons soins d'une infirmière recrutée pour la circonstance, je regagnai ma chambre et je fus convaincue qu'un terrible danger menaçait Paul à ce moment même.

– Souvenez-vous comme votre soirée fut fertile en événements. Vous étiez tout simplement énervée.

– C'est ce que je me suis dit, du moins ce que j'ai essayé de me dire, car d'une certaine façon je semblais avoir perdu tout pouvoir de réflexion.

– Précisément.

– Non, pas précisément, du moins pas dans ce sens-là. Riez, Sydney, mais j'avais la conviction, la certitude, de me trouver en présence du surnaturel.

– Ridicule!

– Si seulement c'était vrai! Je le répète, j'avais la conviction qu'un terrible danger menaçait Paul. J'ignorais sa nature, mais je savais que c'était quelque chose d'horrible, dont la seule évocation me faisait frissonner. Je voulais être près de lui, mais il m'était impossible de remuer le petit doigt! Non, laissez-moi finir! Je me répétais que c'était absurde, mais rien à faire: absurde ou pas, la terreur était avec moi dans cette pièce. Je m'agenouillai pour prier, mais aucun mot ne put sortir de ma bouche. J'adjurai Dieu d'ôter ce fardeau de mon esprit, mais les mots refusaient de se former et ma langue était comme paralysée. J'ignore combien de temps je luttai, mais je dus me rendre à l'évidence: Dieu m'avait laissée seule pour me battre. Je me levai pour me dévêtir et me coucher, et le pire se produisit. J'avais renvoyé ma bonne quand j'avais senti la terreur me saisir, de peur qu'elle ne soit témoin de ma déchéance. A présent, j'aurais tout donné pour qu'elle soit près de moi, mais je ne pouvais même pas tirer sur la sonnette. Donc, j'allai au lit.»

Elle s'interrompit, comme pour mettre de l'ordre dans ses pensées. Ecouter son récit et imaginer les souffrances qu'elle avait pu endurer était plus que je ne pouvais supporter. J'aurais tout donné pour pouvoir la serrer contre moi et la réconforter. Ce n'était ni une hystérique, ni une femme qui délirait facilement, je le savais bien, et j'étais persuadé que son histoire, si incroyable qu'elle fût, n'était pas dénuée de fondement. Il était de mon devoir d'en déterminer la nature exacte le plus rapidement possible.

«Vous savez que j'ai les... les cafards en horreur, et que la prolifération des hannetons au printemps m'a toujours été désagréable, vous vous êtes assez moqué de moi à ce sujet. Dès que je fus couchée, j'eus la certitude qu'un insecte était dans la chambre.

– Un insecte? .

– Oui, un... un scarabée. J'entendais ses ailes bourdonner, je savais qu'il volait au-dessus de moi, qu'il s'approchait de mon visage. Je m'enfouis sous les draps, et je le sentis buter contre les couvertures. Sydney!» Elle s'approcha de moi, ses joues livides et ses yeux effarés me brisèrent le cœur. Sa voix se cassa. «Il m'a suivie entre les draps.

– Marjorie!

– Oui, il est entré dans mon lit!

– Ce n'était que votre imagination.

– Non. Je l'ai entendu ramper sur les draps, jusqu'à ce qu'il ait trouvé un passage, puis il s'est insinué jusqu'à moi. Et je l'ai senti – sur mon visage. Et il est ici à présent!

– Où ça?»

Elle leva le doigt de sa main gauche.

«Ne l'entendez-vous pas?»

Elle écouta, aux aguets. Je fis de même. Curieusement, le bourdonnement d'un insecte devint audible à ce moment-là.

«Ce n'est qu'une abeille qui est entrée par la fenêtre.

– Si seulement c'était vrai! Sydney, ne sentez-vous pas que nous sommes en présence du mal? Ne voulez-vous pas l'éloigner, retrouver la présence de Dieu?

– Marjorie!

– Priez, Sydney, priez! Moi, je n'y arrive pas! Je ne sais pas pourquoi, mais je n'y arrive pas!»

Elle se jeta sur moi et me passa les bras autour du cou, au paroxysme de l'émotion. Je faillis chanceler. Tout cela lui ressemblait si peu – et moi qui aurais donné ma vie pour la sauver d'un mal de dents! Elle n'arrêtait pas de répéter sa supplique:

«Priez, Sydney, priez!»

Enfin, je m'exécutai. Cela n'a jamais fait de mal à personne de prier, du moins pas à ma connaissance. J'entonnai à haute voix un *Pater Noster*, c'était la première fois depuis bien longtemps. Je constatai qu'elle se calmait au fur et à mesure que les paroles saintes sortaient maladroitement de ma bouche. Quand je dis: «Délivrez-nous du mal», elle me lâcha et tomba à genoux, pour reprendre avec moi la fin de la prière:

«Car c'est à vous qu'appartiennent le Royaume, la Puissance et la Gloire, dans les siècles des siècles. Amen.»

La prière achevée, nous demeurâmes immobiles, la tête baissée et les mains jointes. Je sentis quelque chose effleurer mon cœur, quelque chose que je n'avais pas senti depuis des années, comme si ma mère m'avait tendu sa main depuis le Royaume des Cieux.

Je levai la tête et aperçus le vieux Lindon qui nous regardait depuis sa cachette. L'expression de totale perplexité qui avait envahi son visage me parut si incongrue que je faillis éclater de rire. Apparemment, le spectacle qui venait de se dérouler sous ses yeux n'avait en rien dissipé la brume qui était tombée sur son cerveau, car il bredouilla, sur un ton qui voulait passer pour un murmure:

«Est... est-ce qu'elle est f... folle?»

Ce murmure fut suffisamment audible pour les oreilles de sa fille. Celle-ci sursauta, bondit sur ses pieds, se retourna... et découvrit son père.

«Papa!»

Son géniteur fut aussitôt assailli d'un accès de bégaiement.

«Que... que d... diable si... si... signifie tout ce... tout cela?»

La réponse qu'elle donna fut, j'en ai peur, suffisamment claire.

«C'est plutôt à moi de poser cette question! Est-il possible que tu sois resté à m'espionner derrière ce... ce paravent?»

Le vieux gentleman parut fléchir sous le regard furibond de sa fille, et tenta de dissimuler sa défaite par une nouvelle explosion.

«C... comment oses-tu m... me parler sur ce t... ce ton! Je... je suis ton père!

– Cela ne fait aucun doute. Mais, jusqu'à présent, j'ignorais que tu puisses écouter aux portes!»

La rage le rendit muet, ou du moins il choisit de nous le faire croire. Aussi Marjorie se tourna-t-elle vers moi, à mon grand dam. La façon dont elle s'adressa à moi était toute différente de celle dont elle avait apostrophé son père: son ton était plus que poli, il était glacé.

«Dois-je comprendre, Mr. Atherton, que vous avez prêté votre concours à cette farce? Que, pendant que je vous ouvrais mon cœur, vous saviez parfaitement que quelqu'un nous écoutait?»

Je pris conscience de la bassesse du tour que j'avais contribué à lui jouer. A cet instant, j'aurais volontiers jeté le vieux Lindon par la fenêtre.

«La chose n'était pas de mon fait. Si j'en avais eu l'occasion, j'aurais forcé Mr. Lindon à vous faire face quand vous êtes entrée ici, mais votre désarroi m'a trop bouleversé. Rappelez-vous que je vous ai cependant proposé de nous rendre au salon.

– Mais je ne me souviens pas que vous m'ayez dit pourquoi vous vouliez quitter cette pièce.

– Vous ne m'en avez pas laissé la chance.

– Sydney! Je ne vous aurais jamais cru capable d'une telle conduite!»

Quand elle me dit cela, elle, la femme que j'aimais – et sur un tel ton! – j'aurais voulu me cogner la tête contre les murs. Quel piètre individu je faisais!

Voyant que j'étais battu, elle se tourna de nouveau vers son père.

115

Elle était redevenue la Marjorie que je connaissais, calme et sûre d'elle. Le contraste entre père et fille était frappant. A en juger par les apparences, le vieux Lindon ne pourrait que sortir vaincu du conflit qui s'annonçait.

«J'espère, papa, qu'il s'agit d'une erreur et que tu n'avais pas vraiment l'intention de m'espionner. Qu'aurais-tu pensé de moi si j'avais agi ainsi? Et qu'aurais-tu dit? J'ai toujours cru comprendre que les hommes étaient pointilleux sur de telles questions d'honneur.»

Le vieux Lindon n'était guère en état de se livrer à une joute verbale avec cette jeune fille si cinglante, et il ne put que bafouiller:

Ne me p... parle pas sur ce t... ton! T... tu es complètement f... folle!» Il se tourna vers moi: «Qu'est-ce que c'é... c'était que cette histoire qu'elle vous r... racontait?

– A quoi faites-vous allusion?

– Ce ri... ridicule s... scarabée et Dieu seul s... sait quoi encore! Q... quelle imagination m... morbide et maladive, digne d... des romans à b... bon marché! Je n'aurais jamais cru que ma f... fille puisse tomber si bas! Atherton, p... parlez-moi franchement: que pensez-vous d'un tel comportement? Abriter un va... un vagabond sous mon toit sans même m'en prévenir! Et en plus de ça, ce clochard la met en garde contre ce scé... ce scélérat de Lessingham! Je vous le demande, Atherton, que dois-je penser de tout cela?» Je haussai les épaules. «Je... je sais très bien quel est votre s... sentiment. N'ayez pas peur de parler, même si elle vous écoute.

– Non, Sydney, n'ayez pas peur.»

Je vis une lueur de malice danser dans ses yeux: la déconfiture de son père la réjouissait visiblement.

«Ecoutons ce que vous p... pensez d'elle.

– Allons, Sydney!

– Ce que vous pensez d'elle du fond de votre cœur!

– Oui, Sydney, du fond de votre cœur!»

La coquine rayonnait littéralement. Elle se moquait bien de moi! Son père se tourna vers elle, furibond.

«Ne p... parle pas tant qu'on ne t'adresse p... pas la parole! Atherton, j'es... j'espère que vous ne me décevrez pas. J'es... j'espère que vous êtes tel que je vous crois, que vous saurez être l'ami fidèle de cette petite idiote. L'heure n'est pas aux p... politesses, parlez f... franchement. Dites à cette... à cette écervelée si, oui ou non, Lessingham n'est pas une canaille.

– Papa! Crois-tu que l'opinion de Sydney ou la tienne puisse changer les faits?

– M'entendez-vous, Atherton? Dites-lui la vérité!

– Mon cher Mr. Lindon, je vous ai déjà dit que je ne sais rien de Lessingham, en bien ou en mal, sinon ce que tout le monde sait.

– Exactement! Et tout le monde sait bien que ce n'est qu'un misérable aventurier qui veut mettre le grappin sur ma fille.

– Puisque vous insistez, je me vois forcé de vous dire que je trouve votre langage exagéré.

– Atherton! J'ai... j'ai honte de vous!

– Vous voyez, Sydney, même papa a honte de vous. Votre cas est désespéré. Mon cher papa, si tu veux bien m'écouter, je vais te dire la vérité, toute la vérité et rien que la vérité. Mr. Lessingham est un homme extrêmement doué, cela va sans dire. (S'il te plaît, papa!) C'est un homme de génie, un homme d'honneur, un homme animé des plus nobles ambitions. Il a consacré son existence à l'amélioration des conditions de vie des plus infortunés de ses semblables. Cela me paraît une entreprise louable. Il m'a demandé d'accomplir cette tâche avec lui, et je lui ai répondu que j'en serais heureuse. Et c'est vrai. Je ne pense pas que sa vie ait été sans tache: qui peut se vanter d'être sans péché? Même les familles les plus prestigieuses ont leurs secrets. Mais je sais que c'est l'homme le meilleur que j'aie jamais rencontré, et que je n'en rencontrerai jamais de comparable. Je remercie le ciel d'avoir sa faveur. Adieu, Sydney. Je suppose que nous nous reverrons bientôt, papa.»

Et elle quitta la pièce après nous avoir gratifié d'une inclinaison de la tête presque imperceptible. Lindon voulut l'arrêter.

«R... r... reste ic... ici!» bégaya-t-il.

Mais je l'immobilisai en lui prenant le bras.

«Suivez mon conseil et laissez-la partir. Je crois que l'on ne gagnerait rien à poursuivre ce dialogue.

– Atherton, vous... vous me décevez. Vous... vous ne vous êtes pas conduit comme je l'aurais souhaité. Vous... vous n'avez rien fait pour m'aider.

– Mon cher Lindon, permettez-moi de vous faire remarquer que votre méthode semble calculée pour donner des résultats diamétralement opposés à ceux qu'elle vise en théorie.

– Au d... au diable les femmes! Laissez-moi vous dire en toute c... confidence que... que sa mère savait être aussi insup... insupportable, et que je sois p... pendu si la fille n'est pas encore p... pire! Qu'est-ce que c'était que cette f... fable qu'elle vous a racontée? Est-elle folle à lier?

– Non, je ne crois pas.

– Je n'ai jamais entendu une chose pareille, c'est à vous glacer le sang. Qu'est-ce qui lui arrive donc?

– Eh bien, excusez-moi de vous parler franchement, mais je ne crois pas que vous compreniez les femmes.

– S... sûrement pas, et je n'en ai auc... aucune envie!»

J'hésitai, puis je me résolus à lui raconter un petit bobard, dans l'intérêt de Marjorie.

«C'est une jeune fille extrêmement sensible, et son imagination est

117

prompte à s'enflammer. Peut-être s'est-elle trop enervée après votre scène d'hier soir. Vous avez entendu vous-même comme elle en a souffert. Vous ne voulez pas que l'on dise que vous l'avez conduite chez les fous.

– D... Dieu du ciel, non! Je... je vais faire venir un docteur d... dès que je serai rentré.

– Surtout pas, cela ne ferait qu'empirer les choses. Vous devez être patient avec elle, et la laisser tranquille. Quant à Lessingham, si mes soupçons sont fondés, les choses ne sont pas aussi claires qu'elle le suppose.

– Que voulez-vous dire?

– Rien pour le moment. Mais je veux que vous laissiez les choses suivre leur cours tant que je ne vous aurai pas contacté. Laissez-la en faire à sa tête.

– En faire à sa tête! Je l'ai t... toujours laissée en f... faire à sa t... tête!» Il regarda sa montre. «Hé! La journée est presque finie!» Il se dirigea vers la porte. «J'ai une réunion au club, de la p... plus haute importance! Cela fait des semaines que la nourriture y est infecte, ma d... digestion en est toute remuée et s... si les choses ne changent pas, je... je vais leur faire payer mes ordonnances. Et quant à Lessingham...»

Il ouvrit la porte du hall et se trouva nez à nez avec Lessingham. Le spectacle valait la peine d'être vu. L'Apôtre, impassible comme un concombre, lui tendit la main.

«Bonjour, Mr. Lindon. Quel temps splendide nous avons.»

Lindon cacha sa main derrière son dos et se conduisit stupidement, comme cela était prévisible.

«Mr. Lessingham, sachez que désormais je ne vous connais plus et refuserai de vous reconnaître. Et cela vaut également pour les membres de ma famille.»

Puis, le chapeau enfoncé jusqu'aux yeux, il dévala les marches et s'enfuit comme un dindon courroucé.

CHAPITRE XXII

L'homme hanté

Lessingham ne donna aucun signe d'étonnement: avoir été aussi sèchement traité par son futur beau-père semblait pour lui une simple péripétie. Pour autant que je pusse en juger, il se conduisit comme si

118

rien ne s'était passé. Il attendit que Mr. Lindon ait quitté les lieux puis, se tournant vers moi, me dit sur un ton placide:

«Désolé de vous interrompre à nouveau. Puis-je entrer?»

Son apparition m'avait mis dans un tel état que je n'osai pas dire un mot. Je sentais qu'il était des plus urgents que j'aie une explication avec lui. La Providence ne pouvait pas mieux agir qu'en l'amenant ainsi sur mon seuil. Si nous n'étions pas parvenus à mieux nous comprendre une fois qu'il aurait quitté ces lieux, la faute m'en incomberait. Sans un mot, je tournai les talons et le conduisis dans mon laboratoire.

S'il remarqua quelque chose d'étrange dans mon comportement, il n'en laissa rien paraître. Il regarda autour de lui, le visage figé dans cette expression de gaieté superficielle qui me rendait si méfiant.

«Vous recevez toujours vos visiteurs ici?

– Rarement.

– Qu'est-ce que c'est que ça?»

Il se baissa pour ramasser quelque chose sur le sol. C'était un petit sac de dame, un bel objet de cuir pourpre et doré. J'ignorais s'il appartenait à Marjorie ou à Miss Grayling. Il me regarda l'examiner.

«C'est à vous?

– Non.»

Il s'assit après avoir posé chapeau et parapluie sur une chaise proche. Il croisa ses jambes, posa ses mains sur ses genoux, et me regarda. J'étais tout à fait conscient d'être examiné avec attention, mais je choisis de garder le silence, souhaitant que ce soit lui qui le rompe.

Quand il en eut assez de me dévisager, il dit:

«Que se passe-t-il, Atherton? Vous ai-je offensé en quelque manière?

– Pourquoi me posez-vous cette question?

– Votre comportement est bien singulier.

– Vous trouvez?

– Oui.

– Pour quelle raison êtes-vous venu ici?

– J'aime bien savoir à quoi m'en tenir, c'est tout.»

Il était des plus courtois, gracieux même. Je dus m'avouer battu. Je connaissais suffisamment mon homme pour savoir que, dès l'instant qu'il se plaçait sur la défensive, c'était à moi de frapper le premier. Ce que je fis.

«C'est également mon cas. Lessingham, j'ai appris, comme vous le savez sans doute, que vous avez fait certaines propositions à Miss Lindon. Cela m'intéresse au premier chef.

– En vertu de quoi?

– En vertu du fait que les Lindon et les Atherton sont loin d'être des familles alliées de fraîche date. Marjorie et moi sommes amis depuis notre enfance. Elle me considère comme son frère...

– Son frère?

– Son frère.

– Ah.

– Mr. Lindon me considère comme son fils. Il me donne toute sa confiance, et je crois que vous savez qu'il en est de même pour Marjorie. J'attends de vous que vous agissiez également ainsi.

– Que désirez-vous savoir?

– J'aimerais préciser ma position avant d'aller plus loin, car je souhaite que vous me compreniez parfaitement. Avec toute mon honnetêté, je crois fermement que la chose que je désire le plus au monde est de voir Marjorie Lindon heureuse. Si je pensais qu'elle dût l'être avec vous, vous recevriez ma bénédiction et mes félicitations les plus sincères, car vous avez gagné le cœur de la meilleure des femmes.

– C'est aussi mon avis.

– Mais, avant de faire cela, il me faudrait acquérir la certitude que son bonheur auprès de vous est assuré.

– Pourquoi ne le serait-il pas?

– Voulez-vous répondre à une question?

– Laquelle?

– Quel est le mystère surgi de votre passé et qui vous inspire une terreur si hideuse?

Il hésita avant de répondre.

«Expliquez-vous, je vous prie.

– Je n'en ai nul besoin, vous savez parfaitement de quoi je veux parler.

– Vous me prêtez des pouvoirs de devin que je ne possède pas.

– Lessingham, cessez d'ironiser et soyez franc!

– La franchise ne doit pas être d'un seul côté. Peut-être en êtesvous inconscient, mais la franchise dont vous faites preuve a certains aspects peu agréables.

– Lesquels?

– Cela dépend. Si vous vous arrogez le droit de vous dresser entre Miss Lindon et moi, je me dois de vous dire que cela m'est désagréable.

– Répondez à ma question!

– Je ne répondrai jamais à une question posée sur ce ton.»

Il était d'un calme olympien, et je me rendis compte que j'étais en danger de perdre mon sang-froid, ce qui n'était pas souhaitable. Il me rendait regard pour regard, affichait une contenance qui ne trahissait aucune culpabilité: jamais je ne l'avais vu si à l'aise. Il eut un sourire purement superficiel et, me sembla-t-il, plein de dérision. Je me dois d'admettre qu'il ne donnait pas le moindre signe de ressentiment, et que son regard était doux, presque aimable, comme je ne l'avais jamais vu auparavant: il semblait plein de sympathie à mon égard.

«Il faut que vous sachiez que, dans cette affaire, je représente Mr. Lindon.

– Eh bien?

– Vous devez sûrement comprendre qu'avant même de penser à un mariage, le père de Marjorie doit s'assurer de ce que la vie du futur époux est vierge de toute tache.

– Vraiment? Qu'en est-il de la vôtre?»

Je grimaçai.

«Du moins la mienne est-elle connue de tous.

– Vraiment? Pardonnez-moi d'en douter. Je doute qu'on puisse dire cela de quiconque. Dans la vie de chacun de nous, il y a des épisodes qu'on préfère garder secrets.»

Cela me paraissait si vrai que je ne sus plus quoi dire pendant un instant.

«Mais il y a tache et tache, et il faut bien mettre le holà quand un homme est hanté.

– Hanté?

– Comme vous l'êtes.»

Il se leva.

«Atherton, je crois vous comprendre, mais j'ai bien peur que vous ne me compreniez pas.» Il se dirigea vers une pompe à air autonome posée sur une étagère. «Quel est ce curieux assemblage d'éprouvettes et de ballons?

– Je ne crois pas que vous me compreniez, sinon vous sauriez que je ne suis pas d'humeur à plaisanter.

– Est-ce que c'est un appareil à faire le vide?

– Mon cher Lessingham, je suis entièrement à votre disposition. J'ai l'intention de vous voir répondre à ma question avant que vous soyez sorti d'ici mais, en attendant, il y a dans cet endroit quantité de choses intéressantes que je me ferai un plaisir de vous montrer.

– La façon dont l'intelligence humaine avance de conquête en conquête n'est-elle pas merveilleuse?

– Certes. Mais les progrès étaient parfois plus rapides chez les anciens.

- Comment cela?

– Prenez par exemple l'Apothéose du Scarabée. J'en ai été témoin la nuit dernière.

– Où?

– Ici même, à quelques pieds de l'endroit où vous êtes.

– Etes-vous sérieux?

– Parfaitement sérieux.

– Qu'avez-vous vu?

– J'ai observé la légendaire Apothéose du Scarabée. Elle s'est déroulée sous mes yeux avec une magnificence dont les légendes ne donnent aucune idée.

– C'est étrange. J'ai cru voir moi aussi jadis une chose de ce genre.

– C'est ce que j'ai cru comprendre, en effet.

– Et qui vous a ainsi informé?

– Un de vos amis.

– Un de mes amis? En êtes-vous bien sûr?»

Je n'étais pas dupe des efforts qu'il faisait pour rester impassible. De toute évidence, il était persuadé que je bluffais pour l'amener à me révéler son secret, secret qu'il ne livrerait qu'au péril de sa vie. S'il n'y avait pas eu Marjorie, tout cela m'aurait été indifférent: chacun ses affaires; mais j'avais la certitude d'être sur le point de découvrir quelque chose qui n'était pas sans valeur scientifique. Et, je le répète, j'aurais renoncé à mes questions s'il n'y avait pas eu Marjorie: puisqu'il s'était autant avancé auprès d'elle, j'étais résolu à aller jusqu'au bout.

J'essaie de garder une attitude ouverte vis-à-vis du surnaturel. Je crois sans hésiter que tout est possible: j'ai vu se réaliser trop de choses réputées impossibles. Et je doute que nos connaissances soient universelles: nos plus lointains ancêtres savaient probablement bien plus de choses que nous sur certains sujets. Toutes les légendes ne peuvent pas être des mensonges.

Les hommes du passé prétendaient pouvoir accomplir des prouesses dont nous sommes incapables, aussi affirmons-nous que leurs prétentions sont autant de mensonges. Mais ce n'est pas si sûr.

Pour ma part, j'avais vu ce que j'avais vu. Devant mes yeux s'était déroulé un artifice diabolique, et ma Marjorie en avait été aussi la victime (J'écris «ma Marjorie» parce qu'elle sera toujours pour moi «ma» Marjorie!), à son grand désarroi. En observant Lessingham, je crus la voir à ses côtés telle qu'elle m'était apparue il y avait peu, le visage pâle et les traits tirés, les yeux révulsés par la terreur. Leurs deux vies semblaient sur le point de s'unir, mais quelle horreur se nichait-elle au cœur de cet homme? Il m'était impossible de laisser ce diable souiller la pureté de Marjorie. Je me rendis compte que mon adversaire m'était nettement supérieur, et la pensée de le saisir à la gorge pour l'étrangler m'envahit l'esprit. Un intérêt si vital était en jeu!

Mes sentiments devaient se lire sur mon visage, car il me dit:

«Avez-vous conscience de l'expression avec laquelle vous me dévisagez, Atherton? Je gage que vous seriez fort surpris si on vous tendait un miroir pour vous y contempler.»

Je m'éloignai de lui, maussade.

«Pas aussi surpris que vous l'auriez été hier matin en découvrant votre visage après que vous eûtes vu ce scarabée.

– Vous êtes prompt à engager la querelle.

– Nullement.

– Peut-être est-ce moi. Dans ce cas, je déclare la querelle terminée. Pouf! partie. Mr. Lindon, j'en ai peur, me considère comme le diable simplement parce que nous appartenons à des partis opposés. Vous a-t-il contaminé? Vous me paraissez pourtant un homme sage.

– Je connais votre habileté dans le maniement des mots. Mais ils ne servent à rien en la circonstance.

– Qu'est-ce qui peut bien me servir, alors?

– Je commence à me le demander.

– Moi aussi.

– Comme vous avez eu la courtoisie de le reconnaître, je suis plus sage que Lindon. Vos opinions politiques me sont parfaitement indifférentes. Peu me chaut que vous soyez comme le commun des mortels ou bien vierge de toute tache. Mais vous me paraissez être un lépreux, et de cela je suis convaincu.

– Atherton!

– Depuis que je vous connais, j'ai conscience de quelque chose en vous qu'il est impossible de définir avec précision. Quelque chose de malsain, qui sort de l'ordinaire, une atmosphère qui vous est propre. En ce qui vous concerne, les événements se sont accélérés ces derniers jours, et ils ont jeté sur cette particularité que j'avais discernée une lueur désagréable. A moins que vous puissiez me fournir une explication satisfaisante de votre comportement, je vous demanderai de renoncer à la main de Miss Lindon, ou bien je me verrai forcé de porter certains faits à sa connaissance, aussi bien qu'à celle du public.»

Il pâlit visiblement, mais garda son sourire superficiel.

«Vous avez une façon qui n'appartient qu'à vous de conduire une conversation, Mr. Atherton. Quels sont ces événements auxquels vous faites allusion?

– Qui est l'individu qui est sorti en catastrophe de chez vous, pratiquement nu, la nuit dernière?

– Est-ce là un des faits que vous vous proposez de porter à la connaissance du public?

– Est-ce la seule explication que vous ayez à fournir?

– Continuez donc sur votre lancée.

– Je ne suis pas aussi peu observateur que vous semblez l'imaginer. Cet épisode m'a frappé sur le moment, et certains de ses éléments m'ont frappé davantage par la suite. Suggérer, comme vous l'avez fait hier matin, qu'il s'agissait d'un simple cambriolage ou que l'individu était un dément, voilà qui est totalement absurde.

– Pardonnez-moi, mais je n'ai rien dit de la sorte.

– Que suggérez-vous dans ce cas?

– Absolument rien. Toutes les suggestions proviennent de vous.

– Vous m'avez pourtant prié de ne pas ébruiter l'incident. Voilà qui est fort étonnant.

– Vous avez une vision fort bizarre de mes actions, Mr. Atherton. Rien ne me semblait plus naturel que d'agir ainsi. Mais continuez.»

Il s'appuyait contre une table sur laquelle il avait posé les mains, et était de toute évidence peu à son aise, mais je n'avais pas réussi jusqu'à présent à l'impressionner comme je l'aurais désiré.

«Qui est votre ami oriental?

– Je ne vous suis plus.

– En êtes-vous sûr?

– Certain. Répétez votre question.

– Qui est votre ami oriental?

– J'ignorais que j'en avais un.

– Le jureriez-vous?»

Il eut un rire bizarre.

«Cherchez-vous à me piéger? Vous conduisez cet interrogatoire avec bien trop de fougue. Il me faudrait connaître avec certitude l'objet de vos questions avant de pouvoir y répondre avec sincérité.

– Savez-vous qu'il se trouve à Londres, en ce moment, un individu qui prétend vous avoir très bien connu en Orient?

– Je l'ignorais.

– Vous le jurez?

– Je le jure.

– Voilà qui est singulier.

– Singulier? Pourquoi donc?

– Parce que je suis persuadé que cet individu vous hante.

– Me hante?

– Oui.

– Vous plaisantez.

– Croyez-vous? Vous souvenez-vous de cette gravure représentant un scarabée qui vous a plongé hier matin dans un état de frayeur proche de l'idiotie?

– Votre langage est un peu exagéré. Oui, je m'en souviens.

– Et vous prétendez ignorer que sa présence ici était due à votre ami oriental?

– Je ne vous comprends pas.

– En êtes-vous sûr?

– Certain. Il m'apparaît, Mr. Atherton, que c'est plutôt moi qui serais en droit d'exiger des explications de votre part. Savez-vous que le but de ma présence ici était de vous demander comment cette gravure avait bien pu se trouver ici?

– Elle a été projetée par le Seigneur du Scarabée.»

J'avais prononcé ces mots au hasard, mais ils firent mouche.

«Le Seigneur...» Il chancela, et se tut. Il donna des signes d'agitation. «Je serai franc avec vous, puisque vous l'exigez.» Son sourire, cette fois, était forcé. «J'ai été récemment victime de... de singulières illusions. Je crains qu'elles ne soient dues au surmenage. Pouvez-vous m'éclairer quant à leur source?»

Je restai silencieux. Il faisait un effort surhumain sur lui-même, mais le tremblement de ses lèvres le trahissait. Encore quelques instants, et j'aurais un aperçu de la face cachée de Mr. Lessingham.

«Qui est cet... cet individu que vous appelez mon... mon ami oriental?

– Puisque c'est votre ami, vous devriez le savoir mieux que moi.

– Quelle sorte d'homme est-il?

– Ai-je dit que c'était un homme?

– Non, mais je le présume.

– Je n'ai rien dit de la sorte.»

Il sembla retenir son souffle un instant, et me regarda avec des yeux qui étaient loin d'être amicaux. Puis, faisant preuve d'une maîtrise de soi digne d'éloges, il se redressa avec un air de dignité qui lui seyait fort.

«Atherton, vous êtes en train d'être injuste avec moi, consciemment ou non. J'ignore quelle idée vous vous faites de moi, ou sur quoi elle est fondée, mais je puis vous assurer qu'à mes yeux je suis un homme aussi honnête et respectable que vous l'êtes.

– Mais vous êtes hanté.

- Hanté?» Il se tint droit devant moi, me faisant face. Puis un frisson parcourut tout son corps, un rictus envahit son visage et il devint livide. Il chancela contre la table. «Oui, Dieu sait que c'est exact: je suis hanté.

– Soit vous êtes fou, et donc inapte au mariage, soit vous avez accompli un acte qui vous place en dehors de la société, et vous êtes encore plus inapte au mariage de ce fait. Je n'aimerais pas me trouver face à votre dilemme.

– Je... je suis la victime d'une illusion.

– De quelle nature? A-t-elle la forme d'un... scarabée?

– Atherton!

Il s'effondra subitement et ses traits se transformèrent d'une façon indescriptible. Il s'écroula sur le sol, se prit la tête à deux mains et gémit comme un animal terrorisé. Jamais je n'avais vu spectacle aussi pénible, sinon dans les cellules capitonnées des asiles psychiatriques, et un frisson nerveux me parcourut le corps.

«Au nom du ciel, que vous arrive-t-il? Etes-vous devenu fou? Tenez, buvez ceci!»

Je remplis un verre de cognac et le tendis vers ses mains tremblantes. Il ne comprit pas tout de suite ce que j'attendais de lui, et il s'écoula un certain temps avant qu'il porte le verre à ses lèvres et qu'il avale son contenu comme si cela avait été de l'eau. Peu à peu, il reprit ses esprits. Il se leva et regarda autour de lui avec un sourire horrible à voir.

«C'est.... ce n'est qu'une illusion.

– Elle est d'un genre spécial, non?»

Je le regardai avec attention. Il accomplissait un effort démesuré pour garder son sang-froid, mais le sourire sur ses lèvres le trahissait.

«Atherton, vous… vous en savez plus que moi.» Je restai muet. «Qui… qui est votre ami oriental?

– Mon ami? Vous voulez dire le vôtre, ou la vôtre. J'ai supposé d'abord qu'il s'agissait d'un homme, mais il semblerait que ce soit une femme.

– Une femme? Oh! Que voulez-vous dire?

– Eh bien, le visage est celui d'un homme, d'un type particulièrement repoussant, comme il y en a hélas tant, et sa voix aussi est masculine, mais son corps, comme j'ai eu l'occasion de m'en rendre compte la nuit dernière, est celui d'une femme.

– Voilà qui est étrange.» Il ferma les yeux. Son visage était moite. «Est-ce que… est-ce que vous croyez à la sorcellerie?

– Cela dépend.

– Avez-vous entendu parler du vaudou?

– Oui.

– J'ai entendu dire qu'un sorcier vaudou pouvait jeter un sort tel que sa victime voyait ce qu'il désirait qu'elle voie. Croyez-vous cela possible?

– Je ne pense pas pouvoir répondre à cette question, ni par l'affirmative ni par la négative.»

Il me regarda longuement de ses yeux mi-clos. Il m'apparut évident qu'il ne faisait que gagner du temps.

«Je me rappelle avoir lu un livre intitulé *Maladies Obscures du Cerveau,* qui contenait certaines informations troublantes sur les hallucinations.

– C'est bien possible.

– Parlez-moi franchement: est-ce que vous me recommanderiez de consulter un pathologiste spécialisé dans les maladies mentales?

– Je ne crois pas que vous soyez un dément.

– Non? C'est agréable à entendre: la folie est la plus redoutable des maladies. Eh bien, Atherton, je ne vais pas vous déranger davantage. La vérité est que, dément ou pas, je n'en suis pas moins épuisé. Je crois que je vais m'accorder quelques jours de congé.»

Il se dirigea vers son manteau.

«Il vous reste quelque chose à faire.

– Quoi donc?

– Il vous faut renoncer à la main de Miss Lindon.

– Mon cher Atherton, si la santé me fait vraiment défaut, il me faudra renoncer à tout – à tout!»

Il répéta ces paroles avec un pathétique geste de la main.

«Comprenez-moi bien, Lessingham. Ce que vous déciderez ne me regarde pas, seuls les intérêts de Miss Lindon me préoccupent. Vous devez me donner votre promesse solennelle de rompre sur-le-champ vos fiançailles.»

Il garda le dos tourné.

«Un jour viendra où votre conscience vous tourmentera quand vous repenserez à la façon dont vous me traitez. Vous saurez alors que je suis le plus infortuné des hommes.

– J'en ai conscience dès à présent. C'est pour cette raison que je souhaite que votre infortune ne rejaillisse pas sur une jeune file innocente.»

Il se tourna vers moi.

«Atherton, quelle est votre position vis-à-vis de Miss Lindon?

– Elle me considère comme son frère.

– Et vous, la considérez-vous comme une sœur? Vos sentiments à son égard sont-ils purement fraternels?

– Vous savez que je l'aime.

– Et vous supposez que mon départ vous laissera le champ libre?

– Pas le moins du monde. Croyez-moi ou non, mais mon seul désir est de la voir heureuse et, si vous l'aimez, c'est aussi le vôtre.

– C'est vrai.» Il s'interrompit, et son visage prit une expression de profonde détresse dont je ne l'aurais pas cru capable. «C'est vrai à un point que vous ne pouvez imaginer. Personne n'aime se faire forcer la main, surtout pas par un rival potentiel, si vous me permettez de vous considérer comme tel. Mais laissez-moi vous dire ceci: si la malédiction qui s'est abattue sur moi devait persister, Dieu me garde de vouloir m'obstiner à unir nos deux destinées, et rien au monde ne pourrait me contraindre à agir ainsi.»

Il se tut, et je n'avais rien à lui répondre. Il reprit:

«Dans ma jeunesse, j'ai été la victime d'une... illusion semblable. Elle s'est évanouie, je n'en ai plus vu trace durant des années, et j'ai cru en être débarrassé. Mais elle est revenue récemment, comme vous l'avez vu. Je vais tâcher de déterminer les raisons de ce retour, et s'il s'avère que cette illusion doit persister, ou même se prolonger, non seulement je renoncerai à la main de Miss Lindon, mais aussi à toutes mes ambitions. En attendant, j'aurai soin de n'entretenir avec Miss Lindon que les relations les plus distantes qui soient.

– Vous le promettez?

– Sur l'honneur. Et de votre côté, Atherton, ayez un peu plus de considération pour moi. Le jugement de mon affaire n'a pas encore été prononcé, et vous vous apercevrez un jour que je ne suis pas le coupable que vous me croyez être. Et il y a peu de choses plus désagréables que de s'apercevoir trop tard que l'on a méjugé un homme. Pensez à tout ce que le monde est prêt à m'offrir, et à tout ce à quoi je devrai renoncer à cause d'un malencontreux coup du sort.»

Il se retourna pour partir, puis s'immobilisa et tendit l'oreille, comme aux aguets.

«Qu'est-ce que c'est?»

On entendait un bourdonnement. Je me rappelai l'expérience de Marjorie la nuit précédente: c'était le bourdonnement d'un scarabée.

Dès que l'Apôtre l'entendit, il s'effondra de fort pitoyable façon. Je me précipitai vers lui.

«Lessingham! Du cran! Conduisez-vous en homme!»

Il m'agrippa le bras, et j'eus l'impression d'être serré par un étau.

«Alors... il me faudra un peu plus de cognac.»

Heureusement, la bouteille était à portée de ma main, car je doute qu'il m'ait libéré pour que je pusse l'atteindre si elle s'était trouvée plus loin. Je lui tendis verre et bouteille et il se servit une bonne dose. Quand il l'eut avalée, le bourdonnement avait disparu. Il reposa le verre vide.

«Quand un homme doit avoir recours à l'alcool pour maîtriser ses nerfs, c'est que les choses vont mal pour lui, vous pouvez en être sûr. Mais vous ne savez pas ce que c'est que la perspective, même momentanée, d'un tête-à-tête avec le diable.»

Cette fois-ci, il quitta les lieux et je ne fis rien pour le retenir. J'entendis ses pas résonner dans le couloir, puis la porte se ferma. J'allai m'asseoir dans un fauteuil, étendis mes jambes, enfonçai mes mains dans mes poches – et je réfléchis.

Je restai ainsi peut-être cinq minutes, puis j'entendis un bruit ténu. Tournant la tête, j'aperçus une feuille de papier qui voleta à travers la fenêtre ouverte avant de tomber à mes pieds. Je la ramassai: c'était une gravure représentant un scarabée, identique à celle qui, la veille, avait eu un effet si extraordinaire sur Mr. Lessingham.

«Si ceci est destiné à l'Apôtre, il y a du retard. A moins que...»

J'entendis un bruit de pas dans le couloir et je levai la tête, m'attendant à voir l'Apôtre resurgir, ce en quoi je fus déçu de fort agréable façon: la nouvelle venue n'était autre que Miss Grayling. Elle se tenait sur le seuil, les joues aussi rouges que des roses.

«J'espère que je ne vous dérange pas mais... j'ai dû oublier mon sac ici.» Elle se tut, puis ajouta, comme après coup: «Et je veux que vous veniez dîner avec moi.»

Je rangeai la gravure dans un tiroir, et j'allai dîner avec Dora Grayling.

LIVRE TROISIEME

Terreur dans la nuit et terreur en plein jour

Miss Marjorie Linton raconte

Chapitre XXIII

Comment il se déclara

Je suis la femme la plus heureuse du monde! Combien de femmes ont déjà poussé ce cri de joie? Mais c'est la vérité: Paul m'a avoué son amour. J'aurais honte de dire depuis combien de temps je me savais amoureuse de lui. C'est peut-être prosaïque, mais je crois bien que le premier frisson qu'il me causa fut occasionné par le compte rendu d'un de ses discours que je lus dans le *Times*. Il portait sur la loi des huit heures, et papa fut fort critique à son égard. Il le traita de péroreur onctueux, d'agitateur inconscient, de trublion irresponsable, et de bien d'autres choses encore. Je me rappelle la façon dont papa froissa le journal, déclarant que le discours était encore pire à la lecture, et Dieu sait s'il avait été atroce quand il l'avait prononcé. Il insista tellement que je résolus de me rendre compte par moi-même de quoi il retournait après son départ, et je lus le discours en question. Il eut sur moi un effet tout différent. Les paroles de l'orateur révélaient une telle sagesse et une telle générosité qu'elles m'allèrent droit au cœur.

Après cela, je lus tout ce que je pouvais trouver de Paul Lessingham, et plus je lisais, plus j'étais impressionnée. Mais nous ne nous rencontrâmes pas tout de suite. Etant donné les opinions de papa, il était peu probable qu'il facilitât notre rencontre: la seule mention du nom haï suffisait à le mettre en rage. Mais nous finîmes par faire connaissance, et je découvris qu'il était encore plus fort et plus grand que ses discours. C'est si souvent le contraire qui se produit, les hommes et les femmes font si souvent étalage de leurs qualités, que cette découverte fut aussi délicieuse qu'inattendue.

Nous nous revîmes souvent, je ne sais pas par quel mystère, car, au début du moins, nos rencontres n'étaient pas préméditées. Et pourtant nous semblions nous voir tous les jours, et parfois même deux ou trois fois dans la journée. Nous nous retrouvions dans les endroits les plus inattendus. Je crois que sur le moment nous n'y avons pas prêté attention, mais nous avons dû commencer à organiser nos sorties de façon à avoir la possibilité d'échanger quelques mots à chaque fois: toutes ces rencontres ne pouvaient pas être dues au hasard.

Mais je n'ai jamais supposé qu'il m'aimait, jamais. Je ne crois même pas avoir eu conscience d'être amoureuse de lui. Nous étions des amis. Je savais qu'il me considérait comme son amie, il me l'avait dit plus d'une fois.

«Je vous dis ceci,» me confiait-il à propos de telle ou telle question,

131

«parce que je sais qu'en m'adressant à vous, je m'adresse à une amie.»

Ces paroles n'étaient pas vides de sens à ses yeux. Toutes sortes de gens parlent ainsi, surtout les hommes: c'est une phrase dont ils usent avec toutes les femmes qui sont disposées à les écouter. Mais Paul n'est pas comme cela. Il est avare de paroles, et c'est tout sauf un homme à femmes. Je lui ai déjà dit que c'était là son point faible. Si l'on en croit la légende, rares sont les politiciens qui ont réussi leur carrière en se passant de l'appui des femmes. Il m'a répondu qu'il n'était pas un politicien, et qu'il n'avait jamais eu l'intention d'en devenir un. Il ne souhaite qu'une chose: œuvrer pour le bien de sa patrie. Si celle-ci n'a pas besoin de ses services, eh bien tant pis. Les amis politiques de papa sont tellement intéressés qu'il était presque inquiétant d'entendre un membre du Parlement s'exprimer ainsi. J'avais rêvé de tels hommes, mais n'en avais jamais rencontré avant Paul Lessingham.

Notre amitié fut fort agréable, et la devint de plus en plus. Puis vint un moment où il me raconta tout: ses rêves, ses projets, les grands desseins qu'il se proposait de réaliser. Et aussi autre chose.

C'était après une réunion d'un Club de Femmes à Westminster. Il avait pris la parole et moi aussi. Je ne sais pas ce que papa en aurait pensé, mais je l'avais fait. J'avais prononcé une courte allocution pour soutenir une motion, et cela aurait suffi pour que papa me considère comme une Fille Perdue (il semble toujours mettre des majuscules à ce genre d'expression): Papa considère toute femme prononçant un discours comme une source d'horreur, il me regardait déjà de travers quand je lui récitais un compliment.

La nuit était douce, et Paul me proposa de faire quelques pas avec lui sur Westminster Bridge Road, jusqu'à la Chambre où il me ferait appeler un cab. J'acceptai. Il était encore tôt, un peu moins de dix heures, et les rues étaient grouillantes de monde. Notre conversation était entièrement politique: les Communes examinaient de nouveau l'amendement sur la loi agraire, et Paul avait le sentiment qu'il s'agissait d'une mesure qui ne donnait d'une main que pour reprendre plus facilement de l'autre. La commission était en plein travail, et plusieurs amendements menaçaient d'être votés, dont la conséquence serait un renforcement des privilèges des propriétaires au détriment des droits des exploitants agricoles. Certains d'entre eux, et non des plus modérés, seraient présentés par papa, et Paul me faisait remarquer qu'il serait de son devoir de s'y opposer de toutes ses forces, quand il s'arrêta subitement.

«Je me demande parfois quel est votre sentiment sur cette question.

– Quelle question?

– La différence d'opinion entre votre père et moi-même. Je suis conscient que Mr. Lindon considère mes actions comme une offense personnelle, et je me demande parfois si vous ne partagez pas un peu de son ressentiment.

– Je vous l'ai déjà expliqué: pour moi, papa le politicien et papa tout court sont deux personnes différentes.

– Vous êtes sa fille.

– Bien entendu. Mais voudriez-vous pour cela que je partage ses opinions politiques, alors que je les sais erronées?

– Vous l'aimez.

– Bien sûr: c'est le meilleur des pères.

– Votre défection le décevra énormément.»

Je le regardai du coin de l'œil et me demandai ce qui lui passait par la tête. Nous avions toujours tacitement considéré le sujet de mes relations avec papa comme tabou.

«Je n'en suis pas si sûre. Je soupçonne de plus en plus papa de n'avoir aucune opinion politique.

– Miss Lindon! Il me serait facile de vous apporter la preuve du contraire.

– Je crois que si papa devait se remarier, par exemple avec une parlementaire, il adopterait les opinions de son épouse en moins de trois semaines.»

Paul réfléchit un moment avant de dire en souriant:

«Je suppose que les hommes changent parfois de veste pour plaire à leurs épouses, même s'il s'agit de vestes politiques.

– Les opinions de papa sont celles des gens qu'il fréquente. Si on le voit en compagnie des Tories les plus encroûtés, c'est parce qu'il a peur de devenir un Radical, par exemple, dès lors qu'il s'associerait avec les Radicaux. A ses yeux, association est synonyme de logique.»

Paul éclata de rire. Nous étions arrivés sur le pont de Westminster et nous nous arrêtâmes pour contempler la Tamise. Une longue file de lanternes glissait en silence sur les eaux: c'était un remorqueur qui tirait quelques barges. Nous restâmes silencieux un long moment. Puis Paul revint à ce que j'avais dit:

«Et vous? Pensez-vous que le mariage changerait vos convictions?

– Et vous?

– Cela dépend.» Il se tut, avant de dire de son ton le plus sincère: «Cela dépend de votre accord à notre mariage.»

Je restai muette. Ces paroles étaient si inattendues qu'elles me coupèrent le souffle. Je ne savais pas quoi dire. Ma tête tourbillonnait. Puis il ajouta:

«Alors?»

Je retrouvai ma voix, ou du moins en partie.

«Alors quoi?»

Il se rapprocha.

«Voulez-vous être mon épouse?»

Je perdis la partie de ma voix que j'avais réussi à retrouver. Les larmes me montèrent aux yeux. Je frissonnai. Je n'aurais jamais cru que je pouvais me conduire ainsi, comme une idiote. La lune émergea d'un océan de nuages, et les eaux frissonnantes furent arrosées d'argent. Il parla de nouveau, avec une voix si douce que ses mots parvinrent à peine à mes oreilles:

«Vous savez que je vous aime.»

Je sus alors que je l'aimais aussi. Ce que j'avais cru être de l'amitié était un sentiment tout différent. On aurait dit qu'un voile venait d'être arraché devant mes yeux pour révéler un spectacle éblouissant. J'étais sans voix. Il se trompa sur les causes de mon silence.

«Vous ai-je offensée?

– Non.»

Il dut remarquer le trouble dans ma voix, et l'interpréta correctement, car il resta immobile lui aussi. Puis sa main avança sur le parapet pour se poser sur la mienne et la tenir très fort.

Et c'est ainsi que tout commença. D'auutres paroles furent prononcées, mais elles avaient moins d'importance, bien qu'il nous ait fallu un certain temps pour parvenir à elles. En ce qui me concerne, mon cœur était trop gros pour que je sois bavarde: le bonheur me rendait muette. Et je crois pouvoir en dire autant de Paul. Il me l'avoua lui-même avant de me quitter.

Quelques secondes devaient s'être écoulées quand Paul sursauta. Il tourna la tête vers Big Ben.

«Minuit! La séance est commencée! Impossible!»

Mais c'était plus que possible, c'était un fait. Nous étions restés deux heures sur le pont, et cela n'avait semblé durer que deux minutes. Jamais je n'aurais supposé que la fuite du temps puisse être si rapide. Paul était consterné, tiraillé par sa conscience. Il s'excusa – à sa façon.

«Heureusement, pour une fois, les affaires que j'avais à traiter hors de la Chambre étaient plus importantes que celles qui réclamaient ma présence à l'assemblée.»

Il me tenait le bras et nous étions face à face.

«Vous appelez cela des affaires!»

Il éclata de rire.

Non seulement il m'amena jusqu'au cab, mais en plus il me reconduisit à la maison. Et, dans le cab, il m'embrassa. Je crois bien que je n'étais pas dans mon état normal cette nuit-là. Mon système nerveux devait être sens dessus dessous car, lorsqu'il m'embrassa, je fis une chose que ne n'ai gjère l'habitude de faire, tant je m'efforce de suivre les règles de conduite que je me suis fixées: je pleurai comme une midinette. Et il lui fallut attendre que nous soyons arrivés au seuil de ma maison pour réussir à me consoler.

J'espère qu'il perçut le caractère exceptionnel des circonstances et qu'il consentit à m'excuser.

Chapitre XXIV

Le point de vue d'une femme

Sidney Atherton vient de me demander en mariage. C'est non seulement ennuyeux, mais de plus ridicule.

Voilà le résultat du désir qu'a eu Paul de garder nos fiançailles secrètes. Il a peur de papa, enfin, pas exactement. En ce moment, l'atmosphère de la Chambre est chargée d'électricité et les partis sont en proie à la plus grande excitation : cet amendement sur la loi agraire a déclenché une lutte sans merci, et Paul est si tendu que je commence à en être inquiète. Certains indices que j'ai remarqués dernièrement me donnent à penser qu'il frôle le surmenage. Je le soupçonne de passer des nuits blanches. La quantité de travail qu'il a abattue ces derniers temps est bien trop élevée pour un seul homme, quel qu'il soit, et il est le premier à admettre qu'il sera soulagé quand cette session sera achevée. Moi aussi.

En attendant, il souhaite que rien ne soit révélé sur nos fiançailles tant que les Communes n'auront pas clos leurs travaux. Il faut avouer que c'est fort raisonnable, car papa va sûrement réagir violemment : en ce moment, la moindre allusion au nom de Paul suffit à le faire exploser. Quand il saura tout, il sera intenable, je m'en rends bien compte. A certains petits incidents récents, je prévois le pire : il serait capable de faire une scène à la Chambre. Et, comme le dit Paul, le dicton sur la goutte d'eau qui fait déborder le vase n'est pas sans fondement. Il sera plus à même de faire face à la colère de papa quand la session sera finie.

Aussi la nouvelle doit-elle être tue. Paul a raison, bien sûr, et son souhait est le mien. Cependant, les choses ne sont pas aussi faciles pour moi qu'il semble le croire : l'atmosphère à la maison est presque aussi chargée d'électricité qu'à la Chambre. Papa me fait penser à un fox-terrier qui a senti un rat : il est toujours en train de renifler. Il ne m'a pas formellement interdit de parler à Paul (son courage n'est pas à la hauteur), mais il n'arrête pas de faire des allusions voilées à certains "aventuriers de la politique", à des "démagogues avides", à "cette engeance radicale", *et cœtera*. J'ose parfois lui dire mon sentiment, mais une telle tempête s'ensuit que je redeviens discrète aussitôt que possible. Bref, en général, je souffre en silence.

Et cependant, je souhaite de tout mon cœur que cette mascarade prenne fin. Que personne n'imagine que j'ai honte de m'être promise à Paul, surtout pas papa ! Au contraire, je suis aussi fière de lui qu'une femme peut l'être. Parfois, quand il vient de faire ou de dire quelque chose de merveilleux, j'ai bien peur que ma fierté n'éclate au grand jour, tant je la sens grandir. Une épreuve de force avec papa ne m'effraie nullement – je serais en tout cas moins grossière que lui. Papa sait très bien au fond de son cœur que je suis plus sensible que lui, et il le comprendrait mieux après une explication franche. Je connais bien mon papa! Je n'ai pas été sa fille durant toutes ces années pour rien. Je me sens comme un soldat brûlant du désir de se battre et à qui on ordonne de servir de cible à l'ennemi.

Le résultat de cette situation est que Sydney vient de demander ma main – Sydney! C'est trop comique. Le pire est qu'il se prend apparemment au sérieux. Je ne sais plus combien de fois il s'est ouvert à moi des souffrances que lui faisait endurer l'amour qu'il portait à telle ou telle femme (parfois mariée, j'ai honte de l'avouer), mais c'est bien la première fois que ce thème est devenu si personnel. Il était si agité que je lui ai parlé de Paul pour le calmer, comme je me sentais le droit de le faire étant donné les circonstances. Sa réaction fut complètement mélodramatique, et il est allé jusqu'à faire des insinuations obscures au sujet de je ne sais quoi. J'ai presque été grossière avec lui.

Quelle curieuse personne que Sydney Atherton! C'est peut-être parce que je l'ai toujours connu et le considère comme un frère que je peux me permettre de le critiquer avec autant de franchise. Sur certains points, c'est un génie; sur d'autres, il est... non, je ne dirai pas stupide, car ce n'est pas vrai, bien qu'il ait accompli nombre de stupidités. Ses inventions lui ont apporté la gloire, bien que la moitié d'entre elles aient été gardées secrètes. C'est le mélange le plus extraordinaire: les choses que le commun des mortels aimerait voir proclamées au grand jour, il les garde pour lui, tandis qu'il va crier sur les toits ce que n'importe qui souhaiterait voir caché. Un homme célèbre m'a dit un jour que, si Mr. Atherton se décidait à devenir un spécialiste, à choisir une branche particulière de la science et à y consacrer sa vie, il deviendrait une célébrité mondiale avant sa mort. Mais une telle chose ne sied pas à Sydney: comme l'abeille, il préfère butiner fleur après fleur.

Quant à l'amour qu'il affirme éprouver pour moi, c'est tout simplement ridicule. Il est tout autant amoureux de la lune. Je n'arrive pas à imaginer ce qui a pu lui mettre cette idée dans la tête: une fille a dû le rendre malheureux, ou il l'a cru. Celle qu'il devrait épouser, et qu'il épousera un jour, c'est Dora Grayling. Elle est jeune, charmante, immensément riche, et elle est folle de lui; si elle ne l'était pas, c'est lui qui serait fou d'elle. Je pense d'ailleurs qu'il n'en est pas loin, tellement il est grossier avec elle: c'est une de ses caractéristiques: rabrouer celles qui lui plaisent. Quant à Dora, je suis sûre qu'elle ne rêve que de lui. Il est grand, élancé, et ses yeux sont si extraordinaires; je suis sûre qu'ils sont pour quelque chose dans l'état de Dora.

J'ai entendu dire qu'il possède à un degré inhabituel le pouvoir d'hypnotiser et que, s'il choisissait de l'exercer, il deviendrait un danger pour la société. Je crois bien qu'il a hypnotisé Dora.

C'est un frère excellent. Je suis souvent allée demander son aide, et il m'a donné d'excellents conseils. Je crois bien que je le consulterai encore. Il y a des questions que l'on ne peut pas aborder avec Paul: son esprit est si élevé, il ne consentirait jamais à parler chiffons. Mais Sydney aborde le sujet, lui. Quand il en a envie, c'est le meilleur des conseillers pour les affaires de toilette. Je le lui ai déjà dit: s'il avait choisi de devenir tailleur, il aurait été superbe, j'en suis absolument sûre.

Chapitre XXV

L'homme dans la rue

Ce matin, j'ai eu une aventure.

J'attendais de prendre mon petit déjeuner. Comme d'habitude, papa était en retard et je me demandais si j'allais commencer sans lui, quand quelque chose dans la rue attira mon attention. Un attroupement s'était formé au milieu de la chaussée et tout le monde avait les yeux fixés sur quelque chose qui se trouvait sur le sol. Ce que c'était, il m'était impossible de le voir.

Notre valet se trouvait avec moi, et je lui demandai:

«Peter, que se passe-t-il dans la rue? Allez donc voir.»

Il s'exécuta, puis revint me rendre compte. Peter est un excellent domestique, mais il a une façon d'employer des grands mots, même pour exprimer les idées les plus simples, qui aurait fait de lui le porte-parole gouvernemental idéal dans une situation délicate.

«Il semble qu'un infortuné individu ait été la victime de quelque catastrophe. On m'a affirmé qu'il avait trépassé. Le policeman certifie qu'il est ivre.

– Ivre? Mort? Vous voulez dire qu'il est ivre-mort? A cette heure de la journée?

– Il est dans l'un de ces deux états. Je n'ai pas pu examiner l'individu par moi-même et tiens mon information d'un témoin.»

Voilà qui était peu explicite. Je succombai à une curiosité peu raisonnable et sortis dans la rue pour me rendre compte par moi-même. Peut-être n'était-ce pas la chose la plus sensée à faire, et papa en aurait été sans nul doute choqué, mais je suis toujours en train de choquer papa. Il avait plu, et les chaussures que je portais n'étaient pas idéales pour sortir par un temps pareil.

Je me dirigeai vers le lieu de l'incident.

«Que se passe-t-il?» demandai-je.

Un ouvrier portant une sacoche sur l'épaule me répondit:

«Il y a quelqu'un qui se trouve mal. Le policeman dit qu'il est ivre, mais pour moi ça a l'air pire.

– Voulez-vous me laisser passer, s'il vous plaît?»

Quand ils virent que j'étais une femme, les badauds s'écartèrent pour me laisser parvenir au centre de l'attroupement.

Un homme était étendu de tout son long sur le pavé. Il était tellement couvert de boue qu'il était difficile d'être sûr que c'était vraiment un homme. Il avait les pieds et la tête nus, et son corps n'était que partiellement vêtu d'une longue robe en lambeaux. Il était évident que ce haillon était son seul vêtement. Un constable colossal le tenait par les épaules et l'examinait comme s'il n'était pas sûr de la nature de ce qu'il avait sous les yeux. Il avait l'air de se demander s'il s'agissait ou non d'une affaire d'exhibitionnisme.

Il s'adressa à lui comme à un enfant têtu:

«Allons, mon garçon, ce n'est pas raisonnable! Réveillez-vous! Que vous arrive-t-il?»

Mais l'autre ne daigna ni s'éveiller ni s'expliquer. Je lui pris la main: elle était glacée, et je ne trouvai pas de pouls. De toute évidence, ce n'était pas un simple cas d'éthylisme.

«Il se passe ici quelque chose de grave. Vous devriez faire quérir un docteur.

– Pensez-vous qu'il ait eu une crise, Miss?

– Un docteur pourrait vous le dire mieux que moi. Je ne trouve pas de pouls. Cela ne me surprendrait guère s'il était...»

Le mot "mort" m'effleurait les lèvres quand l'inconnu me dispensa de montrer mon ignorance en se redressant subitement. Il tendit les mains devant lui, ouvrit les yeux, et s'exclama, d'une voix haute mais éraillée, comme si sa gorge était prise:

«Paul Lessingham!»

Je fus si surprise que je faillis en tomber à la renverse. Entendre un individu tel que celui-ci apostropher Paul, mon Paul! Voilà qui était totalement inattendu. Aussitôt après avoir hurlé ces mots, il referma les yeux et s'effondra en arrière, inconscient. Le constable lui saisit l'épaule, juste à temps pour lui épargner de se cogner la tête sur le sol.

Le policeman se mit à le secouer avec peu de douceur.

«Allons, mon garçon, il est évident que vous n'êtes pas mort! Que signifie tout cela? Réveillez-vous!»

Tournant la tête, j'aperçus Peter derrière moi. Apparemment, le comportement singulier de sa maîtresse l'avait intrigué et il m'avait suivie pour voir si je n'allais pas obtenir ce que je méritais. Je m'adressai à lui:

«Peter, envoyez chercher le Docteur Cotes, immédiatement!»

Le Docteur Cotes demeurait juste au coin et, comme le bref réveil de l'inconnu avait persuadé le policeman du peu de gravité de son cas, j'estimai nécessaire de recueillir sans délai un avis compétent sur la question.

Au moment où Peter s'en allait, l'inconnu reprit de nouveau conscience – si son état pouvait être qualifié de conscient, ce dont je doute. Il répéta sa pantomime: il se redressa, tendit les bras, ouvrit les yeux (qui, tout grands ouverts qu'ils fussent, paraissaient ne rien voir!), une convulsion le secoua, et il cria, comme crie un homme en proie à une terreur mortelle:

«Prenez garde, Paul Lessingham! Prenez garde!»

Je pris ma décision. Il y avait là un mystère qui demandait à être élucidé. Deux fois il avait prononcé le nom de Paul, et deux fois d'étrange façon. Il me fallait en découvrir la raison, il me fallait trouver le lien qui existait entre cette misérable créature et Paul Lessingham. C'était peut-être la Providence qui l'avait amené à ma porte, c'était peut-être un envoyé du destin. Ma résolution était prise.

«Peter, faites venir le Docteur Cotes, tout de suite.» Peter passa le mot, et un valet se précipita vers le cabinet du docteur. «Officier, je vais héberger ce malheureux chez moi. Gentleman, pouvez-vous m'aider à le porter?»

Il y eut un afflux de volontaires. Arrivée dans le hall, je demandai à Peter:

«Papa est-il descendu?

– Mr. Lindon vous fait savoir que vous pouvez prendre le petit déjeuner sans lui. Il a demandé à ce que son plateau lui soit monté dans sa chambre.

– Très bien.» Je désignai le misérable que l'on transportait à travers le hall. «Vous ne lui direz rien à ce sujet, à moins qu'il ne pose des questions. C'est compris?»

Peter hocha la tête: il est la discrétion même, et ce n'est jamais de son fait si la rumeur de mes agissements parvient jusqu'à papa.

Le docteur arriva à la maison presque immédiatement.

«Il a besoin d'être lavé,» remarqua-t-il en découvrant le misérable.

C'était assurément exact: jamais je n'avais vu un homme ayant autant besoin d'un coup de savon. Je regardai le docteur le palper et l'ausculter; pour autant que je pouvais en juger, l'homme ne donnait toujours aucun signe de vie.

«Est-il mort?

– Il le sera bientôt si vous ne lui donnez pas quelque chose à manger: il a presque péri d'inanition.»

Le docteur interrogea ensuite le policeman, lequel ne put répondre à ses questions que vaguement. Il était arrivé sur les lieux prévenu par un gosse des rues de la présence d'un mort. Il n'en savait pas plus.

«Qu'est-ce qu'il a donc?» demandai-je au docteur quand le constable fut part.

«Je n'en sais rien. C'est peut-être un état cataleptique, ou peut-être pas. Vous me reposerez la question quand j'en saurai davantage.»

Le Docteur Cotes a toujours été brusque, particulièrement avec moi. Je me rappelle qu'une fois il a menacé de me frotter les oreilles et, quand j'étais petite, je n'hésitais pas à le frapper.

Constatant que je ne pouvais tirer aucune information de l'homme inconscient sur la mystérieuse allusion qu'il avait faite à Paul, je montai voir papa et découvris qu'il avait l'impression de souffrir d'une attaque de goutte. Mais la façon dont il avalait son copieux petit déjeuner me poussa à croire que les choses n'étaient pas aussi graves qu'il le prétendait.

Je ne dis pas un mot au sujet du misérable que j'avais trouvé dans la rue: quand papa souffre de la goutte, la moindre contrariété aggrave son état.

Chapitre XXVI

L'intransigeance d'un père

Paul vient de mettre la Chambre des Communes sens dessus dessous avec un des plus beaux discours qu'il ait jamais prononcés, et je me suis disputée avec papa. J'ai aussi failli me disputer avec Sydney.

Ma dispute avec Sydney n'est pas grave. Il est toujours persuadé qu'il m'aime, comme s'il n'avait pas eu le temps, depuis sa "déclaration" de la veille, de tomber amoureux six ou sept fois et, fort de cet amour, il se croit autorisé à être aussi désagréable que possible. Cela n'aurait que peu d'importance, un Sydney désagréable étant peu différent d'un Sydney prévenant, s'il ne s'attaquait pas à Paul. S'il s'imagine que ses commentaires désobligeants feront baisser Paul Lessingham dans mon estime, il a encore moins de bon sens que je ne lui en accordais. Au fait, Percy Woodville m'a lui aussi demandé de l'épouser ce soir, ce qui n'est pas grave – cela fait trois ans qu'il s'acharne – mais un peu irritant étant donné les circonstances. Lui, cependant, n'est pas homme à médire d'un rival, et je le crois sincèrement épris de moi.

Avec papa, ce fut plus sérieux: notre premier véritable affrontement, et, cette fois-ci, la guerre ouverte a été déclarée. Ce matin, il a commenté la perspective du discours de Paul dans des termes qu'il jugerait indignes d'un gentleman s'ils étaient employés par un autre que lui. Que penserait-il d'un homme qui parlerait ainsi en ma présence? Mais je n'ai rien dit. J'avais de bonne raisons pour rester discrète.

Mais ce soir, il y a eu bataille.

Bien entendu, je suis allée écouter Paul, comme je le fais toujours. Après son discours, il est venu me chercher à la tribune publique, et m'a laissée seule quelques instants, le temps de porter un message. J'ai rencontré dans le hall un Sydney sarcastique au possible: j'aurais pu le pincer! Juste au moment où j'avais décidé de le piquer avec une épingle, Paul est revenu, et Sydney a été positivement grossier avec lui. J'en ai eu honte. Et, comme si cela ne suffisait pas, comme si les insultes qu'il venait d'endurer après avoir prononcé un des discours les plus importants de sa carrière n'étaient pas assez pénibles, papa est entré en scène. Il était décidé à m'empêcher d'accompagner Paul: j'aurais bien voulu voir ça! Bien entendu, Paul m'a reconduite jusqu'à mon cab, et j'ai laissé à papa la possibilité de nous suivre, ce qu'il n'a pas fait, mais il est quand même arrivé à la maison trois minutes après moi.

L'affrontement a alors commencé.

Il m'est impossible de décrire papa enragé. Certains hommes sont embellis par la colère, à ce que l'on m'a dit, mais il n'est sûrement pas l'un d'entre eux. Il est toujours en train de parler de la splendeur et de la supériorité innée des Lindon, mais il est difficile d'imaginer quelque chose de moins splendide que le chef de la famille Lindon en colère. Je n'ose pas reproduire son vocabulaire, mais ses remarques consistaient surtout en des injures à l'égard de Paul, des louanges à l'égard des Lindon, et des ordres qui m'étaient destinés.

«Je t'interdis... Je t'interdis...» Quand papa désire m'impressionner, il répète trois ou quatre fois la même chose; peut-être croit-il que ses paroles portent mieux ainsi, en ce cas il se trompe. «Je t'interdis de revoir ce... ce... ce...»

Je n'oserai répéter ce qui suivit.

Pour ma part, je gardai le silence.

Ma tactique consistait à garder la tête froide. J'étais peut-être un peu pâle, et je regrettais de voir papa se conduire ainsi mais, à part cela, je crois avoir conservé mon sang-froid.

«Tu m'entends? Tu entends ce que je dis? Est-ce que tu m'écoutes?

– Oui, papa.

– Alors... alors... alors promets-moi! Promets-moi que tu m'obéiras! Ecoute bien ce que je te dis: tu auras juré de m'obéir avant de quitter cette pièce!

– Mon cher papa! As-tu l'intention de me voir passer le reste de ma vie dans ce salon?

– P... pas d'impertinence! Ne... ne... ne me parle pas sur ce ton!

Je... je ne... je ne le supporterai pas!

– Papa, si tu te mets ainsi en colère, tu vas avoir une autre crise de goutte.

– Au diable la goutte!»

Ce furent assurément ses paroles les plus sensées. Si une plaie comme la goutte peut être chassée de ce monde par les seules paroles, qu'elle disparaisse donc. Il reprit:

«Cette homme est une canaille, un gredin...» *Et cœtera.* «Jamais je n'ai vu pareil brigand...» *Et ad nauseam.* «Et je t'ordonne... Je suis un Lindon et je te l'ordonne! Je suis ton père et je te l'ordonne! Je t'ordonne de ne plus revoir ce... ce...» *Bis repetita placent.* «Tu m'entends? Je... je t'ordonne de ne plus jamais le revoir!

– Ecoute, papa, je veux bien te promettre de ne plus jamais revoir Paul et de ne plus lui adresser la parole, si tu me promets d'agir de même envers Lord Cantilever.»

Vous auriez dû voir la tête qu'il fit. Lord Cantilever est le chef de son parti, sa tête auguste et, je le présume, vénérée. C'est l'idole de papa. Je ne sais s'il le place au même niveau que les anges mais, si tel n'est pas le cas, la différence doit être infinitésimale. Ma suggestion lui sembla aussi déplacée que les siennes l'étaient à mes yeux. Mais malheureusement, papa ne peut jamais voir qu'un seul côté de toute discussion, et c'est le sien.

«Tu... tu oses comparer Lord Cantilever à ce... à ce... à ce...

– Je ne fais aucune comparaison. Je n'ai pas connaissance qu'il y ait quoi que ce soit à reprocher à Lord Cantilever. Mais, bien sûr, il ne me viendrait jamais à l'idée de comparer un homme tel que lui à un grand homme comme Paul Lessingham. La comparaison serait bien trop sévère pour ce pauvre Lord.»

Je n'avais pas pu m'empêcher de lancer cette pique. Le reste de la conversation consista essentiellement en explosions répétées.

Papa déversa tout son fiel sur Paul. Il me menaça de tous les tourments de l'Inquisition si je ne lui promettais pas sur-le-champ de rompre avec Mr. Lessingham. Bien entendu, je n'en fis rien. Il me maudit au nom de tous les saints du paradis, et me traita de tous les noms, moi, son enfant unique! Il me prévint qu'il me ferait envoyer en prison, et je crois même qu'il me menaça de l'échafaud. Finalement, je quittai la pièce pour fuir ce tourbillon d'anathèmes.

CHAPITRE XXVII

Terreur dans la nuit

Quand j'eus quitté papa (ou, devrais-je dire, quand papa m'eut chassée), j'allai voir l'homme trouvé dans la rue. Il était tard, et je me sentais à la fois fatiguée et inquiète, aussi décidai-je d'aller m'enquérir de sa santé. Il me semblait qu'il représentait un lien entre Paul et moi et, à ce moment-là, un tel lien était si précieux à mon cœur que je n'aurais pu m'endormir sans avoir de ses nouvelles.

L'infirmière m'accueillit à la porte de la chambre.

«Eh bien, comment va notre patient?»

C'était une femme grassouillette et maternelle, qui avait déjà eu l'occasion de s'occuper de malheureux recueillis sous mon toit et sur laquelle je pouvais toujours compter. Elle haussa les épaules.

«Difficile à dire. Il n'a pas bronché depuis mon arrivée.

– Pas bronché? Est-il encore inconscient?

– On dirait qu'il est en transes. Il n'a pas l'air de respirer, et je ne détecte aucune pulsation, mais le docteur a dit qu'il était toujours vivant. C'est le malade le plus bizarre que j'aie vue.»

J'entrai dans la chambre. Dès que j'approchai du lit, l'inconnu donna des signes de vie et l'infirmière se précipita vers lui.

«Hé!» s'exclama-t-elle. «Voilà qu'il bouge! Il a dû vous entendre!»

Je sentais que cela était non seulement possible, mais certain. Quand je fus près de lui, il se redressa, tout comme il l'avait fait le matin, et il s'écria en regardant droit devant lui, comme s'il s'adressait à un auditeur invisible, et avec une voix dont je suis impuissante à décrire l'angoisse:

«Paul Lessingham! Prenez garde! Le scarabée!»

Je n'avais aucune idée de ce qu'il voulait dire, et c'est peut-être pour cette raison que ces paroles apparemment irrationnelles eurent un effet si extraordinaire sur mes nerfs. A peine était-il redevenu silencieux qu'une horreur indicible engourdit mon esprit. Je me mis à trembler comme une feuille. J'avais l'impression d'être en présence d'une entité hideuse et invisible.

Quant au malade, il était redevenu inconscient aussitôt après avoir lancé son avertissement. Penchée sur lui, l'infirmière constata:

«Il est de nouveau parti! Quel phénomène extraordinaire! Je suppose que je dois en croire mes yeux.» Apparemment, elle avait entretenu les mêmes doutes que le policeman. «Toujours aucun pouls: à le voir comme ça, on jurerait qu'il est mort. Mais je suis sûre d'une chose: il se passe quelque chose de pas naturel. Je ne connais aucune maladie qui puisse affecter quelqu'un de cette façon.»

Elle leva la tête et son regard s'arrêta sur mon visage; ma pâleur la fit sursauter.

«Miss Marjorie! Que vous arrive-t-il? Etes-vous malade?»

Je me sentais pis que malade mais, en même temps, j'aurais été totalement incapable de décrire mon état. Pour une raison inconnue, je semblais avoir perdu le contrôle de ma langue. Je bredouillai:

«Je... je ne me sens pas très bien. Je... je crois que je ferais mieux d'aller au lit.»

Tout en parlant, je me dirigeai vers la porte en trébuchant, consciente du regard éberlué de l'infirmière. Quand je quittai la pièce, il me sembla que quelque chose m'avait suivie et m'accompagnait dans le couloir. Je fus anéantie par cette sensation d'une menace toute proche et je me plaquai au mur, comme dans l'attente d'un coup.

J'ignore comment je parvins à atteindre ma chambre. J'y trouvai Fanchette qui m'attendait, et fus réconfortée par sa présence, jusqu'à ce que je voie le regard stupéfait qu'elle me lançait.

«Mademoiselle ne se sent pas bien?

– Merci, Fanchette. Je... je me sens fatiguée. Je me coucherai toute seule ce soir. Vous pouvez vous retirer.

– Mais si Mademoiselle est fatiguée, qu'elle me permette de l'assister.»

C'était une suggestion raisonnable, et pleine de sollicitude car, à vrai dire, elle avait autant de raisons que moi d'être fatiguée. J'hésitai. J'aurais aimé passer mes bras autour de son cou et la supplier de ne pas me quitter, mais je dois à la vérité de dire que j'avais honte. Dans mon for intérieur, j'étais persuadée que cette sensation de terreur qui s'était emparée de moi si soudainement était irrationnelle, si bien que je ne pouvais pas supporter de fléchir sous les yeux de ma domestique. Tandis que j'hésitais, quelque chose sembla voler dans l'air et frôla ma joue en passant. J'agrippai le bras de Fanchette.

«Fanchette! Qu'y a-t-il avec nous dans cette pièce?

– Avec nous? dans cette pièce, Mademoiselle? Qu'est-ce que Mademoiselle veut dire?»

Elle avait l'air troublée, ce qui est excusable. Fanchette n'est pas spécialement forte de caractère, et il ne faut guère compter sur elle en cas de danger. Si je devais me conduire en idiote, il me faudrait être mon propre public. Je la congédiai.

«Ne vous ai-je pas dit que je me coucherais toute seule? Allez vousen.»

Elle se retira, visiblement soulagée.

Dès qu'elle eut quitté la pièce, je souhaitai qu'elle revienne. Un tel paroxysme de terreur s'abattit sur moi que je fus incapable de bouger et faillis m'effondrer sur le sol. Jamais jusqu'à présent je ne m'étais trouvée timorée, ni sujette à mes "nerfs", ni effrayée par une ombre. J'essayai de me persuader que ma conduite était absurde, et que j'en aurais honte quand viendrait le matin.

«Si tu ne veux pas qu'on te prenne pour une demeurée, Marjorie Lindon, tu dois reprendre courage, et ces frayeurs vont se dissiper.»

Mais ce fut impossible: ma terreur ne fit que croître. Je devins convaincue que quelque chose se trouvait avec moi dans la pièce, une horreur invisible qui menaçait de se révéler à tout moment. Il me sembla prendre conscience, avec une sensation d'agonie indescriptible, que ce qui me hantait était également en train de tourmenter Paul au même instant, que nous étions liés par cette terreur si redoutable qui nous était commune, que ce péril qui me menaçait le menaçait aussi et que j'étais impuissante à lui venir en aide. J'eus comme une vision et les murs de ma chambre s'estompèrent pour laisser apparaître une autre pièce sur le sol de laquelle Paul était effondré, se voilant la face et criant de douleur. Cette vision s'imposa à mes yeux de façon répétée tant et si bien que je me sentis envahie par une terreur frénétique et criai:

«Paul! Paul!»

La vision s'évanouit dès que j'eus retrouvé ma voix. Je me rendis compte de nouveau que j'étais dans ma chambre, que les lumières étaient allumées et que je n'avais pas encore commencé à me dévêtir.

«Est-ce que je deviendrais folle?» me demandai-je.

Je savais que la folie prenait parfois des formes extraordinaires, mais je n'avais pas la moindre idée de ce qui aurait pu faire ainsi chanceler mon esprit. Sûrement, me disais-je, une telle chose ne survient pas sans avertissement, surtout si elle se présente ainsi, et j'étais sûre que mes facultés mentales étaient intactes il y avait quelques minutes. La première prémonition d'un danger m'était venue avec les paroles mélodramatiques de l'inconnu que j'avais trouvé dans la rue:

«Paul Lessingham! Prenez garde! Le scarabée!»

Les mots résonnaient dans mes oreilles. Mais qu'était-ce? J'entendis un bourdonnement et me retournai. La source de ce bruit se déplaça avec moi, si bien qu'elle se trouvait encore dans mon dos. Je fis rapidement demi-tour: toujours impossible de la localiser. Elle était toujours dans mon dos. Je tendis l'oreille: qu'est-ce qui voletait avec autant de persistance derrière ma nuque?

Le bourdonnement devint plus audible. On aurait dit celui d'une abeille. Ou d'un... scarabée?

J'ai toujours eu une profonde aversion pour les coléoptères de toutes sortes. Je n'ai nullement peur des rats, des souris, des vaches, des taureaux, des serpents, des araignées, des crapauds, des lézards, ni d'aucune autre des mille et une créatures qui semblent inspirer tant de répugnance à nombre de gens. Ma bête noire, et la seule que j'aie, c'est le scarabée. La seule pensée de la proximité d'un cafard inoffen-

145

sif (et, me dit-on, utile à l'homme) m'a toujours mise mal à l'aise. Savoir qu'un gros coléoptère était en train de voler dans ma chambre (et comment diable aurait-il pu y entrer?) me plongeait dans une horreur sans nom. Quiconque m'aurait vue dans les minutes qui suivirent m'aurait prise pour une démente: je me tordis dans tous les sens, bondis d'un point de la pièce à l'autre, me contorsionnai de façon à apercevoir ce détestable intrus. Mais ce fut en vain: je l'entendais toujours, mais je ne parvins pas à le voir! Le bourdonnement était toujours derrière moi.

La terreur s'empara de moi et je crus bien que mon cerveau était en train de fondre. Je me précipitai vers mon lit et, m'agenouillant près de lui, je me mis à prier. Mais je restai muette: les mots n'arrivaient pas jusqu'à mes lèvres, mes pensées restaient sans forme. J'étais consciente d'être en proie à une menace maléfique, et je luttai pour implorer Dieu de me venir en aide: si je pouvais seulement L'appeler, le mal s'enfuirait sûrement devant Lui. Mais cela me fut impossible: j'étais impuissante devant ce péril. J'enfouis ma tête dans les draps, enfonçai mes doigts dans mes oreilles, mais le bourdonnement ne partait pas.

Je me relevai d'un bond et agitai les bras dans tous les sens, sans rien rencontrer: le bourdonnement semblait toujours provenir d'un autre endroit que celui que je visais.

J'arrachai mes vêtements. Je portais une robe adorable que j'avais étrennée ce soir, en l'honneur du bal de la Duchesse, mais surtout en l'honneur du discours de Paul. Quand je m'étais contemplée dans la glace, je m'étais dit que c'était là la robe la plus exquise que j'avais jamais portée, qu'elle me seyait à la perfection et qu'elle resterait longtemps avec moi, ne serait-ce qu'en souvenir de cette soirée. A présent, j'oubliais toutes ces pensées dans le flot de terreur qui m'avait envahie: mon seul désir était de m'en défaire. Je la déchirai en mille morceaux que je laissai choir à mes pieds, et arrachai également tous les ornements que je portais: ce fut un véritable holocauste de bijoux; moi qui étais d'habitude si soigneuse, je me conduisis en véritable bourreau. Je bondis sur le lit, éteignis la lampe électrique, et m'enfouis entre les draps, la tête la première, jusqu'au fond de mon lit.

J'avais espéré regagner mes esprits une fois la lumière éteinte, et être de nouveau capable de réfléchir à l'abri de l'obscurité. Mais j'avais commis une erreur fatale, et ma situation ne fit qu'empirer. De nouvelles terreurs prirent forme dans les ténèbres. Je n'avais pas éteint la lumière depuis cinq secondes que je souhaitais déjà la rallumer.

Tandis que je me blottissais entre les draps, j'entendis le bourdonnement au-dessus de ma tête: le silence qui avait accompagné la venue des ténèbres l'avait rendu plus perceptible. La chose, quelle qu'elle fût, voletait au-dessus du lit. Elle s'approcha, et le bourdonnement devint plus fort. Je la sentis se poser sur les couvertures – oublierai-je jamais ce que je ressentis à cet instant? Elle pesa sur moi comme une masse de plomb. A quel point cette pesanteur était réelle, à quel point elle n'était que le fruit de mon imagination, il me serait impossible de le dire, mais je suis sûre que cette chose était plus lourde que tous les scarabées que j'avais jamais vus.

Elle resta immobile un long moment, pendant lequel je retins ma respiration. Puis je la sentis bouger, je sentis osciller sa lourde masse, elle s'arrêtait de progresser de temps en temps comme pour se reposer. Je savais qu'elle avançait, lentement mais sûrement, vers la tête du lit. La sensation d'horreur qui s'empara de moi quand je me rendis compte de sa destination sera avec moi, j'en ai peur, pour le restant de mes jours, non seulement dans mes rêves mais aussi, hélas, durant le jour. Comme il est écrit dans les Psaumes, mon cœur se mit à fondre comme de la cire. J'étais incapable de bouger, sous l'emprise totale de quelque chose d'aussi hideux mais d'infiniment plus puissant que la fascination qu'exerce le serpent.

Quand la chose atteignit la tête du lit, ce que je redoutai tant arriva: elle se fraya un chemin et se mit à ramper entre les draps! Comment n'ai-je pas péri à cet instant? Je la sentis se rapprocher, pouce par pouce, je la sentis sur moi, impossible de m'enfuir, quelque chose frôla mes cheveux...

Et l'oubli m'enveloppa: pour la première fois de ma vie, je m'étais évanouie.

CHAPITRE XXVIII

L'étrange récit de l'inconnu trouvé dans la rue

Cela fait plusieurs semaines que je m'attends à voir les choses s'animer autour de moi, mais mes prévisions ont été dépassées. Des événements extraordinaires de toutes natures ont déferlé sur moi de façon tout à fait inattendue.

Laissez-moi mettre de l'ordre dans mes pensées avant de poursuivre plus avant.

D'abord, Sydney s'est très mal comporté, si mal en fait que je vais être sans doute obligée de reconsidérer l'opinion que j'avais de lui. Il était environ neuf heures quand je me suis réveillée, ou plutôt quand j'ai repris conscience. Je me suis retrouvée assise dans mon lit, tremblante comme une enfant effarée. Je ne pouvais deviner ce qui m'était arrivé, mais j'étais consciente d'une sensation nauséeuse qui me mettait extrêmement mal à l'aise. Je tentai d'ordonner mes pensées et de réfléchir à la façon dont il me fallait agir. Finalement, je décidai d'aller demander aide et conseil là où je les avais tant de fois trouvés: auprès de Sydney Atherton.

J'allai chez lui et lui racontai toute cette horrible histoire. Il lui était impossible de ne pas se rendre compte à quel point les événements de la nuit m'avaient impressionnée. Il m'écouta jusqu'au bout, apparemment plein de sympathie à mon égard, et je découvris soudain que papa m'avait espionnée depuis le début, dissimulé derrière un paravent. Inutile de dire que j'en fus bouleversée. Venant de papa, un tel comportement était déjà critiquable, mais de la part de Sydney, c'était une véritable trahison. Nous nous sommes confié tant de secrets durant notre vie qu'il ne me serait jamais venu à l'idée de le tromper ainsi, et il le sait bien. J'ai toujours cru que les hommes attachaient de l'importance à leur sens de l'honneur, qu'ils jugent plus aigu que celui des femmes. Je leur ai dit leur quatre vérités et je pense les avoir quittés en les laissant fort honteux de leur conduite.

Cette expérience eut sur moi l'effet d'une douche froide et me revigora. Je me trouvais dans une situation où je ne pouvais compter que sur moi-même.

Quand je fus rentrée à la maison, j'appris que l'homme que j'avais trouvé dans la rue était de nouveau conscient. Brûlant de curiosité, impatiente de connaître la nature des relations qui le liaient à Paul, ainsi que la signification de ses mises en garde, je pris à peine le temps de poser mon chapeau avant de me ruer vers sa chambre.

Quand il me vit, et apprit qui j'étais, son visage prit une expression de gratitude douloureuse qui faisait presque peine à voir. Les larmes coulaient sur ses joues, et je lui trouvai l'air d'un homme qui n'avait plus longtemps à vivre. Il avait l'air pâle et affaibli, maigre comme une ombre. Sans doute n'avait-il jamais été robuste, et il n'était que trop évident que les privations lui avaient rongé le peu de force qu'il avait pu avoir jadis. Il n'avait plus que la peau sur les os, et la débilité physique et mentale se lisait sur son visage.

Il n'était pas désagréable à regarder, malgré ses traits assez mous. Il avait les yeux bleu pâle et les cheveux blonds, et avait dû être en son temps un employé tiré à quatre épingles. Son âge était difficile à deviner, car on vieillit plus vite quand on est dans la misère, mais je lui aurais donné à peu près quarante ans. Sa voix, bien que voilée, était celle d'un homme bien élevé et, au fur et à mesure qu'il prenait de l'assurance, il parla sur un ton qui devenait simple et direct et qui n'était pas sans éloquence. L'histoire qu'il me raconta était fort curieuse.

Si curieuse, en fait, et si étonnante, que lorsqu'il eut fini, j'étais dans un tel état que je ne trouvai d'autre choix que de faire de nouveau appel à Sydney en dépit de son comportement scandaleux. L'histoire racontée par le misérable était véridique (car, aussi incroyable que cela puisse paraître, il ne semblait pas mentir), et Paul était menacé par un terrible danger dont la nature m'était incompréhensible. Dans de telles circonstances, chaque seconde était précieuse et je sentais que, malgré ma volonté, il me serait impossible d'agir seule. L'ombre de la terreur était toujours sur moi depuis la nuit précédente, et comment pouvais-je espérer triompher par mes seuls moyens de l'être étonnant dont le récit de ce malheureux m'avait révélé l'existence? Non! Je savais que Sydney était digne de confiance, malgré son attitude bizarre, je le savais vif, homme de sang-froid et plein de ressources, capable de se montrer à son avantage dans une situation difficile. Il était même possible qu'il ait une conscience et que je réussisse à y faire appel.

Aussi envoyai-je un domestique le quérir sur-le-champ.

Il ne tarda pas à revenir, car la chance avait voulu que Sydney fût à proximité, en train de dîner chez Dora Grayling, laquelle habite à deux pas d'ici. Mon domestique l'avait trouvé sur le seuil de sa maison, qu'il s'apprêtait à quitter. Je le fis monter dans ma chambre.

«Je veux que vous rencontriez l'homme que j'ai trouvé dans la rue, et que vous écoutiez son récit.

– Avec plaisir.

– Puis-je vous faire confiance?

– Pour écouter ce qu'il a à dire? Sans doute.

– Puis-je compter sur vous pour garder le secret?»

Il ne fut nullement pris au dépourvu: je n'ai jamais vu Sydney Atherton pris au dépourvu. Quelle que soit l'offense dont il s'est rendu coupable, il a toujours l'air parfaitement à l'aise. Ses yeux se mirent à luire.

«Vous le pouvez. Je ne répéterai pas une syllabe, même à votre père.

– Dans ce cas, suivez-moi. Mais il faut que vous compreniez une chose: cela fait des années que vous jurez être mon ami et mon soutien et, aujourd'hui, je compte bien mettre vos sentiments à l'épreuve!»

Dès que nous arrivâmes dans la chambre où se trouvait l'inconnu, Sydney se dirigea droit vers lui, le dévisagea, enfonça ses mains dans ses poches, et siffla. J'étais stupéfaite.

«Ah!» s'exclama-t-il. «Vous voilà!

– Connaissez-vous cet homme?» demandai-je.

«Je ne pourrais affirmer que nous sommes intimes, mais j'ai la mémoire des visages, et il se trouve que j'ai déjà eu l'occasion de rencontrer ce gentleman. Peut-être s'en souvient-il?»

L'inconnu semblait mal à l'aise, comme s'il était déconcerté par le ton de Sydney.

«Oui. Vous êtes l'homme que j'ai rencontré dans la rue.

– Précisément. C'était moi. Et vous, vous êtes l'homme qui est sorti par la fenêtre. Et vous semblez être en meilleur état que la dernière fois que je vous ai vu.» Sydney se tourna vers moi. «Miss Lindon, il est possible que j'aie quelques observations à faire à ce gentleman, et j'aimerais les lui faire en privé. Si vous voulez bien...

– Mais je ne veux pas, absolument pas. Pourquoi donc croyez-vous que je vous aie demandé de venir ici?»

Sydney sourit de son sourir si absurdement provocant, comme si la situation n'était pas suffisamment sérieuse pour lui.

«Pour me montrer que vous avez encore confiance en moi.

– Ne dites pas de bêtises. Cet homme m'a raconté l'histoire la plus extraordinaire qui soit, et je vous ai demandé de venir, à regret croyez-le...» Il s'inclina. «... pour qu'il puisse la répéter en votre présence, et en la mienne.

– Vraiment? Bien! Permettez-moi de vous offrir un siège, ce récit risque d'être fort long.»

J'aurais préféré rester debout, mais j'acceptai la chaise qu'il m'offrait pour ne pas le contrarier. Quant à lui, il s'assit au pied du lit, et fixa l'inconnu de ses yeux perçants et peu amènes.

«Eh bien, Sir, nous sommes à votre service: seriez-vous assez aimable pour nous proposer une deuxième édition de votre conte? Mais commençons par le commencement! Quel est votre nom?

– Je m'appelle Robert Holt.

– Vraiment? Eh bien, Mr. Robert Holt, allons-y!»

Ainsi encouragé, Mr. Holt répéta le récit qu'il m'avait fait le matin même, mais d'une façon plus concise et plus ordonnée. Je crois bien que le regard de Sydney exerçait sur lui une influence hypnotique qui le forçait à s'en tenir aux faits: il déroula le fil de son récit sans aucune interruption.

Il nous raconta comment il s'était retrouvé affamé, épuisé et désespéré, et comment on lui avait refusé l'entrée de l'asile de nuit (dernier refuge, aurait-on pu penser, de ceux qui ont perdu tout espoir). Comment il était tombé sur une maison apparemment vacante dans laquelle il était entré par une fenêtre ouverte, en quête d'un abri. Comment il s'était alors trouvé en présence d'une créature extraordinaire qui, dans son état affaibli, ne lui avait semblé qu'à moitié humaine. Comment cet être maléfique avait donné libre cours à ses sentiments de haine envers Paul Lessingham – mon Paul! Comment il avait profité de l'état de Holt pour prendre sur lui le plus complet, le plus horrible et le plus incroyable des ascendants. Comment il avait envoyé Holt, à demi-nu, dans le froid et la pluie, commettre un cambriolage dans la maison de Paul, et comment ce malheureux avait été incapable de lui résister. Comment Paul, de retour chez lui, avait surpris Holt en plein cambriolage et comment tout courage avait semblé l'abandonner quand l'intrus avait prononcé le nom du mystérieux scarabée, si bien qu'il n'avait pu faire autrement que de le laisser partir avec son butin.

Cette histoire m'avait semblé suffisamment étonnante la première fois que je l'avais entendue, mais en voyant la façon dont Sydney l'écoutait, j'acquis la conviction qu'il la connaissait déjà. Je le lui affirmai dès que Holt se fut tu.

«Ce n'est pas la première fois qu'on vous raconte ceci.

— Pardonnez-moi, mais vous faites erreur. Croyez-vous que j'aie l'habitude d'écouter des contes de fées?»

Quelque chose dans son ton me dit qu'il me mentait.

«Sydney! Ne me racontez pas d'histoires! Paul vous a déjà tout dit!

— Je ne vous raconte pas d'histoires, du moins pas pour l'instant, et Mr. Lessingham ne m'a rien dit du tout. Je vous propose de remettre cette discussion à plus tard. En attendant, me permettez-vous de poser une question ou deux à Mr. Holt?»

Je le laissai faire, bien que sachant qu'il me cachait quelque chose, qu'il était déjà au fait de l'étrange récit de Mr. Holt. Et, je ne sais pas pourquoi, sa réticence à l'admettre m'irrita.

Il regarda Mr. Holt en silence pendant quelques secondes puis, le fixant avec cet air placide et impertinent qui n'appartient qu'à lui, il déclara:

«Mr. Holt, je présume que vous ne nous avez raconté cette fable que dans l'intention de nous divertir, et que nous ne sommes pas censés la croire.

— Croyez ce que vous voulez, mais je ne vous ai dit que la vérité. Et vous le savez bien.»

Voilà qui déconcerta quelque peu Sydney.

«Je vous affirme que, tout comme Miss Lindon, vous m'attribuez plus de savoir que je n'en détiens. Mais laissons cela. Je présume que vous avez accordé quelque attention au mystérieux occupant de cette mystérieuse maison.»

Je vis Mr. Holt frissonner.

«Je crois que je ne l'oublierai jamais.

— En ce cas, soyez assez aimable pour nous le décrire.

— Le décrire de façon précise serait au-delà de mes capacités. Mais je ferai de mon mieux.»

Si la créature était plus remarquable que la description qu'il en fit, ce devait être quelque chose d'extraordinaire. Mon esprit eut l'impression de voir se dessiner le portrait d'un monstre plutôt que celui d'un être humain. J'observai Sydney avec attention tandis qu'il écoutait Mr. Holt, et quelque chose dans son comportement me persuada qu'il en savait davantage sur cette affaire qu'il ne le prétendait. Il posa soudain une question que rien dans le récit de Mr. Holt ne semblait justifier:

«Etes-vous sûr que cette beauté était un homme?

— Non, Sir, c'est justement ce dont je ne suis pas sûr.»

Quelque chose dans la voix de Sydney me fit comprendre qu'il s'était attendu à cette réponse.

«Pensez-vous qu'il s'agissait d'une femme?

– Je l'ai cru plus d'une fois, mais je ne saurais dire ce qui a causé cette impression. Son visage n'avait certainement rien de féminin.» Il fit une pause, comme pour réfléchir, puis ajouta: «Ce devait être une question d'instinct.

– Je vois. L'instinct. Mr. Holt, il me semble que vous accordez beaucoup d'importance à vos instincts.» Sydney se leva et s'étira, comme s'il était fatigué, ce qui était peut-être le cas. «Je ne vous ferai pas l'injustice d'insinuer que je ne crois pas un mot de votre récit délicat et charmant. Au contraire, je vais vous prouver que je suis convaincu de la véracité de vos dires en affirmant que vous serez capable de retrouver cette maison si pimpante pour mon édification personnelle.»

Mr. Holt se mit à rougir: le ton de Sydney n'aurait pas pu être plus significatif.

«Rappelez-vous, Sir, qu'il faisait nuit noire, que je ne connaissais pas le quartier et que je n'étais pas en état de porter attention à mon environnement.

– Je vous l'accorde, mais... à quelle distance de l'asile de Hammersmith cette maison était-elle située?

– A un peu moins d'un demi-mile.

– Dans ce cas, vous pourrez sûrement retracer le chemin que vous avez suivi en quittant l'asile. Je suppose que les options seront assez limitées.

– Je crois que je pourrai m'en souvenir.

– Alors je vais vous donner l'occasion d'essayer. Nous ne sommes pas loin de Hammersmith: vous sentez-vous d'attaque pour vous y rendre tout de suite? Nous prendrons un cab, vous et moi.

– D'accord. J'ai voulu me lever ce matin, mais le docteur avait ordonné que je garde le lit.

– Eh bien, pour une fois, nous ignorerons les consignes du docteur: moi, je vous prescris de l'air frais!» Sydney se tourna vers moi. «La garde-robe de Mr. Holt me semble des plus sommaires, ne pensez-vous pas que nous pourrions lui trouver un costume à sa taille – si Mr. Holt ne voit pas d'objection à changer de tenue? Quand vous aurez fini de l'habiller, je serai prêt.»

Tandis que l'on s'occupait de trouver des vêtements pour Mr. Holt, j'allai dans ma chambre en compagnie de Sydney. Dès que nous fûmes seuls, je lui fis savoir que je n'entendais pas être mise de côté dans cette affaire.

«Je viens avec vous, bien entendu.»

Il fit semblant de ne pas comprendre.

«Avec moi? J'en suis ravi. Mais où?

– Dans la maison dont Mr. Holt a parlé.

– Rien ne pourrait me faire plus plaisir. Mais puis-je me permettre de vous faire remarquer que Mr. Holt ne l'a pas encore retrouvée?

– Raison de plus pour que je vienne à votre aide.»

Sydney éclata de rire, mais je vis qu'il ne goûtait guère ma suggestion.

«Trois dans un cab?

– Il en existe d'assez grands. Ou alors, si vous le désirez, je vais faire venir un fiacre.»

Sydney me regarda du coin de l'œil, puis se mit à arpenter la pièce, les mains dans les poches. Il se mit à dire des bêtises:

«Je n'ai pas besoin d'insister sur la joie avec laquelle j'accueillerais l'idée d'une promenade en votre compagnie – même dans un fiacre. Mais, à votre place, je laisserais Holt et votre humble serviteur aller seuls à la recherche de cette maison. Cette quête risque d'être plus pénible que vous le croyez. Je vous promets de vous raconter toutes nos aventures sans en omettre le moindre détail.

– Ah oui! Pensez-vous que je ne me sois aperçue de rien? Que je n'ai pas vu que vous me trompez depuis le début?

– Moi! Vous tromper?

– Oui, vous! Me prenez-vous pour une idiote?

– Ma chère Marjorie!

– Pensez-vous que je n'ai pas vu que le récit de Mr. Holt ne vous apprenait rien? Que vous en saviez déjà autant que lui, et peut-être plus?

– Ma parole! Vous me croyez bien informé.

– Oh! Oui, et je n'ai nulle confiance en vous. Si je vous laissais partir sans moi, vous ne me raconteriez ensuite que ce que voudriez bien, c'est-à-dire rien du tout. Je viens avec vous, point final.

– Bien. Sauriez-vous par hasard si l'on peut trouver des revolvers dans cette maison?

– Des revolvers? Pour quoi faire?

– Parce que j'aimerais bien en emprunter un. Puisque vous m'y forcez, je ne vous cacherai point que nous aurons peut-être besoin d'être armés.

– Vous essayez de m'effrayer.

– Pas le moins du monde, je m'efforce seulement d'être franc avec vous.

– Ah oui, parce que vous croyez que cela vous suffira pour être quitte avec moi? Des revolvers? Papa entrepose ici un véritable arsenal. Vous n'avez qu'à en prendre autant que vous voudrez.

– Merci, mais un seul me suffira, à moins que vous n'en désiriez un également. Vous en aurez peut-être besoin.

– Je vous remercie, mais je vais essayer de m'en passer. Je courrai le risque. Oh, Sydney, quel hypocrite vous faites!

– Je n'agis que dans votre intérêt. Laissez-moi vous redire, le plus sérieusement du monde, qu'il vaudrait mieux pour vous nous laisser agir seuls. Je n'hésiterai pas à dire que cette affaire est telle que, plus tard, vous en viendrez à souhaiter ne jamais en avoir eu connaissance.

– Que voulez-vous dire? Essayez-vous encore d'insinuer quelque chose sur... Paul?

– Je n'insinue rien du tout. Je suis toujours explicite et, ma chère Marjorie, ce que je veux dire est ceci: si vous persistez à vouloir nous accompagner malgré mes mises en garde, je serai forcé de remettre cette expédition à plus tard.

– Ah, c'est comme ça! Eh bien, ma décision est prise.» Je sonnai et le valet entra. «Faites venir un cab et prévenez-moi dès que Mr. Holt sera prêt.» Il s'en fut et je me tournai vers Sydney. «A présent, excusez-moi, je vais mettre mon chapeau. Vous n'êtes pas obligé de nous accompagner mais, si vous ne le faites pas, j'irai seule avec Mr. Holt.»

Je me dirigeai vers la porte. Il m'arrêta.

«Ma chère Marjorie, comptez-vous toujours être aussi injuste envers moi? Je vous le répète, vous n'avez pas idée du genre d'aventure dans laquelle vous vous lancez, sinon vous y regarderiez à deux fois. Je vous assure que vous allez vous mettre en péril.

– Quel genre de péril? Pourquoi tournez-vous toujours autour du pot? Enfin, soyez clair!

– Je ne peux pas vous dire tout ce que je sais, cela m'est impossible étant donné les circonstances. C'est vrai. Mais le danger n'en existe pas moins. Je ne plaisante pas, je suis très sérieux au contraire. Allez-vous me croire?

– La question n'est pas de savoir si je dois vous croire ou non, il y a autre chose. Je n'ai pas oublié ce qui m'est arrivé la nuit dernière, et le récit de Mr. Holt est suffisamment mystérieux, mais il y a quelque chose d'encore plus étrange là-dessous, quelque chose qui aurait un rapport avec Paul, d'après ce que vous insinuez. Mon devoir est clair, et rien de ce que vous direz ne pourra m'en détourner. Comme vous le savez, Paul est déjà fort occupé par des affaires d'Etat, et j'irais lui raconter tout cela si je ne le savais pas si fatigué. On verrait alors ce qu'il vous dirait. J'ai l'intention de vous démontrer que, même si je ne suis pas encore l'épouse de Paul, je peux prendre ses intérêts en charge comme si c'était le cas. Je ne peux donc que répéter que la décision vous appartient: si vous préférez vous abstenir, j'irai seule avec Mr. Holt.

– Entendu. Mais, quand viendra l'heure des regrets (et elle viendra sûrement!), ne rejetez pas tout le blâme sur moi, je vous aurai prévenue.

– Mon cher Mr. Atherton, comptez sur moi pour garder votre réputation sans tache. Je serais au regret de vous savoir tenu responsable d'une de mes paroles ou d'un de mes actes.

– Très bien! Je n'aurai donc pas votre sang sur les mains!

– Mon sang?

– Oui, votre sang. Je serais fort surpris si cette affaire se concluait sans effusion de sang. Seriez-vous assez aimable pour me choisir un revolver parmi cet arsenal dont vous avez parlé tout à l'heure?»

Je lui donnai un vieux revolver de papa – ou plutôt un neuf –, et il le mit dans la poche de son pantalon. Et l'expédition se mit en route, dans un cab qui n'était pas un fiacre, mais qui était assez grand tout de même.

CHAPITRE XXIX

La maison près de l'asile de nuit

Mr. Holt avait vraiment l'air de porter des vêtements d'emprunt. Il était si émacié que le costume prêté par un valet le faisait ressembler à un épouvantail. J'étais presque honteuse de lui avoir fait quitter le lit, car il semblait si affaibli que je n'aurais pas été surprise de le voir s'évanouir sur le chemin. Je l'avais forcé à manger un peu avant de partir (le récit de sa misère m'avait terrifiée!) et j'avais emporté une fiasque de cognac en cas de besoin mais, malgré toutes ces précautions, je ne pouvais pas m'empêcher de penser qu'il serait davantage à sa place dans un lit que dans un cab.

Ce voyage ne fut pas des plus gais. Sydney adoptait envers moi une attitude protectrice fort désagréable: il semblait me traiter comme une nurse traiterait un enfant têtu et désobéissant. La conversation s'étiola. Puisque Sydney semblait décidé à jouer les protecteurs, j'étais bien résolue à l'ignorer. De ce fait, ce fut Mr. Holt qui fit les frais de la plupart de nos remarques.

Le cab s'immobilisa enfin, après ce qui me parut être un interminable voyage dont je me réjouissais de voir la fin. Sydney passa la tête par-dessus la portière et se mit à parlementer avec le cocher.

«Nous sommes à Hammersmith, Sir, et c'est grand, Sir, à quel endroit désirez-vous aller?»

Sydney consulta Mr. Holt et celui-ci jeta un coup d'œil dehors. Il ne semblait pas du tout reconnaître l'endroit où nous étions.

«Nous sommes arrivés par un autre chemin, je n'étais pas passé par-là. Je suis allé à l'asile après avoir traversé Hammersmith. On ne le voit pas d'ici.»

Sydney s'adressa au cocher:

«Cocher, où est l'asile de nuit?

– A l'autre bout du quartier.

– Alors, allons-y.»

Le cocher nous y conduisit. Puis Sydney consulta de nouveau Mr. Holt.

«Est-ce que nous restons dans le cab, ou bien aurez-vous la force de marcher?

– Je crois que je pourrai marcher. L'exercice me fera du bien.»

Nous laissâmes donc partir le cab, un acte que nous aurions des raisons de regretter par la suite, et moi en particulier. Mr. Holt se repéra et désigna une porte juste en face de nous.

«Voici l'entrée de l'asile de nuit, et là, au-dessus, la vitre que le vagabond a brisée. Je suis parti sur la droite, dans la direction d'où j'étais venu.» Nous le suivîmes. «J'ai atteint ce coin de rue.» Nous nous arrêtâmes. Mr. Holt regarda autour de lui, tentant de se rappeler la direction qu'il avait prise. Nous étions à un croisement de plusieurs voies, qu'il aurait pu toutes emprunter.

Il sembla prendre une décision.

«Je crois que je suis parti par-là. J'en suis presque sûr.»

L'air dubitatif, il ouvrit la voie et nous le suivîmes. La rue qu'il avait choisie semblait ne mener nulle part et nous avions à peine quitté l'asile que nous faisions déjà face au chaos. Devant nous s'étendait une contrée désolée. Des travaux de construction semblaient avoir été entamés dans un passé lointain, car des tas de briques sales étaient disséminés çà et là sur ce terrain vague, ainsi que des panneaux annonçant que telle ou telle parcelle était destinée à la construction. La rue elle-même était inachevée: elle n'était pas pavée et un sol inégal et mal tassé remplaçait le trottoir. Autant que je pouvais en juger, elle semblait se perdre dans l'espace et être avalée par l'étendue sauvage des "terrains à bâtir" qui se trouvait devant nous. Au loin, on distinguait des maisons, mais elles étaient situées dans d'autres rues. A la droite du chemin que nous avions pris, il y avait une rangée de carcasses inachevées, ainsi que deux immeubles en état d'être habités. Ils étaient placés côte à côte, à environ cinquante yards de distance. Leur vue eut sur Mr. Holt un effet extraordinaire: il se précipita vers eux et s'arrêta net devant le plus proche, celui qui était à notre gauche.

«Voilà la maison!» s'exclama-t-il.

Il semblait presque extatique, mais je me sentais, je dois le confesser, assez déprimée. Il était difficile d'imaginer maison plus sinistre. C'était une de ces horribles habitations en carton qui ont l'air vieilles dès qu'elles sont achevées. Elle avait tout au plus deux ans d'âge et, cependant, en raison de la négligence de son propriétaire, ou alors de défauts dans la construction, elle menaçait déjà de s'écrouler. Elle était toute petite, un étage seulement, et un loyer annuel de trente livres sterling aurait été à mes yeux trop élevé pour elle. On n'avait sans doute jamais lavé ses fenêtres depuis l'achèvement des travaux, et celles de l'étage semblaient même brisées. Seul un store baissé derrière la fenêtre du rez-de-chaussée semblait signaler que la maison était oc-

156

cupée. Pas de rideaux nulle part. Une petite murette, qui avait apparemment été jadis surmontée d'une grille (un bout de métal rouillé subsistait çà et là), la séparait de la chaussée, mais comme elle n'était distante de la maison que d'environ un pied, il était impossible de dire si elle avait érigée dans un but de protection ou de décoration.

«Voilà la maison!» répéta Mr. Holt, qui semblait plus vivant que je ne l'avais jamais vu.

Sydney l'examina longuement. Elle semblait avoir autant d'effet sur son sens de l'esthétique que sur le mien.

«Vous en êtes sûr?

– Certain.

– Elle a l'air vide.

– Elle m'avait semblé vide cette nuit-là, c'est pour ça que j'y suis entré en quête d'un abri.

– Par quelle fenêtre êtes-vous passé?

– Celle-ci.» Mr. Holt désigna la fenêtre du rez-de-chaussée, celle qui était protégée par un store. «Il n'y avait pas de store quand je l'ai vue, et le châssis était levé, c'est ce qui avait attiré mon attention.»

Sydney examina de nouveau l'endroit, de la façon la plus exhaustive possible, depuis la cave jusqu'au toit, puis il se tourna vers Mr. Holt.

«Etes-vous bien sûr que c'est la bonne maison? Si vous vous trompez, nous allons être bien embarrassés. Je vais frapper à cette porte, et s'il s'avère que votre mystérieux ami ne vit pas ici et qu'il n'y a jamais vécu, nous aurons du mal à nous expliquer.

– Je suis sûr que c'est la maison – j'en suis certain! Je le sens ici – et là!»

Mr. Holt toucha son cœur et son front. Son attitude était des plus étranges: il tremblait de tous ses membres et son regard était enfiévré. Sydney le dévisagea en silence pendant un long moment, puis tourna son attention vers moi.

«Pourrai-je compter sur votre présence d'esprit?»

Cette question me vexa.

«Que voulez-vous dire?

– Ce que je dis. Je vais frapper à cette porte, et je vais me débrouiller pour entrer dans la maison. Il est fort possible qu'il se passe des choses étranges une fois que je serai à l'intérieur: rappelez-vous le récit de Mr. Holt. Vue du dehors, cette maison a l'air tout à fait ordinaire, mais il n'en sera peut-être pas de même dedans. Peut-être risquez-vous de vous trouver dans une situation où il sera essentiel que vous gardiez votre sang-froid.

– Je ne pense pas l'autoriser à me quitter.

– Parfait. Dois-je comprendre que vous avez l'intention de m'accompagner?

– Bien sûr que oui! Pourquoi donc croyez-vous que je sois venue? Que vous êtes bête!

– J'espère que vous pourrez encore considérer notre aventure comme une bêtise quand elle sera achevée.»

Il va sans dire que je ressentais fortement cette impertinence: me faire ainsi sermonner par Sydney Atherton, qui m'a toujours obéi au doigt et à l'œil depuis qu'il était en costume marin, voilà qui était irritant. Mais je dois avouer que j'étais plus impressionnée par son attitude et par celle de Mr. Holt que je ne le laissais paraître. Je n'avais pas la moindre idée de ce qui allait arriver, j'ignorais quelles horreurs pouvait contenir cette maison désolée. Le récit de Mr. Holt avait été si stupéfiant, mon expérience de la nuit précédente était encore si fraîche dans ma mémoire et je me trouvais à présent si près de l'Inconnu que je n'étais guère en état de faire face à la situation, même en plein jour.

Je n'avais jamais vu de porte si décrépie, elle était en parfaite harmonie avec le reste de la maison. La peinture s'écaillait, les boiseries étaient tout éraflées et le heurtoir entièrement rouillé. J'eus un petit frisson quand Sydney le prit dans ses mains. Je m'attendais presque à voir la porte s'ouvrir sur quelque monstruosité quand il le fit résonner sur elle, mais rien ne se produisit: la porte resta close. Sydney attendit une seconde ou deux, puis frappa de nouveau; deux autres secondes d'attente, puis il frappa encore. Aucun signe de réaction à notre présence. Sydney se tourna vers Mr. Holt.

«On dirait qu'il n'y a personne au bercail.»

Mr. Holt était agité de façon singulière, et il m'était presque douloureux de le regarder.

«On ne sait jamais, on ne peut pas dire. Il y a peut-être quelqu'un qui nous entend et ne veut pas répondre.

– Je vais leur donner une nouvelle chance.»

Le heurtoir frappa la porte avec un bruit de tonnerre, dont l'écho avait dû être entendu à un demi-mile de là. Mais il n'y avait toujours aucun de signe de vie à l'intérieur de la maison. Sydney descendit du perron.

«Essayons une autre entrée: nous aurons peut-être plus de chance derrière.»

Il nous conduisit vers l'arrière de la maison, Mr. Holt et moi le suivant en file indienne. L'immeuble était encore plus délabré derrière que devant. On apercevait deux pièces vides au rez-de-chaussée, l'une à usage de cuisine et de buanderie, l'autre de salon. Pas trace du moindre meuble ni dans l'une ni dans l'autre, pas plus que de signe d'occupation. Sydney commenta la situation:

«Il est non seulement évident que personne ne réside en cette charmante demeure, mais il me semble de plus que personne n'y a jamais résidé.»

Mr. Holt devenait plus agité à chaque instant. Sydney semblait ne lui prêter aucune attention, probablement parce qu'il jugeait que cela ne ferait qu'aggraver son état. La voix de Mr. Holt était devenue bizarrement aiguë quand il déclara:

«Je n'ai vu que la pièce du devant.

– Bien. Vous allez la revoir avant peu.»

Sydney frappa du poing sur la fenêtre de derrière. Il essaya la poignée, et la secoua quand elle refusa de bouger. Il se mit à gesticuler devant la vitre, essayant d'attirer l'attention d'un hypothétique occupant. En vain. Puis il se tourna vers Mr. Holt et lui dit sur un ton moqueur:

«Je vous en prends à témoin, j'ai essayé tous les moyens légaux pour éveiller l'attention de votre mystérieux ami. Vous voudrez bien m'excuser si j'essaie quelque chose de légèrement illégal pour varier un peu. Il est exact que vous avez trouvé une fenêtre déjà ouverte, elle le sera de nouveau sous peu.»

Ce disant, il tira un couteau de sa poche et força le loquet avec sa lame, comme un voleur. Puis il leva le châssis.

«Voyez!» s'exclama-t-il. «Que vous avais-je dit? A présent, ma chère Marjorie, je vais entrer là-dedans, suivi de Mr. Holt, et nous vous ouvrirons la porte de l'intérieur.»

Je le perçai à jour immédiatement.

«Non, Mr. Atherton. Vous allez entrer, je vais vous suivre, et Mr. Holt passera par cette fenêtre après nous. Je n'ai pas l'intention d'attendre indéfiniment que vous m'ouvriez cette porte.»

Sydney leva les yeux au ciel, comme peiné par le manque de confiance dont je faisais preuve. Mais je n'avais pas envie de rester sur la touche à attendre le bon plaisir de ces messieurs et de les laisser fouiller la maison sans moi. Sydney passa donc en premier, et je le suivis (sans grande difficulté, le rebord de la fenêtre n'étant qu'à trois pieds du sol), avant de laisser passer Mr. Holt. Dès que nous fûmes entrés, Sydney mit ses mains en porte-voix et s'écria:

«Ohé! Y a-t-il quelqu'un à la maison? Si oui, qu'il se montre, nous désirons lui parler!»

L'écho de ses paroles retentit dans la maison déserte de façon inquiétante. Je me rendis compte que, si la maison avait effectivement un occupant et si celui-ci était peu aimable, notre présence en ces lieux serait difficile à expliquer. Mais personne ne répondit. Tandis que j'attendais que Sydney décide de la suite de notre action, il attira mon attention sur Mr. Holt.

«Holà, Holt, qu'est-ce qui vous arrive? Arrêtez de vous agiter ainsi!»

Mr. Holt était dans un état extraordinaire: il tremblait de tous ses membres comme s'il était en proie à une crise d'épilepsie. Tous les muscles de son corps semblaient tressauter en même temps. Son visage avait pris une expression douloureuse et pénible à regarder. Il dit d'une voix tendue:

«Ce n'est rien… Je vais bien.

– Oh! Ce n'est rien? Nous allons voir. Où est cette fiasque?» Je tendis la fiasque de cognac à Sydney. «Avalez-moi ça.»

Mr. Holt engloutit une gorgée d'alcool sans protester. Ses joues reprirent quelques couleurs, mais son état ne s'améliora guère. Sydney l'examina avec un regard dont je n'arrivai pas à comprendre la signification.

«Ecoutez-moi, mon garçon. N'espérez pas me berner ou me jouer des tours, et n'allez pas croire que cela va me faire baisser ma garde. Je suis armé.» Il lui montra le revolver que je lui avais prêté. «N'imaginez pas que la présence de Miss Lindon m'empêchera de l'utiliser.»

Je ne parvenais pas à comprendre pourquoi il parlait à Mr. Holt sur un tel ton. Ce dernier, cependant, ne semblait pas en prendre ombrage. Il ressemblait à présent plus à un automate qu'à un être humain. Sydney continua de le dévisager comme s'il avait voulu que son regard pénètre jusqu'au tréfonds de son âme.

«Restez devant moi, je vous prie, Mr. Holt, et conduisez-nous vers ce mystérieux appartement dans lequel vous prétendez avoir vécu une si remarquable expérience.»

Il me demanda dans un murmure:

«Avez-vous apporté un revolver?»

Je sursautai.

«Un revolver? Quelle idée! Vous êtes absurde!»

Sydney eut alors une remarque si grossière, et si déplacée, qu'elle était digne de papa dans ses pires moments.

«Je préfère être un homme absurde qu'une dinde en jupons.» J'étais si furieuse que je ne savais pas quoi dire, et il reprit avant que j'aie pu réagir: «Gardez les yeux et les oreilles ouverts. Ne montrez aucune surprise. Restez près de moi. Et, pour l'amour de Dieux, essayez de garder votre sang-froid.»

Je n'avais pas la moindre idée de ce qu'il voulait insinuer. Il ne me semblait pas qu'il y eût là matière à inquiétude, et cependant je sentais les battements de mon cœur s'accélérer. Je connaissais suffisamment Sydney pour savoir qu'il n'était pas homme à s'affoler sans raison, et qu'il n'était pas susceptible d'imaginer des raisons de s'inquiéter là où il n'y en avait pas.

Comme Sydney l'avait désiré, ou plutôt ordonné, Mr. Holt nous conduisit à la porte de la pièce de devant. Elle était fermée. Sydney frappa un coup. Silence. Il frappa de nouveau.

«Il y a quelqu'un?» demanda-t-il.

N'obtenant pas de réponse, il tourna le loquet. La porte était fermée à clé.

«Voici le premier signe de présence humaine que nous ayons vu: les portes ne se ferment pas toutes seules. Il est donc possible qu'il y ait eu quelqu'un ou quelque chose ici, dans un passé plus ou moins lointain.»

Il agrippa fermement la poignée et la secoua de toutes ses forces, comme il l'avait fait avec la porte de derrière. La maison était si fragile qu'il fit trembler les murs.

«Oh, là-dedans! Si quelqu'un m'entend! Si vous n'ouvrez pas cette porte, je vais l'enfoncer!»

Pas de réponse.

«Vous l'aurez voulu! Je m'en vais poursuivre la carrière de hors-la-loi que j'ai décidé d'entamer et pénétrer dans cette pièce, d'une façon ou d'une autre.»

Il appuya son épaule contre la porte et poussa de toutes ses forces. Sydney est un homme grand et fort, et la porte était fragile. La serrure céda bientôt sous ses assauts, et la porte s'ouvrit en grand. Sydney poussa un sifflement.

«Ah! Mr. Holt, je commence à croire que votre récit n'était pas si fantaisiste que cela.»

Il était évident que cette pièce avait été récemment occupée et, si on pouvait en juger par son ameublement, par une personne aux goûts fort excentriques. Ma première impression fut qu'elle était toujours occupée, car une odeur désagréable accueillit nos narines, une odeur presque animale. Sydney sembla partager mon dégoût.

«Joli parfum, ma parole! Examinons les lieux de plus près pour en découvrir l'origine. Marjorie, n'avancez pas d'un pas tant que je ne vous l'aurai pas dit.»

Je n'avais pas prêté attention au store qui occultait la fenêtre quand nous étions à l'extérieur de la maison, mais il devait être fait d'un matériau fort épais, car la pièce était étrangement obscure. Sydney se dirigea vers la fenêtre afin de lever le store, mais il n'avait pas fait un pas qu'il s'immobilisa soudain.

«Qu'est-ce que c'est?

– C'est lui,» dit Mr. Holt d'une voix méconnaissable.

«Lui? Qu'entendez-vous par "lui"?

– Le Scarabée!»

A en juger par le ton de sa voix, Sydney était soudain très excité.

«Ah, vraiment! Alors il est temps que je découvre ce qui fait fonctionner ce truc, et si je n'y arrive pas, je vous autorise à me traiter d'Ane, avec un A majuscule!»

Il se précipita vers la fenêtre, mais ses efforts pour éclairer la pièce ne furent apparemment pas couronnés de succès.

«Comment diable lève-t-on ce satané store? Il n'y a pas de corde! Comment fait-on? Que...»

Il s'interrompit au milieu de sa phrase. Mr. Holt, qui se trouvait à mes côtés sur le seuil, venait d'être saisi d'un accès de tremblements si intense que je crus qu'il allait s'effondrer sur le sol et attrapai son bras. Son visage avait pris une expression tout à fait extraordinaire. Il avait les yeux exorbités, comme si un spectacle horrible se déroulait devant lui. Il transpirait à grosses gouttes.

«Il arrive!» cria-t-il.

Je ne sais pas ce qui se produisit exactement mais, au moment où il prononça ces mots, j'entendis un bourdonnement s'élever dans la pièce. Je me rappelai alors mon expérience de la nuit précédente et fus prise de nausées. Sydney poussa un juron, comme s'il était enragé.

«Eh bien, si tu ne veux pas monter, je vais te faire descendre!»

Ne réussissant pas à trouver de corde, il saisit le store par sa partie inférieure et le tira violemment: celui-ci se défit alors de son attache et tomba sur le sol. La pièce fut brusquement illuminée et je m'y précipitai. Sydney se tenait près de la fenêtre, avec un air si perplexe sur le visage que je l'aurais trouvé comique en d'autres circonstances. Il tenait le revolver de papa à la main et parcourait la pièce du regard, comme incapable de comprendre pourquoi il ne parvenait pas à trouver ce qu'il cherchait.

«Marjorie!» s'exclama-t-il. «Avez-vous entendu quelque chose?

– Bien sûr: le même bruit que j'ai entendu chez moi la nuit dernière, et qui m'a tant effrayée.

– Oh, vraiment? Alors, par...» Dans son excitation, il dut oublier ma présence, car il usa alors d'un langage affreux. «... Quand je l'aurai trouvée, nous aurons une petite conversation. Cette créature n'a pas pu quitter la pièce, je sais qu'elle est ici. Je ne l'ai pas seulement entendue, je l'ai sentie me frôler le visage. Holt, entrez et fermez cette porte.»

Mr. Holt leva le bras, comme pour s'obliger à avancer, mais il demeura figé là où il était.

«Je ne peux pas!» cria-t-il.

«Vous ne pouvez pas? Et pourquoi?

– Il ne me laissera pas.

– Mais qui donc?

– Le Scarabée!»

Sydney alla jusqu'à lui et l'examina de ses yeux perçants. J'étais juste derrière lui et je l'entendis murmurer, peut-être à mon intention:

«By George! Je m'en doutais! Ce malheureux est en état d'hypnose!»

Puis il dit à haute voix:

«Pouvez-vous le voir à présent?

– Oui.

– Où est-il?

– Derrière vous.»

Quand Mr. Holt parla, j'entendis de nouveau, très proche, le bourdonnement. Sydney sembla l'entendre également, car il fit demi-tour si vite qu'il faillit me faire tomber.

162

«Je vous demande pardon, Marjorie, mais il s'agit là pour moi d'une expérience sans pareille. Avez-vous entendu quelque chose à l'instant?

— Oui, très distinctement. C'était tout près de moi, à un pouce ou deux de mon visage.»

Nous regardâmes attentivement autour de nous: il n'y avait rien. Sydney eut un rire forcé.

«C'est vraiment bizarre. Je ne voudrais pas suggérer que nous avons des visions, sinon je pourrais soupçonner mon cerveau de se ramollir. Mais... c'est bizarre. Il doit y avoir un truc, j'en suis convaincu, et il doit être fort simple une fois qu'on l'a compris – le tout est de trouver l'explication. Pensez-vous que notre ami ici présent nous joue la comédie?

— Il m'a l'air fort malade.

— En effet. Il a aussi l'air hypnotisé. Si tel est le cas, c'est uniquement par effet de suggestion, et ce serait bien la première fois que j'entendrais parler d'hypnotisme par suggestion. Holt?

— Oui.

— Cette voix,» me murmura Sydney, «est la voix d'un homme en état d'hypnose, mais une personne sous influence ne répond en général qu'à l'hypnotiseur – un autre point de détail qui aggrave mes soupçons.» Puis à haute voix: «Ne restez pas là comme un idiot, entrez donc.»

Mr. Holt fit de nouveau un effort pour nous rejoindre, mais en vain. Il faisait peine à voir, on aurait dit un enfantelet effaré qui ne parvenait pas à se lever.

«Je ne peux pas.

— Assez joué la comédie, mon vieux! Vous vous croyez au théâtre? Vous me prenez pour un gogo susceptible de se laisser berner par un charlatan? Obéissez, et venez ici!»

Mr. Holt renouvela ses efforts, plus longuement cette fois mais toujours sans succès.

«Je ne peux pas!» gémit-il.

«Et moi je vous dis que vous pouvez y arriver, et que vous y arriverez! Si je devais vous porter pour vous amener ici, peut-être ne seriez-vous pas aussi impuissant que vous voulez nous le faire croire.»

Sydney s'avança comme pour mettre sa menace à exécution, et le comportement de Mr. Holt changea soudain de la façon la plus étrange.

CHAPITRE XXX

Le singulier comportement de Mr. Holt

J'étais au milieu de la pièce, et Sydney se trouvait entre la porte et moi. Mr. Holt était dans le hall, juste sur le seuil, pour ainsi dire encadré par l'ouverture de la porte. Alors que Sydney avançait vers lui, il fut pris de convulsions et dut s'appuyer sur le montant de la porte pour ne pas tomber. Sydney s'immobilisa pour l'observer. Cet accès de fièvre quitta Mr. Holt aussi soudainement qu'il était venu, et il redevint aussi immobile qu'il l'avait été quelques instants auparavant. Il avait l'air fébrile, comme dans l'attente de quelque chose; sa tête était rejetée en arrière et ses yeux grands ouverts, son regard douloureusement fixe comme il l'avait été depuis qu'il était entré dans la maison. Il me semblait que son organisme était tendu à l'écoute de quelque chose: pas un de ses muscles ne bougeait, il était aussi rigide qu'une statue taillée dans le roc. Soudain, cette immobilité laissa la place à une agitation incongrue.

«Je l'entends!» cria-t-il de la voix la plus curieuse que j'aie jamais entendue. «J'arrive!»

On aurait dit qu'il s'adressait à un interlocuteur éloigné. Faisant demi-tour, il se dirigea vers la porte d'entrée.

«Hé!» cria Sydney. «Où allez-vous?»

Nous nous précipitâmes à sa suite. Il se démenait avec le loquet et, avant que nous l'ayons rejoint, il avait réussi à ouvrir la porte et s'en était allé. Sydney réussit à le rattraper sur le perron et le retint par le bras.

«Que signifie cette comédie? Où croyez-vous donc aller à présent?»

Mr. Holt ne daigna pas se retourner pour lui répondre. Il dit d'une voix lointaine et rêveuse, l'œil toujours fixé sur ce but éloigné qui n'était visible que de lui seul:

«Je vais à lui. Il m'appelle.

– Qui vous appelle?

– Le Seigneur du Scarabée.»

Je ne pourrais dire si Sydney lui lâcha effectivement le bras. Il sembla se dégager aisément de son étreinte et, franchissant le portail, il repartit vers l'endroit d'où nous étions venus. Sydney le regarda s'éloigner, complètement stupéfait, puis se tourna vers moi.

«Eh bien! Nous voilà beaux! Qu'allons-nous faire?

– Qu'est-ce qui lui arrive?» demandai-je. «Est-il devenu fou?

– Si tel est le cas, il y a de la méthode dans sa folie. Il était dans le

même état la nuit où je l'ai vu sortir par la fenêtre de chez l'Apôtre.»
Sydney a la détestable habitude d'appeler Paul "l'Apôtre". Je n'arrête pas de le lui reprocher, mais sans grand succès. «Il faudrait le suivre, il va peut-être rejoindre son mystérieux ami. Mais, d'un autre côté, c'est peut-être une manœuvre de ce charlatan pour nous éloigner de son élégant repaire. Il m'a déjà filé entre les doigts par deux fois, je ne tiens pas à ce qu'il recommence. S'il revient ici, s'aperçoit que quelqu'un est entré et ne trouve personne, il est fort capable de disparaître dans la nature, et notre seul indice dans cette mystérieuse affaire aura disparu.

– Je veux bien rester,» dis-je.

«Vous? Seule?»

Il me regarda d'un air dubitatif: ma proposition ne semblait guère lui plaire.

«Pourquoi pas? Envoyez donc la première personne que vous rencontrerez pour me rejoindre: policeman, cocher, qui vous voudrez. Dommage que nous ayons renvoyé ce cab.

– Oui, je le regrette à présent.» Sydney se mordit les lèvres. «Au diable ce lâcheur! Regardez comme il court!»

Mr. Holt était déjà presque parvenu au bout de la rue.

«Si vous pensez que c'est vraiment nécessaire, suivez-le pour voir où il va. Vous rencontrerez sûrement en chemin quelqu'un que vous pourrez m'envoyer.

– C'est probable. Vous n'avez pas peur de rester ainsi seule?

– Pourquoi donc? Je ne suis plus une enfant.»

Mr. Holt atteignit le coin de la rue et disparut. Sydney jura avec impatience.

«Si je ne me dépêche pas, je vais le perdre. Je vais faire comme vous dites: je vous enverrai le premier individu que je croiserai pour monter la garde avec vous.

– Très bien.»

Il se mit à courir, criant à mon adresse:

«Ce ne sera pas long, tout au plus cinq minutes!»

J'agitai la main dans sa direction. Je le regardai courir jusqu'à ce qu'il eût atteint le coin de la rue. Là, il me fit un geste de la main et disparut comme l'avait fait Mr. Holt.

Et je me retrouvai seule.

CHAPITRE XXXI

Terreur en plein jour

Ma première réaction, après le départ de Sydney, fut d'éclater de rire. Pourquoi diable serait-il inquiet à l'idée de me savoir seule pour quelques minutes dans une maison vide, et en plein jour! Vraiment, rien ne justifiait un tel souci.

Je m'attardai quelques instants près du portail, me demandant ce que cachait l'attitude de Mr. Holt et à quels résultats Sydney comptait parvenir en le suivant. Puis je rentrai dans la maison. Une question me vint à l'esprit: quelle relation pouvait-il y avoir entre un homme comme Paul Lessingham et le personnage excentrique qui avait élu domicile dans un endroit aussi délabré? Je n'avais que vaguement compris le récit de Mr. Holt, qui me semblait devoir nécessiter quelques éclaircissements. Il ressemblait davantage au délire d'un fou qu'à un témoignage sensé. A vrai dire, Sydney l'avait pris au sérieux plus que je ne m'y attendais, et il semblait y percevoir un sens qui me restait caché. Ce qui était pour moi de l'hébreu lui semblait clair comme de l'eau de roche. Pour autant que je pusse en juger, il semblait croire que Paul, mon Paul! Paul Lessingham! Le grand Paul Lessingham! était d'une certaine manière mêlé aux aventures de ce misérable et hystérique Mr. Holt, et d'une façon qui ne lui faisait guère honneur.

Billevesées que tout cela, bien sûr. Je ne pouvais deviner ce qui avait pris Sydney, mais je connaissais bien Paul. Que l'on m'amène en face le responsable des tribulations de Mr. Holt, et je saurais bien, moi, une femme, lui montrer que celui qui cherchait des noises à Paul Lessingham jouait avec le feu.

J'étais revenue dans cette chambre historique dans laquelle Mr. Holt prétendait être entré par effraction. La personne qui l'avait meublée avait vraiment des goûts originaux. Il n'y avait pas une seule table dans la pièce, ni chaise ni divan, rien sur quoi s'asseoir hormis le lit. Sur le sol était posé un magnifique tapis, de toute évidence d'origine orientale. Il était si épais et si souple sous le pied qu'on aurait cru marcher sur du gazon. Il était tissé de couleurs superbes et recouvert de...

Quand je me rendis compte de quoi il était couvert, j'eus l'impression d'une désagréable surprise.

Il était couvert de scarabées!

Le même scarabée était reproduit à d'innombrables exemplaires sur toute son étendue, chaque insecte n'étant séparé de son voisin que par quelques pouces. L'artisan avait tissé ce motif si déplaisant avec tant d'habileté qu'on ne pouvait s'empêcher de se demander si les créatures n'étaient pas vivantes.

En dépit de la douceur de sa texture et de la qualité de son dessin, je considérai rapidement cette pièce d'artisanat comme le tapis le plus répugnant que j'aie jamais vu. J'agitai le doigt en direction des colonnes d'insectes que je trouvais si horribles.

«Si j'avais su que vous étiez là avant que Sydney ne s'en aille, je crois bien que j'aurais hésité avant de le laisser partir.»

Un accès de nausée me saisit. Je me secouai mentalement.

«Marjorie Lindon, tu devrais avoir honte d'imaginer de telles bêtises. Toi qui as toujours affirmé savoir garder la tête froide, ce n'est pas le moment de succomber à tes nerfs! Tu fais une drôle de combattante: ce ne sont que des dessins, après tout!»

Dans un mouvement involontaire, j'écrasai du pied une des créatures. Ce n'était que mon imagination, bien sûr, mais je crus la sentir grouiller sous mon soulier. C'était dégoûtant.

«Allons!» criai-je. «Ça suffit! Est-ce que je vais me conduire en idiote, comme dirait Sydney?»

Je me tournai vers la fenêtre et consultai ma montre.

«Cela fait plus de cinq minutes que Sydney est parti. Le compagnon qu'il m'a promis devrait déjà être en route. Je vais voir s'il arrive.»

J'allai jusqu'au portail. Il n'y avait pas une âme en vue. Je fus tellement déçue en le constatant que j'hésitai à prendre une décision. Rester là à attendre un policeman, un cocher, ou tout autre individu envoyé par Sydney, c'était admettre ma faiblesse, car j'étais consciente de ma profonde répugnance à l'égard de cette maison.

Le bon sens, ou ce que je crus être le bon sens, finit par triompher et, après avoir attendu encore cinq minutes, je rentrai.

Réussissant presque à ignorer les scarabées sur le sol, je résolus de satisfaire ma curiosité (et d'occuper mes pensées) en examinant le lit. Il ne me fallut pas longtemps pour me rendre compte qu'il ne s'agissait pas vraiment d'un lit tel que nous le concevons en Angleterre, mais bien plutôt d'une couche à l'orientale. Il n'y avait aucun sommier, simplement une accumulation de couvertures jetées en désordre sur le sol. Il semblait y en avoir de toutes les couleurs, de toutes les formes et de tous les matériaux possibles et imaginables.

Celle du dessus était en soie blanche et d'une qualité exquise. En dépit de sa taille considérable, on aurait pu la faire passer à travers une alliance. Je l'étalai devant moi. Il y avait un motif en son milieu, brodé ou tissé, je n'aurais su le dire. Je ne pus pas non plus distinguer ce que l'artisan avait voulu représenter: le dessin brillait jusqu'à en être éblouissant. Peu à peu, je me rendis compte que certaines masses de couleurs vives représentaient des flammes, et il fallait reconnaître que l'illusion était frappante. Puis je perçus la signification du motif:

c'était la représentation d'un sacrifice humain, exécutée avec un réalisme parfaitement terrifiant.

A droite se trouvait la silhouette majestueuse d'une déesse, en laquelle je crus reconnaître Isis. Elle avait les mains croisées sur les genoux et le torse nu. Sur son front était posé un scarabée aux couleurs vives (encore cet insecte!), tache de couleur sur sa peau cuivrée, reproduction exacte des créatures du tapis. Devant l'idole, une fournaise brûlante et, au cœur des flammes, un autel. Sur l'autel était attachée une jeune femme en train de brûler vive. Il n'y avait aucun doute possible, elle était bien vivante, car les chaînes qui la maintenaient en place étaient suffisamment lâches pour lui permettre de s'agiter et de se contorsionner, en proie aux affres de l'agonie. L'artiste semblait avoir utilisé toutes les ressources de son talent pour dépeindre les souffrances qui la tourmentaient.

«Ma parole, quel charmant tableau! Voilà qui suppose un goût exquis chez l'occupant de ces lieux! Une personne capable de dormir dans des draps pareils doit vraiment avoir des notions spéciales sur l'art et la décoration.»

Je continuai à contempler la scène, et il me sembla soudain que la victime avait bougé. C'était absurde, bien sûr, mais elle avait paru tourner sur elle-même.

«Qu'est-ce qui m'arrive? Est-ce que je deviens folle? Elle n'a pas pu bouger ainsi!»

Et pourtant! Elle remuait fort distinctement à présent. Une idée me vint subitement et je tirai la couverture vers moi.

Le mystère était résolu!

Une main jaune et émaciée émergeait de la pile de couvertures: c'était son mouvement qui avait causé l'illusion dont j'avais été la victime. Je regardai la scène sans un mot. La main fut suivie d'un bras, puis d'une épaule et d'une tête, le visage le plus hideux et le plus maléfique que j'aie jamais vu, même dans mes cauchemars. Une paire d'yeux brûlants captura les miens.

Je compris soudain la situation.

En courant après Mr. Holt, Sydney avait suivi une fausse piste: je me retrouvai à présent seule avec l'occupant de cette mystérieuse maison, avec le personnage principal de l'étonnant récit de Mr. Holt. Il était demeuré caché sous la pile de couvertures.

LIVRE QUATRIEME

Poursuite!

La conclusion de l'affaire.
Extrait des archives de l'Honorable
August Champnell, détective privé.

Chapitre XXXII

Un nouveau client

L'après-midi du vendredi 2 juin 18 –, j'étais en train de consigner dans mes dossiers quelques détails ayant trait à la curieuse affaire du coffret de la Duchesse de Datchet. Il devait être deux heures quand Andrews entra et posa une carte sur mon bureau. Sur celle-ci était inscrit un nom: Paul Lessingham.

«Faites entrer Mr. Lessingham».

Andrews s'exécuta. Je connaissais Mr. Lessingham de vue, bien entendu, mais c'était la première fois qu'il m'était donné de l'approcher personnellement. Il me tendit la main.

«Vous êtes Mr. Champnell?

– Oui.

– Je crois n'avoir jamais eu l'honneur de vous rencontrer, mais j'ai eu le plaisir de connaître votre père, le Comte de Glenlivet».

Je m'inclinai. Il me regarda avec insistance, comme s'il essayait de me jauger.

«Vous êtes très jeune, Mr. Champnell.

– Il m'a été rapporté qu'une personne s'entendant ainsi accuser avait rétorqué que la jeunesse n'était pas forcément un crime.

– Et vous avez choisi une profession singulière, dans laquelle la jeunesse est rarement de mise.

– Vous-même, Mr. Lessingham, n'êtes guère âgé. On s'attend à trouver des cheveux blancs sur la tête d'un homme d'Etat. J'espère que je serai suffisamment chenu pour être à votre service».

Il sourit.

«Je crois que c'est possible. J'ai entendu parler de vous plusieurs fois, Mr. Champnell, et toujours à votre avantage. Mon ami Sir John Seymour me disait l'autre jour que vous aviez réglé pour lui une affaire très délicate, avec beaucoup d'habileté et beaucoup de tact, et il m'a conseillé de m'adresser à vous si jamais je venais à avoir des problèmes. Ce qui est le cas aujourd'hui».

Je m'inclinai de nouveau.

«Des problèmes, dois-je dire, d'une nature assez inhabituelle. Je présume qu'en m'adressant à vous je dois attendre autant de discrétion que de la part d'un confesseur.

– Soyez-en assuré.

– Bien. Alors, pour votre information, je dois commencer par vous raconter une histoire, si vous voulez bien m'y autoriser. Je m'efforce-

171

rai d'être le moins verbeux possible».

Je lui offris une chaise que je plaçai de façon à ce que son visage soit éclairé par la lumière du jour. D'un air très calme, comme s'il ne s'était pas rendu compte de mon dessein, il tira la chaise jusqu'à l'autre extrémité de mon bureau et la fit légèrement tourner, si bien que la lumière se trouvait dans son dos quand il s'assit. Il croisa les jambes, posa ses mains sur ses genoux et resta silencieux quelques secondes, comme s'il retournait quelque chose dans son esprit. Il embrassa mon bureau d'un regard circulaire.

«Je suppose, Mr. Champnell, que vous avez déjà entendu ici des histoires singulières.

– Effectivement, oui. Mais la singularité ne m'effraie nullement: c'est mon élément naturel.

– Et cependant, je serais prêt à parier que vous n'avez jamais entendu d'histoire aussi étrange que celle que je vais vous conter à présent. Ce chapitre de ma vie que je vais vous révéler est si étonnant qu'il m'a fallu m'y reprendre à plusieurs fois et en assembler les éléments à plusieurs reprises avant de m'assurer de sa véracité».

Il s'interrompit. Il y avait dans son comportement des traces de cette hésitation que je découvre souvent chez des individus qui s'apprêtent à faire sortir des cadavres de leurs placards pour les exhiber devant mes yeux. Sa remarque suivante montra que le cours de mes pensées ne lui avait pas échappé.

«Ma position est rendue plus délicate par ma nature, qui est peu communicative. Je n'éprouve que mépris pour cette tendance qu'ont mes contemporains à se mettre en avant, et je considère que la vie privée d'un homme doit être tenue pour sacrée. Je ressens de façon très aiguë les tentatives qui sont faites pour percer à jour des secrets qui, je pense, ne regardent que moi. Par conséquent, il vous faudra être patient, Mr. Champnell, si je vous parais maladroit en vous révélant certains incidents que j'aurais préféré garder secrets au moins jusqu'à ma mort. Je suis sûr que vous m'excuserez si je vous avoue que ce n'est qu'une suite d'événements imprévus qui m'a contraint à faire de vous mon confident.

– Mr. Lessingham, mon expérience m'a montré que personne ne vient à moi sans y être forcé. Je suis tenu en bien plus piètre estime que les hommes de l'art».

Un sourire crispé déforma ses traits: il était évident qu'il me considérait comme bien pire qu'un docteur. Puis il commença à me narrer un des plus remarquables récits que j'aie jamais entendus. Au fur et à mesure qu'il progressait, je compris combien sa réticence avait été naturelle: pour des simples raisons de crédibilité, il aurait sûrement préféré garder cette histoire pour lui. Pour ma part, je dois affirmer que je l'aurais trouvée totalement incroyable si elle m'avait été racontée par une autre personne que Paul Lessingham.

Chapitre XXXIII

Les conséquences de la curiosité

Il commença à parler, d'une voix hésitante qui s'affermit peu à peu. Les mots venaient à ses lèvres avec aisance.

Je n'ai pas encore quarante ans, dit-il. Aussi, quand je vous dis qu'il y a vingt ans je n'étais encore qu'un gamin, je ne fais qu'énoncer une vérité évidente. Les événements que je vais vous narrer se sont déroulés il y a vingt ans.

J'ai perdu mes parents alors que j'étais encore très jeune, et leur mort m'a laissé dans une position telle que, de façon peu habituelle pour un jeune homme de mon âge, j'étais mon propre maître. J'ai toujours eu l'esprit fantasque et, à l'âge fort mûr de dix-huit ans, j'ai quitté l'école et décidé que j'apprendrais plus de choses en voyageant qu'en allant à l'Université. Aussi, comme il n'y avait personne pour m'en empêcher, je partis à l'étranger au lieu d'aller à Oxford ou à Cambridge. Après quelques mois, je me retrouvai en Egypte, cloué au lit par la fièvre, à l'hôtel Shepheard, au Caire. J'avais bu de l'eau polluée lors d'une excursion à Palmyre en compagnie de quelques Bédouins.

Quand ma fièvre fut tombée, je décidai un soir d'aller me promener en ville afin de m'amuser. Je me rendis seul dans le quartier indigène, ce qui n'est pas très recommandé, surtout la nuit, mais on n'est pas toujours sage à dix-huit ans, et j'étais las de la monotonie de ma chambre de malade et impatient de connaître des aventures. Je me retrouvai dans une rue dont j'ai des raisons de croire qu'elle n'existe plus à présent. Elle avait un nom français, elle s'appelait la rue de Rabagas, j'avais vu la plaque au coin d'un immeuble, et elle a laissé dans ma mémoire une impression qui ne s'effacera sans doute jamais.

C'était une rue étroite et, bien entendu, sale, mal éclairée et, du moins au moment de mon apparition, déserte. J'avais peut-être parcouru la moitié de sa longueur, trébuchant plus d'une fois dans le caniveau, me demandant quelle idée j'avais eu de venir dans un quartier si peu agréable et ce qui allait m'advenir si, comme cela semblait possible, je venais à m'égarer. Soudain, mes oreilles furent attirées par des bruits en provenance d'une maison devant laquelle je passais: des bruits de chant et de musique.

Je m'immobilisai et restai à l'écoute.

Il y avait à ma droite une fenêtre ouverte ornée d'une grille ouvragée, et les bruits provenaient de cette direction. Quelqu'un chantait

173

en s'accompagnant d'un instrument qui ressemblait à une guitare, et chantait d'ailleurs extraordinairement bien.

(Mr. Lessingham s'interrompit. Les souvenirs semblèrent déferler sur lui et une expression rêveuse envahit son regard).

Je m'en souviens comme si c'était hier. Comme tout cela est proche à mes yeux: la ruelle crasseuse, les odeurs nauséabondes qui s'élevaient dans la pénombre, cette voix féminine qui emplissait l'air. C'était la voix d'une jeune fille, pleine, douce et ronde, le type d'organe que l'on ne rencontre que rarement, surtout dans un tel endroit. Elle chantait une *chansonnette** qui était à ce moment-là sur les lèvres de toute l'Europe, un air tiré d'une opérette que l'on jouait sur les boulevards, *La P'tite Voyageuse**. L'effet qui en résultait était si inattendu que je restai immobile et l'écoutai chanter jusqu'à la fin.

Poussé par je ne sais quelle impulsion, je me dirigeai vers la fenêtre quand la chanson fut finie afin d'avoir un aperçu de la chanteuse. Je découvris ce qui semblait être un genre de café, un de ces endroits que l'on trouve partout sur le continent et dans lesquels on emploie des chanteuses pour attirer les clients. Une plate-forme était disposée à un bout de la pièce et trois femmes s'y trouvaient assises. L'une d'entre elles était de toute évidence la chanteuse, elle avait encore son instrument sur les genoux et en tirait des notes distraites. Les deux autres lui avaient servi de public. Elles étaient vêtues de cette tenue fantastique que l'on trouve sur les femmes dans ce genre d'endroit. Une vieille femme était assise dans un coin en train de tricoter, très certainement l'inévitable *patronne**. A part ces quatre personnes, l'endroit était vide.

Elles avaient dû m'entendre toucher la grille, ou la voir bouger, car j'avais à peine jeté un coup d'œil sur le spectacle que déjà trois regards étaient braqués sur moi. Seule la vieillarde semblait ne pas avoir conscience de ma présence. Nous nous regardâmes en silence pendant une seconde ou deux, puis la jeune fille à la harpe (l'instrument dont elle jouait rappelait davantage la harpe que la guitare) m'appela:

«*Entrez, Monsieur! Soyez le bienvenu*»*

J'étais un peu fatigué, et curieux de savoir où je me trouvais: l'endroit me parut, même après un examen sommaire, comme peu typique du quartier. Mais je n'aurais pas refusé d'entendre de nouveau cette chansonnette, ou une autre que m'offrirait la chanteuse.

«A condition», répondis-je, «que vous me chantiez une autre chanson.

– Ah, Monsieur, je vous en chanterai vingt autres avec grand plaisir».

Et elle tint parole. Elle me charma de ses chansons, et je puis vous affirmer que jamais depuis je n'ai entendu mélodies plus enchanteres-

---

* En français dans le texte (NDT).

ses. Tous les langages lui convenaient: elle pouvait chanter en français, en italien, en allemand, en anglais, et même dans des langues qui m'étaient peu familières. C'était dans ces harmonies orientales que son talent était le plus apparent. Elles étaient extraordinairement étranges et vous faisaient frissonner des pieds à la tête, mais elle les interprétait avec un entrain et une douceur stupéfiants. J'étais assis à une des petites tables qui meublaient la salle, et je l'écoutais, charmé.

Le temps s'écoula plus vite que je ne l'aurais cru. Tandis qu'elle chantait, je sirotai la liqueur que la vieille femme m'avait servie. J'étais si fasciné par les étonnants talents de cette jeune fille que je ne fis pas attention à ce que je buvais. Avec le recul, il me faut supposer que c'était là quelque poison concocté par la créature. Le seul petit verre que je bus eut sur moi l'effet le plus étrange. J'étais encore affaibli par la fièvre dont je venais juste de me relever et cela explique peut-être le résultat. J'étais conscient de sombrer peu à peu dans une léthargie contre laquelle il m'était impossible de lutter.

Après un certain temps, la jeune fille cessa de chanter et vint s'asseoir à ma table tandis que ses compagnes regagnaient leurs places. Je regardai ma montre et fus surpris de constater comme il était tard. Je me levai pour partir, mais elle me retint par le poignet.

«Ne partez pas», dit-elle. Elle parlait l'anglais avec un accent bizarre. «Tout va bien. Restez un peu».

Cela vous fera peut-être sourire, et cela me ferait également sourire si j'étais à votre place, mais j'eus l'impression que le contact de sa peau sur la mienne avait un effet magnétique. Quand ses doigts encerclèrent mon poignet, je me sentis aussi impuissant que si j'avait été prisonnier de barres d'acier. Ce qui semblait être une invitation était en réalité un ordre, et j'étais censé y obéir. Elle fit porter un autre verre, et je dus le boire, toujours sur son ordre. Je ne pense pas que je prononçai une autre parole par la suite. Elle seule parla, et captura mes yeux de son regard tandis qu'elle parlait. Ses yeux! Ils étaient diaboliques. J'affirme avec certitude qu'ils avaient sur moi une influence démoniaque: ils me dérobaient ma conscience, ma volonté, mon intelligence, ils faisaient de moi de la cire entre ses mains. Mon dernier souvenir de cette nuit fatale est sa silhouette penchée sur la table, sa main qui caressait mon poignet, ses yeux horribles qui me dévisageaient. Après cela, un rideau sembla tomber devant moi et il n'y eut plus que l'oubli.

(Mr. Lessingham s'interrompit. Il était pour l'instant calme et posé, mais je pouvais néanmoins discerner que le simple rappel de cet épisode le bouleversait jusqu'au tréfonds de son âme. Les traits tirés de son visage et son regard nerveux étaient suffisamment éloquents.

(Jusque-là, son histoire était assez banale. Des endroits tels que celui qu'il m'avait décrit son fort nombreux au Caire, et nombreux sont les Anglais qui y ont pénétré à leurs dépens. Avec cette intuition phé-

175

noménale qui l'avait tant servi dans les arènes de la politique, Mr. Lessingham perçut tout de suite la nature de mes pensées).

Vous avez déjà entendu cette histoire, sûrement? Et plus d'une fois. Innombrables sont les pièges tendus aux sots et aux naïfs. La singularité de mon expérience, vous allez la découvrir à présent. Pardonnez-moi si je semble hésiter en racontant cet épisode, mais je tiens à le présenter de la façon la plus honnête qui soit et en exagérant le moins possible, bien qu'il me soit difficile d'éviter une outrance çà et là. Mon cas est si unique, et si étranger à nos expériences de tous les jours, que le récit le plus plat que je pourrais en faire serait quand même sensationnel.

Comme vous vous en serez douté, je me trouvais quand je repris conscience dans un endroit qui m'était inconnu. J'étais étendu sur un amoncellement de couvertures, totalement nu, dans une pièce au plafond bas et meublée d'extravagante façon. La chanteuse était agenouillée à mes côtés. Elle se penchait vers moi et me couvrait de baisers. Je ne pourrais vous décrire l'horreur et la répulsion qui s'emparèrent de moi quand je sentis le contact de ses lèvres sur mon corps. Il y avait quelque chose de si inhumain et de si surnaturel dans cette créature que je crois bien que j'aurais pu la détruire avec aussi peu de scrupules que s'il s'était agi d'un insecte.

«Où suis-je»? m'exclamai-je.

«Vous êtes chez les enfants d'Isis«, répondit-elle. Je n'avais aucune idée de ce qu'elle voulait dire, et je n'en sais pas davantage aujourd'hui. «Vous êtes entre les mains de la grande déesse, de la mère des hommes.

– Comment suis-je arrivé, ici?

– Grâce à l'amour de la grande mère».

Je ne prétends pas vous restituer littéralement ses paroles, bien sûr, mais elles ressemblaient peu ou prou à cela.

Je me redressai sur mon coude, et regardai autour de moi avec étonnement.

La pièce où je me trouvais, bien que basse de plafond, était d'une étendue considérable; je n'avais aucune idée de sa localisation. Les murs et le toit étaient de pierre nue, comme si l'endroit avait été taillé à même le roc. Cela ressemblait à une sorte de temple, et était imprégné d'une extraordinaire odeur. Au centre se trouvait un autel formé d'un seul bloc de pierre, sur lequel brûlait une flamme bleutée dont les émanations étaient sans doute responsables de cette senteur trouble. Derrière, une gigantesque statue de bronze, représentant une femme assise. Bien qu'elle ne ressemblât à aucune des images que je connaissais, je compris par la suite qu'il s'agissait d'Isis. Un scarabée était posé sur le front de l'idole, et cette créature était de toute évidence vivante car je pouvais la voir clairement ouvrir et refermer ses ailes.

Si ce scarabée-là était le seul être vivant dans la pièce, celle-ci n'en était pas moins remplie de son image immobile. Elle était partout: gravée dans le toit de la salle, tissée en couleurs vives sur les tentures qui pendaient çà et là aux murs. Où qu'il se tournât, mon regard se posait sur un scarabée. L'effet était stupéfiant: on aurait cru se trouver au cœur d'un cauchemar et je me demandai si je n'étais pas en train de rêver, si je n'avait pas seulement l'illusion d'avoir repris conscience.

A présent, Mr. Champnell, je veux souligner que je ne suis nullement préparé à admettre que ce qui m'arriva par la suite fut bien du domaine de la réalité et non le produit d'une imagination enfiévrée. Si j'avais été sûr que ce que je vis par la suite était bien réel, j'aurais tout dit il y a bien longtemps, qu'elles qu'aient pu être les conséquences sur ma carrière. Mais voilà: ce qui m'arriva fut si incroyable, et je me trouvais dans un état si anormal (je n'étais plus moi-même, pour ainsi dire) que j'ai toujours hésité et que j'hésite encore aujourd'hui à affirmer avec certitude où finissait la fiction et où commençait la réalité.

Dans l'intention de me rendre compte de mon état, j'essayai de me soulever du tas de couvertures sur lequel j'étais étendu. La femme agenouillée à mes côtés posa alors doucement sa main sur ma poitrine, et cette douce pression n'aurait pas pu être plus efficace si elle avait pesé une tonne. Je m'effondrai en arrière et me retrouvai de nouveau couché, cherchant à reprendre mon souffle, me demandant si j'avais franchi la ligne qui sépare la raison de la folie.

«Laissez-moi me lever! Laissez-moi partir! suffoquai-je.
«Non, répondit-elle en murmurant. «Reste encore avec moi, ô mon bien-aimé».
Et elle m'embrassaa de nouveau.
(Mr. Lessingham fit une nouvelle pause et un frisson involontaire parcourut son corps. En dépit de l'effort qu'il faisait pour garder son contrôle, ses traits étaient déformés par l'angoisse. Il resta muet pendant quelques secondes, comme impuissant à trouver les mots pour finir son récit.
Quand il reprit, sa voix était dure et tendue.
Je suis absolument incapable de vous donner ne serait-ce qu'une idée de la répugnance que m'inspiraient ses baisers. Même vingt ans après, je n'y repense pas sans être envahi par une horreur à la fois physique, mentale et même morale. Le pire, c'est que j'étais impuissant à opposer la moindre résistance à ses caresses. Je restais immobile comme un tronc, et elle faisait de moi ce qu'elle voulait.
(Il sortit son mouchoir de sa poche et, bien qu'il ait fait frais ce jour-là, il essuya la transpiration sur son front).
Il m'est impossible de raconter plus en détail ce qui m'arriva durant mon séjour involontaire en cet endroit. Je n'ose m'y essayer, ce serait futile et de plus fort pénible. Tout me sembla se dérouler comme en un mirage, comme une suite de visions irréelles. Comme je vous l'ai

déjà dit, les choses qui se révélèrent à moi semblaient trop bizarres et trop hideuses pour être vraies.

Ce ne fut que plus tard, lorsque je fus en mesure de comparer les dates, que je réussis à déterminer quelle avait été la durée de mon empoisonnement: je restai durant deux mois dans cet antre horrible, deux mois indicibles. Ce ne fut qu'une allée et venue continuelle de silhouettes fantomatiques qui défilaient devant mes yeux. Il se tint ce que je jugeai être des services religieux, dans lesquels l'autel, la statue de bronze et le scarabée sur son front jouaient des rôles importants. Il s'agissait non seulement de rites qui me paraissaient mystérieux et incompréhensibles, mais il me semble avoir assisté également à des orgies innommables. J'ai vu se dérouler des scènes devant lesquelles l'esprit frémit et se rebelle.

Et en fait, mes souvenirs les plus atroces sont associés au culte de cette idole obscène à laquelle ces misérables avaient fait allégeance. Il est possible, je prie pour que ce n'ait été qu'un mirage, il est possible qu'ils lui aient offert des sacrifices humains.

(Je tendis l'oreille à ces paroles. Pour des raisons qui deviendront apparentes plus loin, je m'étais demandé si Mr. Lessingham viendrait à parler de sacrifices humains. Il remarqua ma réaction, mais se méprit sur sa cause).

Je vois que vous sursautez, et cela n'a rien d'étonnant. Mais, je le répète, à moins que je n'aie été victime d'hallucinations – et, en ce cas, tout cela n'aurait été qu'un rêve, et j'en remercierais le Seigneur! –, j'ai vu, et à plusieurs reprises, des êtres humains sacrifiés sur cet autel, selon toute évidence à la sinistre déité qui trônait derrière lui. Et, à moins que je ne me trompe, la victime du sacrifice était à chaque fois une femme, une femme à la peau aussi blanche que la vôtre, et qui subissait avant d'être brûlée vive tous les outrages conçus en enfer. Plus d'une fois j'ai entendu les hurlements de ces malheureuses résonner dans l'air, mélangés aux cris de joie de leurs tortionnaires et à la musique de leurs harpes.

Ce fut l'horreur d'une telle scène qui me donna le courage, la force ou la folie de briser mes liens et qui fit de moi, au moment même où j'étais de nouveau libre, un homme hanté.

Un sacrifice venait d'avoir lieu, à moins, comme je l'ai fait remarquer, qu'il ne se soit agi que d'un rêve. Une femme, une jeune et belle Anglaise, à ce que j'avais cru voir, avait été torturée et brûlée vive sous mes yeux de témoin impuissant. L'affaire était finie, les cendres de la victime avaient été dispersées par les participants, les adorateurs étaient partis. Je restai seul avec la chanteuse, qui était apparemment la gardienne de cet abattoir. Comme après chacune de ces orgies, elle ressemblait davantage à un démon qu'à un être humain, enivrée par une frénésie insensée, délirante de désir inhumain. Tandis qu'elle s'approchait de moi pour m'offrir ses répugnantes caresses, je pris soudain conscience d'une sensation que je n'avais jamais éprouvée auparavant en sa compagnie. On aurait dit que j'avais été libéré d'un poids qui m'avait oppressé, d'un lien qui m'avait entravé. Je ressentis une impression de liberté, je sus que le sang qui battait dans mes veines était le mien, et que mon honneur était intact.

Je ne peux que supposer avoir été la victime d'un charme hypnotique. Profitant de la faiblesse dans laquelle la fièvre m'avait laissé, la chanteuse avait usé de son pouvoir diabolique pour me maintenir dans un état de sujétion continue. A présent, pour une raison inconnue, le voile était levé. Peut-être son zèle religieux l'avait-elle distraite et avait-elle négligé de maintenir son emprise. Quoi qu'il en soit, quand elle s'approcha de moi, j'étais de nouveau un homme, et en pleine possession de mes moyens. Elle ne semblait pas en avoir conscience. Elle était de plus en plus proche de moi, et ne semblait pas s'être aperçue que la créature émasculée dont elle avait fait son esclave avait disparu.

Mais elle le sut dès qu'elle m'eut touché, dès qu'elle eut frôlé mes lèvres des siennes. A cet instant, toute la rage qui s'était accumulée en moi durant ces heures de tourment éclata. Je bondis sur elle et enserrai sa gorge de mes mains – elle vit alors que j'étais éveillé, et lutta pour affermir de nouveau son emprise sur moi. Ses yeux était fixés sur les miens, et je savais qu'elle mobilisait toutes ses forces pour me ravir de nouveau ma personnalité. Mais je luttai avec acharnement et réussis à triompher d'une certaine façon. Je serrai sa gorge dans l'étau de mes mains. Je savais que je ne me battais pas seulement pour ma vie, je savais que toutes les chances étaient en sa faveur, que mon combat était désespéré – mais je persistai.

La pression de mes mains se fit plus forte. Je ne me préoccupais pas de penser que j'allais la tuer, et soudain...

(Mr. Lessingham s'interrompit. Il regarda devant lui avec des yeux vitreux, comme si la scène se déroulait de nouveau dans son esprit. Sa voix trembla, et je crus qu'il allait s'effondrer, mais il continua).

Soudain, je la sentis glisser entre mes doigts. Sans la moindre transition, elle avait disparu et, là où elle s'était trouvée un instant auparavant, se tenait un scarabée gigantesque, une créature monstrueuse issue du cauchemar d'un dément.

La créature fut d'abord aussi grande que moi. Mais, alors que je la regardais, stupéfait, comme vous l'imaginez aisément, la chose se mit à rétrécir. Je ne m'attardai pas pour observer la suite du phénomène et je m'enfuis comme si tous les diables de l'enfer eussent été à mes trousses.

Chapitre XXXIV

Vingt ans après

Je ne pourrais vous dire comment je réussis à atteindre l'extérieur. Je me souviens confusément de couloirs sans fin, de voûtes de pierre, d'hommes qui essayaient d'arrêter ma fuite – tout le reste a disparu.

Quand je revins à moi, je me trouvais dans la maison d'un missionnaire américain nommé Clements. On m'avait trouvé à l'aube, nu comme un ver, dans une rue du Caire, et on m'avait cru mort. A en juger par mon état, j'avais dû errer des miles durant la nuit. D'où je venais, où j'allais, nul n'aurait pu le dire, et moi encore moins. Je restai entre la vie et la mort pendant plusieurs semaines. L'attention et les soins que me prodiguèrent Mr. et Mrs. Clements furent dignes d'éloges. J'étais un vagabond sans argent, un homme pitoyable, et ils me donnèrent tout ce qu'ils avaient à m'offrir sans rien demander en retour. Que personne ne vienne prétendre devant moi que la charité chrétienne n'existe pas. Je n'ai jamais pu payer la dette que j'avais envers cet homme et cette femme. Avant que je ne sois rétabli et en état de leur offrir mes remerciements, Mrs. Clements était morte, noyée dans le Nil lors d'une excursion, et son mari était parti pour une expédition en Afrique Centrale, dont il ne devait jamais revenir.

Bien que je fusse de nouveau en bonne forme physique, je me trouvai durant plusieurs mois dans un état de semi-imbécillité. Je souffrais d'une espèce d'aphasie: je pouvais rester muet pendant des journées entières, et j'étais incapable de me rappeler seulement mon nom. Quand ce stade fut passé, je commençai de nouveau à me mêler à mes semblables, mais je demeurai une épave durant plusieurs années. J'étais constamment en proie à ce que je ne peux appeler autrement que des visions, qui me tourmentaient jour et nuit mais que j'étais le seul à percevoir. Leur survenue me plongeait dans un état de terreur abjecte contre lequel j'étais incapable de lutter. Ces visions me torturaient à tel point que je confiai mon cas aux soins d'un médecin, mais il fut aussi impuissant que moi à déterminer leur cause, bien que je sois resté sous sa surveillance constante durant une période considérable.

Peu à peu, cependant, elles devinrent plus rares et plus espacées, et je crus un moment être devenu pareil aux autres. Ce fut peu après cela que je décidai de me consacrer à la politique. Et depuis, j'ai vécu, comme on dit, en homme public. Je n'ai eu aucune vie privée, quel que soit le sens que l'on donne à cette expression.

***

Mr. Lessingham se tut. Son récit n'était pas inintéressant et, pour ainsi dire, il était même assez curieux. Mais je ne voyais toujours pas en quoi il me concernait, ni quel était le motif de sa présence en mon bureau. Puisqu'il restait silencieux et que son histoire semblait achevée, je le lui dis.

«Mr. Lessingham, je présume que cela n'était qu'un prélude, car je ne vois pas jusqu'à présent en quoi mon intervention est nécessaire».

Il resta encore silencieux quelques secondes. Quand il reprit la parole, sa voix était grave et assombrie, comme si un poids pesait sur sa conscience.

«Malheureusement, comme vous le dites, tout cela n'a été qu'un prélude. Dans le cas contraire, je n'aurais eu nul besoin des services d'un détective privé, c'est-à-dire d'un homme d'expérience que la nature a doué de phénoménales facultés de perception, et en l'honneur duquel j'ai entière confiance».

Je souris. Le compliment était bien tourné.

«J'espère que vous ne me surestimez pas.

– Je ne le crois pas, car j'ai entendu parler de vous. Si jamais homme s'est trouvé dans une situation nécessitant des talents comme les vôtres, c'est bien moi».

Ses mots éveillèrent ma curiosité, et je sentis mon intérêt s'accroître.

«Je ferai de mon mieux pour vous être utile. On ne peut en demander plus. Mais attendez avant de juger ce dont mon mieux est capable.

– Je vais m'y employer tout de suite».

Il me regarda longuement. Puis, se penchant vers moi, il dit en baissant inconsciemment la voix:

«Le fait est, Mr. Champnell, que certains événements ont menacé de me remettre en présence de ce souvenir vieux de vingt ans. Je suis en danger de redevenir la misérable épave que j'étais quand j'ai fui cet antre démoniaque. C'est pour me protéger de ce sort que je suis venu à vous. Je veux que vous démêliez l'écheveau qui menace de me précipiter vers ma perte et que vous le rompiez définitivement, si Dieu le veut!

– Expliquez-vous».

Pour parler franchement, je le croyais fou. Il continua:

«Il y a trois semaines, alors que je retournais chez moi après une séance nocturne à la Chambre des Communes, je trouvai sur ma table une feuille de papier sur laquelle figurait l'image merveilleusement ressemblante de la créature en laquelle, à ce qu'il m'avait semblé, la chanteuse s'était métamorphosée quand j'avais serré sa gorge entre mes mains. La seule vue de cette image suscita une de ces hallucina-

181

tions dont je vous ai parlé, une de ces visions dont je croyais m'être débarrassé à jamais, et je me retrouvai en proie à une terreur sans nom, le corps et l'âme paralysés.

– Mais pourquoi?

– Je ne peux vous le dire. Je sais seulement que je n'ai jamais osé laisser mes pensées revenir vers cette scène, de peur que son souvenir me rende fou.

– Mais qu'avez-vous donc trouvé sur votre table? Un simple dessin?

– C'était une représentation, produite par je ne sais quel moyen, qui ressemblait à l'original de façon si merveilleuse et si diabolique que je crus un instant que la créature elle-même se trouvait sur ma table.

– Qui l'avait posée là?

– C'est précisément ce que je veux que vous découvriez. J'ai trouvé d'autres feuilles de papier, dans les mêmes circonstances, sur ma table de travail, et ce à trois reprises, et cela eut à chaque fois le même effet sur moi.

– Et à chaque fois, ce fut après une séance de nuit à la Chambre des Communes?

– Exactement.

– Et où sont ces, si j'ose dire, ces hiéroglyphes?

– Je ne peux pas non plus vous le dire.

– Comment cela?

– Chaque fois que je reprenais mes esprits, la feuille avait disparu.

– Disparu?

– Apparemment, bien que je ne puisse vous l'affirmer avec certitude. Comme vous devez vous en douter, mon bureau est sans cesse encombré de toutes sortes de papiers, et je ne peux certifier que la créature ne s'était pas trouvée sur l'un d'eux. Le hiéroglyphe lui-même, pour utiliser votre terminologie, avait disparu».

Je commençai à croire que cette affaire nécessitait l'intervention d'un médecin plutôt que celle d'un détective, et j'essayai de le lui faire comprendre.

«Ne croyez-vous pas, Mr. Lessingham, que vous êtes la victime du surmenage, que votre cerveau a fourni trop d'efforts ces derniers temps, et que vous avez été abusé par une illusion d'optique?

– C'est ce que j'ai cru tout d'abord, ce que j'ai presque espéré même. Mais attendez que j'aie fini. Vous verrez bien que cela ne peut être la seule explication».

Il s'interrompit un instant pour rassembler ses souvenirs. Il s'efforçait d'afficher une froideur étudiée, comme s'il avait voulu me convaincre de la véracité de chacune des syllabes qu'il prononçait.

«Avant-hier soir, quand je suis rentré chez moi, j'ai trouvé un inconnu dans mon bureau.

– Un inconnu?

– Oui, en d'autres mots un cambrioleur.

– Un cambrioleur? Je vois. Continuez».

Il resta muet un instant. Son comportement devenait de plus en plus étrange.

«Quand je pénétrai dans mon bureau, il était en train d'essayer de forcer mon secrétaire. Bien entendu, je m'avançai pour le maîtriser. Mais... cela me fut impossible.

– Impossible? Que voulez-vous dire?

– Ce que je dis. Comprenez-moi, il ne s'agissait pas d'un criminel ordinaire. Je ne pourrais vous dire de quelle nationalité il était, il ne prononça que deux mots, et ils étaient en anglais, mais à part cela il resta muet. Il n'était vêtu en tout et pour tout que d'une longue robe flottante, sous laquelle on voyait que ses membres étaient nus.

– Etrange tenue pour un monte-en-l'air.

– Dès que je le vis, je sus qu'il était lié à cette aventure de la rue de Rabagas. Ce qu'il dit par la suite le prouva.

– Que dit-il?

– Alors que je m'approchais de lui pour le capturer, il prononça deux mots qui me rappelèrent cette scène horrible dont le souvenir n'a jamais vraiment quitté mon esprit et à laquelle je n'ose penser. Ces deux mots suffirent à me faire entrer en convulsions.

– Quels étaient-ils?»

Mr. Lessingham ouvrit la bouche, et la referma aussitôt. Son expression se transforma brutalement, ses yeux devinrent vitreux comme ceux d'un somnambule et je craignis pendant un instant d'assister à la démonstration d'une de ces crises qui le prenaient quand il avait des «visions». Je me levai pour lui porter assistance, mais il me repoussa d'un geste.

«Merci. Ça va aller».

Sa voix était sèche et éraillée, fort éloignée de son ton habituel. Après un intervalle de temps assez long, il réussit à reprendre:

«Voyez, Mr. Champnell, quelle créature pitoyable je deviens dès que ce sujet est abordé. Je ne peux prononcer les mots que cria cet inconnu, je ne peux même pas les écrire. Pour quelque raison inexpliquée, ils ont sur moi un effet similaire à celui des charmes sur les victimes des sorcières dans les contes de fées.

– Je suppose, Mr. Lessingham, qu'il n'y a aucun doute sur la réalité de ce mystérieux inconnu, qu'il ne s'agissait pas d'une nouvelle illusion?

– Sûrement pas. Le témoignage de mes domestiques est là pour prouver le contraire.

– Vos serviteurs l'ont donc vu?

– Certains d'entre eux, oui. Puis il y a le secrétaire: l'individu l'a fracassé en deux. Quand j'en examinai le contenu, je m'aperçus qu'un paquet de lettres avait disparu. C'étaient des lettres que m'avait écrites Miss Lindon, une jeune dame que j'espère voir devenir ma femme. Cela également, je vous le dis en confidence.

– Quel usage pourrait-il donc en faire?

– Si le situation est aussi grave que je le crains, un très mauvais usage. Si ces misérables créatures cherchent à se venger après toutes ces années, elles seraient capables de s'acharner sur Miss Lindon après avoir découvert combien elle compte pour moi.

– Je vois. Comment le voleur s'est-il échappé? S'est-il évanoui dans l'air comme l'hiéroglyphe?

– Il a employé une méthode plus prosaïque qui consistait à briser une fenêtre et à descendre par la grille pour arriver jusqu'à la rue, et là il est tombé sur quelqu'un d'inattendu.

– Qui donc? Un policeman?

– Non, Mr. Atherton. Sydney Atherton.

– L'inventeur?

– Lui-même. Le connaissez-vous?

– Oui. Sydney Atherton est un ami de longue date. Mais Atherton a dû voir d'où il venait et, si cet inconnu était dans l'état que vous m'avez décrit, pourquoi ne l'a-t-il pas arrêté?

– Mr. Atherton devait avoir ses raisons. Il ne l'a pas arrêté, n'a même pas tenté de le faire. Il s'est contenté de venir frapper à ma porte pour venir m'informer qu'un homme venait de sauter du haut de ma fenêtre.

– Je sais bien qu'Atherton a parfois un comportement étrange, mais voilà qui est fort bizarre.

– En vérité, Mr. Champnell, je ne serais pas venu vous déranger s'il n'y avait pas eu Mr. Atherton. Le fait que vous le connaissiez me rend la tâche moins difficile».

Il rapprocha son siège du mien, plein d'une résolution qui semblait jusqu'ici lui avoir été étrangère. Pour une raison qui m'était inconnue, la mention du nom d'Atherton semblait l'avoir revigoré. Mais je n'allais pas rester dans les ténèbres bien longtemps. En quelques phrases, il me donna plus d'informations sur les vrais motifs de sa visite qu'il n'en avait offertes jusque-là. Son attitude avait également changé, et j'avais enfin devant moi le politicien alerte, vif et astucieux que le monde connaissait.

«Tout comme moi, Mr. Atherton est un des soupirants de Miss Lindon. Il a choisi de m'en vouloir parce que j'ai réussi là où il a échoué. Il semble qu'il ait de nouveau rencontré mon visiteur de l'autre nuit, ou bien une personne de sa connaissance, et qu'il ait décidé d'utiliser ce qu'il a appris pour me nuire. Je sors de chez Mr. Atherton et, d'après la conversation que j'aie eue avec lui, je suis persuadé qu'il a eu un entretien avec quelqu'un au fait de cet épisode de ma jeunesse. Cet inconnu lui a fait des prétendues révélations qui ne sont qu'une série de mensonges et que Mr. Atherton m'a menacé de porter à la connaissance de Miss Lindon. C'est une éventualité que je souhaite éviter. Pour ma part, je suis convaincu qu'il se trouve en ce moment à Londres un émissaire de cet antre de la rue de Rabagas, peut-être bien la chanteuse elle-même. Il est possible que le seul but de cet individu soit de me porter tort, je ne saurais l'affirmer avec certitude, toujours est-il qu'il en a après moi, c'est évident. Je pense que Mr. Atherton en sait plus sur cet émissaire qu'il n'a voulu en dire jusqu'à présent. Je veux donc que vous vous informiez sur ce point en mon nom, je veux que vous trouviez cette personne et que vous la fassiez paraître au grand jour. Bref, je veux que vous me protégiez de cette terreur qui menace de nouveau de m'anéantir, qui menace de détruire ma carrière, mon intelligence, ma vie même.

– Quelles raisons avez-vous de soupçonner Mr. Atherton d'avoir rencontré cet individu? Vous l'a-t-il affirmé?

– Pratiquement, oui.

– Je connais bien Atherton. Quand il est fort excité, il lui arrive d'employer un langage corsé, mais les choses ne vont jamais plus loin. Je le crois sincèrement incapable d'entretenir l'intention de nuire à quelqu'un, quelles que soient les circonstances. Quand j'irai le voir de votre part, et quand je lui aurai fait comprendre la gravité de la situation, je suis persuadé qu'il me dira spontanément tout ce qu'il sait de cet individu.

– Alors, allez le voir le plus tôt possible.

– Je m'y rends de ce pas. Je vous communiquerai les résultats de cette démarche le plus tôt possible».

Alors que je me levais, j'entendis un bruit de pas précipités dans l'entrée. La voix d'Andrews s'éleva, indignée, et une autre lui répondit. Puis la porte de mon bureau fut ouverte avec vigueur, et Sydney Atherton se précipita vers moi, «fort excité», comme j'avais dit un peu plus tôt.

Chapitre XXXV

Un messager

Atherton ne prêta aucune attention à mon visiteur mais, sans reprendre son souffle, il se mit aussitôt à crier, comme cela lui arrive parfois.

«Champnell! Dieu merci, vous êtes là! Venez avec moi! Tout de suite! Pas un mot, mettez votre chapeau et en avant! Je vous raconterai tout dans le cab».

J'essayai de lui faire remarquer la présence de Mr. Lessingham, mais sans succès.

«Mon cher ami...»

Il ne me laissa pas aller plus loin.

«Pas de cher ami! Pas de charabia! Et pas d'excuses non plus! Même si vous avez un rendez-vous avec la Reine, il faudra l'annuler. Où est votre chapeau? Ou allez-vous sortir sans lui? Est-ce que vous comprenez que chaque seconde perdue peut signifier la différence entre la vie et la mort? Devrai-je vous traîner jusqu'au cab par les cheveux?

– Je ne voudrais pas que vous soyez contraint d'en arriver là, et j'ai bien l'intention de vous suivre. Je voulais seulement vous faire remarquer que je n'étais pas seul. Voici Mr. Lessingham».

Dans son état d'excitation, Atherton ne s'était absolument pas aperçu de sa précence. Maintenant que j'avais attiré son attention sur mon client, il se tourna vers lui et le regarda de façon peu flatteuse.

«Oh! C'est vous? Que diable faites-vous ici?»

Avant que Lessingham ait pu répondre à cette question peu courtoise, Atherton se rua vers lui et agrippa son bras.

«Est-ce que vous l'avez vue?»

Lessingham, naturellement déconcerté par sa conduite, le dévisagea d'un air stupéfait.

«Est-ce que j'ai vu qui?

– Marjorie Lindon!

– Marjorie Lindon?»

Lessingham resta silencieux, s'interrogeant de toute évidence sur la signification de cette question.

«Je n'ai pas vu Miss Lindon depuis hier soir. Pourquoi me demandez-vous cela?

– Que le Ciel nous vienne en aide! Je suis sûr à présent qu'il, ou elle, la tient en son pouvoir!»

Ses paroles étaient suffisamment incompréhensibles pour nécessiter une explication, et c'est ce que pensait également Mr. Lessingham.

«Enfin, que voulez-vous dire?

– Ce que je veux dire, c'est que je crois bien que votre ami oriental, à moins que ce soit une amie, Dieu seul sait quel peut bien être le sexe de cette créature, l'a capturée.

– Atherton, expliquez-vous!»

Soudain, la voix de Lessingham prit des accents pleins de colère.

«Si jamais il venait à lui arriver malheur, je couperais ma gorge – et la vôtre!»

Mr. Lessingham eut alors un geste qui me surprit, et qui surprit

Atherton encore davantage. Il se précipita sur Sydney et le saisit à la gorge.

«Espèce de... espèce de chien! De quel acte monstrueux vous êtes-vous rendu coupable? Si on a touché à un seul cheveu de sa tête, vous me le paierez dix mille fois. Espèce d'imbécile jaloux, de crétin intrigant!»

Il secoua Sydney comme un paquet de son, puis le jeta sur le sol. Je croyais avoir devant moi Othello en train de châtier Iago. Jamais je n'avais vu un homme autant métamorphosé par la rage. Lessingham semblait littéralement transfiguré, on aurait dit une représentation matérielle de l'esprit de vengeance.

Sydney fut plus surpris que vraiment blessé. Il resta immobile un instant, puis leva les yeux vers son agresseur. Enfin, il se releva et se secoua comme pour vérifier qu'il était encore entier. Il se passa les mains sur la nuque et sourit.

«By God. Lessingham, vous êtes plus viril que je ne l'aurais cru. Quelle force dans vos mains! Vous m'avez presque brisé le cou. Quand cette affaire sera réglée, j'aimerais vous affronter sur le ring. Vous avez manqué votre vocation en faisant de la politique. Damn it, mon ami, donnez-moi votre main!»

Mr. Lessingham ne fit aucun geste pour lui tendre sa main, et il s'en empara pour la secouer avec vigueur.

«Soyez assez aimable, Mr. Atherton, de ne pas nous faire perdre notre temps. Si ce que vous dites est exact, et si la créature dont vous parlez tient Miss Lindon à sa merci, alors la femme que j'aime, et que vous prétendez aimer aussi, est en danger de connaître un sort pire que la mort la plus horrible.

– Vous avez raison!» Atherton se tourna vers moi. «Alors, Champnell, vous avez trouvé votre chapeau? Ne restez pas planté là comme un mannequin, remuez-vous! Je vous raconterai tout dans le cab, et à vous aussi, Lessingham, si vous venez avec nous».

CHAPITRE XXXVI

La teneur du message

Il n'est guère confortable de se tenir à trois dans un petit cab, encore moins lorsqu'une des trois personnes est Sydney Atherton en état d'excitation avancée, comme Mr. Lessingham et moi en fîmes l'expérience. Il était tantôt assis sur mes genoux, tantôt sur ceux de Lessingham, et parfois même debout, au risque de se retrouver sur le dos du cheval. Il fit choir mon chapeau à force de gesticulations, puis celui de Lessingham, puis tous les trois ensemble, allant jusqu'à bondir sur la chaussée pour récupérer le sien, sans se soucier de prévenir le cocher au préalable. Quand il se tournait vers Lessingham, il m'enfonçait son coude dans l'œil, et vice-versa. Il n'avait pas un instant de repos, ni nous un instant de tranquillité. Le plus merveilleux dans l'affaire est que sa conduite n'attira l'attention de personne et qu'aucun policeman ne vint nous interpeller pour interrompre notre course. Si la rapidité n'avait pas été primordiale, j'aurais insisté pour que nous trouvions une véhicule plus spacieux.

Les explications qu'il donna sur les causes de son agitation étaient apparemment plus compréhensibles pour Lessingham que pour moi. Je dus en assembler les éléments dans des conditions difficiles, et ce ne fut que peu à peu que je parvins à me faire une idée de ce qui s'était passé.

Il commença par s'adresser à Lessingham (et par me fourrer le coude dans l'œil):

«Est-ce que Marjorie vous a parlé du type qu'elle a trouvé dans la rue?» Son bras se leva pour ouvrir la trappe du toit du cab, et mon chapeau s'envola. «Allons, William Henry, au galop! Si vous tuez votre cheval, je vous en paierai un autre!»

Nous allions déjà plus vite que cela n'était autorisé, mais cela semblait lui être indifférent. Lessingham répondit à sa question par la négative.

«Vous savez bien, le type que j'ai vu sortir par votre fenêtre?

– Oui, et alors?

– Eh bien, Marjorie l'a trouvé le lendemain matin devant sa fenêtre, en plein milieu de la rue. Il semble qu'il se soit promené ainsi durant toute la nuit, à demi-nu dans la pluie, le vent et tout le reste, dans un état de transe hypnotique.

– Quel est ce… gentleman auquel vous faites allusion?

– Il dit se nommer Holt, Robert Holt.

– Holt? Il est anglais?

– Tout à fait, un gratte-papier sans travail, complètement fauché! Il s'est fait chasser de l'asile, défense d'entrer, la cour est pleine, pauvre diable! Voyez à quoi vous amenez les gens, vous autres politiciens!

– En êtes-vous sûr?

– De quoi?

– Etes-vous sûr que cet homme, ce Robert Holt, est le même individu que celui que vous avez vu sortir de ma fenêtre, comme vous dites?

– Sûr? Bien sûr que j'en suis sûr! Vous croyez que je ne l'aurais pas reconnu? De plus, il nous a raconté son histoire et a admis la chose, en plus de tout le reste, qui nous a fait courir à Fulham.

– Mr. Atherton, rappelez-vous que j'ignore tout de ce qui est arrivé. Quel rapport y a-t-il entre ce Robert Holt et notre démarche présente?

– Je vais y venir. Si vous me laissiez dire ce que j'ai à dire sans m'interrompre tout le temps, j'y serais déjà arrivé. Comment diable croyez-vous que Champnell va y comprendre quelque chose? Marjorie a hébergé ce misérable chez elle, il lui a raconté son histoire, et elle m'a fait venir: son valet m'a trouvé alors que je sortais de chez Dora Grayling qui m'avait invité à dîner. Holt a répété son récit, j'ai flairé quelque chose de louche, j'ai vu qu'il y avait sûrement un rapport entre la canaille qui m'avait joué des tours et la créature de Fulham, et...

– Quelle créature de Fulham?

– L'ami de Holt, je vais y venir, arrêtez de m'interrompre tout le temps! Quand Holt eut passé par la fenêtre (ce qui me semble avoir été raisonnable: si j'avais été à sa place, je serais passé par quarante fenêtres!), ce charmeur basané lui a mis la main au collet, l'a nourri et l'a envoyé commettre un cambriolage. J'ai dit à Holt: «Montrez-nous donc ce charmant pavillon, jeune homme». Holt était d'accord, puis Marjorie est intervenue et a prétendu venir avec nous. Je lui ai dit: «Vous le regretterez», et ça a suffi pour la persuader de nous suivre! Je n'ai jamais su convaincre une femme. Et nous voilà partis, Marjorie, Holt et moi, dans un cab; nous avons repéré le pavillon, nous sommes passés par la fenêtre de la cuisine, et la maison paraissait vide. Puis Holt a été hypnotisé sous mes yeux, le cas le plus extraordinaire d'hypnose par suggestion que j'aie jamais vu, et il est parti se promener. Comme un imbécile, je me suis lancé à sa poursuite, laissant Marjorie sur place...

– Seule?

– Seule! Laissez-moi finir. Lessingham, comment peut-on vous trouver malin à la Chambre des Communes? Je lui ait dit: «J'enverrai la première personne sur laquelle je tomberai pour vous tenir compagnie». Et, bien entendu, la malchance a voulu que je ne trouve personne, seulement quelques gosses et un boulanger qui ne voulait pas quitter sa charrette. J'ai marché deux miles avant de tomber sur un crétin de bobby qui m'a cru fou, ou ivre, ou les deux. Quand j'eus réussi à éviter de me faire coffrer pour insulte à un policeman dans l'exercice de ses fonctions, Holt avait disparu et je n'étais pas parvenu à faire bouger cet imbécile d'un pouce. Aussi, puisque tous mes plans étaient tombés à l'eau, il ne me restait plus qu'à retourner auprès de Marjorie. Je me précipitai vers la maison et la trouvai vide: Marjorie avait disparu.

– Mais je ne comprends pas...»

Atherton ne lui laissa pas le temps de conclure sa phrase.

«Bien sûr que vous ne comprenez pas, et vous n'allez rien comprendre si vous persistez à m'interrompre. J'ai parcouru le pavillon de haut

189

en bas, j'ai gueulé à pleins poumons, rien. Mais quand j'ai descendu l'escalier pour la cinquante-cinquième fois, j'ai marché sur quelque chose de dur, que j'ai ramassé. C'était une bague: cette bague. Elle est un peu déformée, je ne suis pas spécialement léger, surtout quand je dévale un escalier quatre à quatre, mais voilà ce qui en reste».

Sydney tenait quelque chose dans sa main. Mr. Lessingham se pencha vers lui, puis fit un geste pour saisir l'objet.

«C'est à moi!»

Sydney le mit hors de sa portée.

«Que voulez-vous dire, c'est à vous?

— C'est l'anneau que j'ai offert à Marjorie pour nos fiançailles. Donnez-le moi, espèce de chien! si vous ne voulez pas que je vous jette hors de ce cab!»

Sans se soucier de l'étroitesse de la voiture, non plus que de mon confort personnel, Lessingham le poussa vigoureusement sur le côté puis, saisissant son poignet, lui arracha le bijou des mains. Sydney s'avoua vaincu juste à temps et faillit être précipité au-dehors. Privé de son trésor, il contempla son adversaire avec quelque chose qui ressemblait à de l'admiration.

«Que je sois pendu, Lessingham, mais c'est du sang rouge qui coule dans vos veines glacées! Ah oui, vraiment, j'aimerais vous affronter sur le ring, et à poings nus, comme il sied à des gentlemen».

Lessingham ne sembla lui prêter aucune attention. Il examinait avec angoisse la bague que le pied de Sydney avait tordue.

«La bague de Marjorie! L'anneau que je lui ai offert! Il a dû lui arriver quelque chose de grave pour qu'elle l'ait laissé choir ainsi sans le ramasser».

Atherton reprit:

«C'est ça! Qu'est-ce qui a bien pu lui arriver? Que je sois damné si j'en sais quelque chose! Quand je me fus assuré qu'elle n'était pas dans la maison, je suis parti la chercher ailleurs. Je suis allé voir le vieux Lindon: il ne savait rien. Je l'ai trouvé en plein milieu de Pall Mall et, quand je l'ai quitté, il me regardait comme si j'étais possédé du démon et son chapeau gisait dans le caniveau. Je suis allé chez moi: elle n'y était pas. Demandé à Dora Grayling: elle ne l'avait pas vue. Personne ne l'avait vue, elle s'était évanouie dans la nature. Puis je me suis dit: «Tu es un fichu imbécile! Tandis que tu cours partout à sa recherche, elle est sûrement retournée dans la maison de l'ami de Holt. Elle a dû s'en éloigner un instant et c'est pour ça que tu ne l'y as pas trouvée, et à présent elle a dû y retourner et doit se demander où tu es passé»! Aussi ai-je décidé de retourner là-bas, car la seule idée de la savoir plantée sur le seuil à attendre mon retour pendant que je m'épuisais à la chercher partout titillait ce que j'appelle mon sens de l'humour. Et, en chemin, j'ai pensé qu'il serait sage de faire venir Champnell car, s'il y a une personne capable de trouver une aiguille

190

dans un bataillon de bottes de foin, c'est bien le grand Augustus! Ce cheval sait trotter, après tout, car nous y voilà. Cocher, n'allez pas plus loin, ou alors il vous faudra faire le tour de la terre pour revenir à ce point, car c'est ici que vous serez payé, et pas ailleurs. Voici la maison du magicien!»

Chapitre XXXVII

Ce qui était caché sous le plancher

Le cab s'arrêta devant une «villa» miteuse située au milieu d'un quartier minable et inachevé, monument vivant à l'échec des promoteurs immobiliers.

Atherton bondit sur le talus envahi par les herbes qui passait pour un trottoir.

«Je ne vois pas de Marjorie sur le seuil».

Je ne la voyais pas davantage: je ne voyais qu'une abomination de brique apparemment inoccupée. Soudain, Sydney s'écria: «Hé! La porte d'entrée est fermée»!

J'étais sur ses talons.

«Que voulez-vous dire?

– Eh bien, quand je suis parti, je l'ai laissée ouverte. On dirait bien que je me suis rendu ridicule, après tout, et que Marjorie est revenue. Prions pour que tel soit le cas».

Il frappa à la porte. Tandis qu'il attendait une réponse, je lui demandai:

«Pourquoi avez-vous laissé la porte ouverte en partant?

– Je n'en sais rien. J'imagine que c'était pour que Marjorie puisse rentrer si elle revenait pendant mon absence, mais en fait, j'étais dans un tel état de confusion que je ne suis pas prêt à en jurer.

– Je suppose qu'il ne fait aucun doute que vous l'avez laissée ouverte?

– Absolument aucun. J'en jurerais sur ma vie.

– Etait-elle ouverte quand vous êtes revenu après avoir perdu Holt?

– Grande ouverte: je suis rentré droit dans la maison, m'attendant à trouver Marjorie dans le salon. Imaginez ma surprise quand j'ai découvert qu'elle n'était pas là!

– Y avait-il des traces de lutte?

– Aucune, il n'y avait aucune trace de rien! Tout était dans l'état où je l'avais laissé en quittant les lieux, mis à part l'anneau que j'ai trouvé et que Lessingham tient à présent dans sa main.

– Si Miss Lindon est revenue, il ne semble pas qu'elle soit dans la maison».

En effet, à moins que ce silence pesant ne soit chargé de signification. Atherton avait frappé trois fois à la porte, haut et fort, sans réussir à susciter la moindre réaction à l'intérieur.

«Il me semble qu'il va nous falloir de nouveau pénétrer par cette fenêtre si hospitalière».

Atherton nous conduisit derrière la maison. Il n'y avait aucune trace de cour ni de jardin, même pas de barrière pour délimiter et isoler la maison du terrain vague qui l'entourait. La fenêtre de la cuisine était ouverte, et je demandai à Sydney s'il l'avait laissée ainsi.

«Je n'en sais rien. Je crois que oui. Je ne pense pas que nous ayons pensé à la refermer derrière nous par politesse».

Tout en parlant, il s'était faufilé à travers l'ouverture. Nous le suivîmes. Une fois à l'intérieur, il se mit à crier à pleins poumons:

«Marjorie! Marjorie! Répondez-moi, Marjorie, c'est moi, Sydney!»

Les mots résonnèrent à travers la maison, et seul le silence leur répondit. Il nous conduisit vers la pièce du devant et s'immobilisa brusquement sur son seuil.

«Ho!» cria-t-il. «Le store est baissé!» Quand nous étions dehors, j'avais remarqué que le store de la fenêtre était effectivement baissé. «Il était levé quand je suis parti, j'en jurerais. Quelqu'un est venu ici, c'est évident. Espérons que c'était Marjorie».

Il n'avait fait qu'un pas dans la pièce quand il s'immobilisa de nouveau pour s'écrier:

«By Jove! Les déménageurs sont venus! L'endroit est vide, tout a disparu!

– Que voulez-vous dire? Est-ce que la pièce était meublée quand vous l'avez vue?»

Elle était assurément vide à présent.

«Meublée? Je n'irais pas jusqu'à employer ce terme: la personne qui vivait ici avait de drôles de goûts en matière d'ameublement, mais il y avait un tapis, un lit et... et toutes sortes de choses, d'origine orientale pour la plupart. Tout ça semble être parti en fumée, ce qui arrive peut-être souvent aux curiosités orientales, bien que cela me semble bizarre».

Atherton regardait tout autour de lui comme s'il avait de la peine à en croire ses yeux.

«Combien de temps s'est-il écoulé depuis que vous avez quitté cet endroit?»

Il regarda sa montre.

«Un peu plus d'une heure, peut-être même une heure et demie. Je ne pourrais vous dire à quel moment précis je suis parti d'ici, mais c'est à peu près ça.

– Avez-vous remarqué les signes d'un départ imminent?

– Pas le moindre». Il se dirigea vers la fenêtre et leva le store, tout en continuant: «Ce qu'il y a de bizarre dans cette histoire, c'est que ce store refusait de se lever quand nous sommes arrivés ici et que j'ai dû arracher l'ensemble pour avoir de la lumière, et voilà qu'il fonctionne maintenant à la perfection».

En regardant par-dessus l'épaule de Sydney, je vis que le cocher nous faisait des signes de la main. Sydney l'aperçut lui aussi et tira le châssis.

«Que se passe-t-il?

– Excusez-moi, Sir, mais qui est le vieil homme?

– Quel vieil homme?

– Eh bien, celui qui regarde par la fenêtre de l'étage».

Le cocher avait à peine fini de prononcer sa phrase que Sydney s'était déjà précipité en direction de l'escalier. Je le suivis à une allure plus modérée: je le trouvais bien vif à mon goût. Quand j'atteignis le palier, il sortit de la pièce de devant pour bondir vers celle de derrière. Il en revint en criant:

«Qu'est-ce que c'est que ces stupidités! Où a-t-il vu un vieil homme? Attends que je t'attrape! Il n'y a pas un chat ici!»

Il revint dans la pièce du devant, et je l'y suivis. Elle était assurément vide, et ce sans doute depuis longtemps. Il y avait une épaisse couche de poussière sur le sol, et une odeur humide de moisi comme on en trouve dans les appartements longtemps laissés vacants imprégnait l'atmosphère.

«Atherton, êtes-vous sûr qu'il n'y avait personne dans la pièce de derrière?

– Bien sûr que j'en suis sûr! Allez donc voir par vous-même si vous ne me croyez pas! Me prenez-vous pour un aveugle? Bon Dieu!» Il tira le châssis et héla le cocher: «Qu'est-ce que vous voulez dire avec votre histoire de vieil homme à la fenêtre? Quelle fenêtre?

– Mais celle-ci, Sir.

– Tu parles! Vous avez rêvé, mon ami! Il n'y a personne ici.

– Je vous demande pardon, Sir, mais il y avait quelqu'un il n'y a pas une minute de cela.

– C'était votre imagination, cocher, ou un reflet dans le verre, ou alors votre vue qui est basse.

– Excusez-moi, Sir, mais ce n'était pas mon imagination et ma vue est aussi bonne que celle de n'importe quel Anglais, et quant à un reflet dans le verre, eh bien il n'y a pas tellement de verre où un reflet pourrait se nicher. Je l'ai vu me regarder à travers ce carreau brisé, à votre gauche, je l'ai vu comme je vous vois. Il doit être encore là, il n'a pas pu partir, il doit être de l'autre côté. Est-ce qu'il n'aurait pas pu se cacher dans un placard?»

Le cocher avait l'air si sûr de son fait que j'allai me rendre compte par moi-même. Il y avait bien un placard sur le palier, mais sa porte était ouverte et il était de toute évidence vide. La pièce de derrière était minuscule et sombre en dépit du carreau brisé qui laissait passer le jour. Des bouts de verre tenaient compagnie à la poussière sur le plancher, ainsi qu'un assortiment de pierres, de briques et d'autres projectiles qui devaient être responsables de l'état de la fenêtre. Il y avait un placard dans un coin, mais il se révéla être aussi vide que l'autre. Sur un côté, une porte que Sydney avait laissée ouverte dissimulait un autre placard, également vide. Je levai les yeux: aucune trappe pour accéder au toit. Il n'y avait pas le moindre recoin dans lequel un être vivant aurait pu se dissimuler.

Je retournai auprès de Sydney pour en aviser le cocher.

«Il n'y a aucune cachette dans les deux pièces, vous avez dû vous tromper, cocher».

L'homme se renfrogna.

«Coment donc? Comment aurais-je pu voir quelqu'un s'il n'y avait personne à voir?

– Les yeux vous jouent parfois des tours: comment avez-vous pu voir quelque chose alors qu'il n'y avait rien?

– Je voudrais bien le savoir. Quand nous sommes arrivés, avant que vous ne m'ayez dit de m'arrêter, je l'avais vu à la fenêtre – celle où vous êtes maintenant. Il avait le nez collé à la vitre et nous regardait de tous ses yeux. Quand j'ai stoppé, il a disparu: je l'ai vu se lever et aller au fond de la pièce. Quand le gentleman s'est mis à frapper, il est revenu au même endroit et il s'est mis à genoux. Je ne savais pas ce que vous aviez l'intention de faire (hé! pour ce que j'en sais, vous êtes peut-être des huissiers...) et j'ai supposé qu'il était moins pressé de vous ouvrir que vous ne l'étiez d'entrer, et que c'était pour ça qu'il faisait semblant de ne pas vous entendre, tout en continuant de vous observer. Quand vous avez fait le tour de la maison, il s'est relevé, et j'ai cru qu'il allait à votre rencontre pour vous expliquer sa façon de penser, et on verrait bien ce qui arriverait. Mais quand vous avez levé le store, en bas, il est encore revenu. Il a passé le nez à travers le carreau cassé et a agité la tête dans ma direction comme un vieux polichinelle. Cela ne m'a pas semblé très poli: après tout, je ne lui avais fait aucun mal. Aussi j'ai décidé de vous faire savoir qu'il était là. Mais si vous voulez me faire croire le contraire, c'est le comble. S'il n'était pas là, alors je n'y suis pas non plus, ni mon cheval ni ma voiture et, damn it! ni la maison non plus!»

Il se rassit sur son siège avec l'air le plus offensé du monde. Cet homme était sincère, cela ne faisait aucun doute. Comme il le disait lui-même: quel intérêt aurait-il eu à nous raconter des mensonges? Il était persuadé d'avoir vu quelque chose, cela était clair. Mais, d'un autre côté, où donc ce «vieil homme» aurait-il pu disparaître en l'espace de quelques secondes?

Atherton posa une question:

«A quoi ressemblait-il, votre vieil homme?

– Eh bien, je ne saurais pas dire. Je n'ai pas bien vu son visage, seulement ses yeux, et ce n'était pas beau à voir. Il avait quelque chose de posé sur la tête, comme s'il n'avait pas voulu qu'on le voie clairement.

– Quel genre de chose?

– Eh bien, un genre de cape, comme les Arabes en portent, comme ceux qu'on a vus à l'exposition, à Earl's Court, enfin, vous voyez!»

Cette information semble intéresser mes compagnons bien plus que moi-même.

«Un burnous, voulez-vous dire?

– Hé, comment que je saurais comment ça s'appelle? Je ne parle pas l'étranger, moi! Tout ce que je sais, c'est que ces Arabes que l'on voyait partout à Earl's Court portaient tous des trucs comme ça: ils les portaient parfois sur leur tête, parfois non. En fait, si vous me l'aviez demandé au lieu d'essayer de me faire croire que je n'avais rien vu, je vous aurais dit que ce vieil homme dont je vous parle était sûrement un Arabe: quand il s'est relevé pour s'éloigner de la fenêtre, j'ai bien vu qu'il avait cette cape, ce qu'il y avait sur sa tête, enveloppé autour de lui».

Mr. Lessingham se tourna vers moi, tremblant d'excitation.

«Je crois bien qu'il dit vrai!

– Dans ce cas, où ce mystérieux gentleman a-t-il pu disparaître, pouvez-vous me l'expliquer? Il est étrange que le cocher ait été le seul à le voir ou à l'entendre.

– On nous a joué un tour, je le sais, j'en suis sûr! C'est mon instinct qui me le dit!»

Je je regardai sans rien dire. On s'attend peu à entendre un homme comme Paul Lessingham invoquer son instinct. Atherton le dévisagea également, avant d'exploser soudainement:

«By Jove! Je crois bien que l'Apôtre a raison, tout cet endroit sent le tour de passe-passe, j'ai reniflé l'odeur dès que je suis entré. Champnell, nous autres Occidentaux n'avons que des rudiments en matière de prestidigitation, nous avons tout à apprendre, les Orientaux nous laissent loin derrière. S'il nous plaît de considérer leur civilisation comme éteinte, leur magie, quand on la connaît, est bien vivante!»

Il se dirigea vers la porte. En chemin, il glissa et faillit tomber sur le sol.

«J'ai trébuché sur quelque chose, qu'est-ce que c'est?» Il tapa du pied sur le plancher. «Il y a une latte de défaite. Venez donc me donner un coup de main, vous autres. Qui sait quels mystères nous attendent là-dessous?»

J'allai à son aide. Comme il l'avait dit, une latte du plancher était défaite. Nous réussîmes à la déloger tandis que Lessingham nous regardait faire. Après l'avoir posée sur le côté, nous examinâmes la cavité qu'elle dissimulait.

Quelque chose y était caché.

«Hé»! s'écria Atherton. «Ce sont des vêtements de femme!»

Chapitre XXXVIII

Le reste de la trouvaille

C'étaient des vêtements de femme, sans aucun doute, jetés en pagaille comme si celui qui les avait cachés là avait été pressé. Il y avait là tout un assortiment: souliers, bas, linge de corps, corset, etc, même un chapeau, des gants et des épingles à cheveux, ces dernières mélangées au reste un peu n'importe comment. Il semblait évident que la propriétaire de ces vêtements avait été entièrement déshabillée.

Lessingham et Sydney me regardèrent en silence pendant que je sortais les vêtements du trou pour les étaler sur le sol. La robe était tout au fond; c'était une robe d'alpaga, d'une délicate nuance de bleu, ornée de rubans de dentelle comme le voulait le goût du jour, et rehaussée de parements de soie verte. Cela avait sans doute été un «ensemble charmant», et il n'y avait pas si longtemps de cela, mais elle était à présent toute froissée, déchirée et souillée. Les deux spectateurs firent un seul bond quand je la produisis.

«Mon Dieu!» s'écria Sydney. «C'est la robe de Marjorie! Elle la portait quand nous étions ici!

– C'est la robe de Marjorie!» répéta Lessingham. Il s'empara de la robe détruite pour la tordre dans ses mains, la regardant fixement avec des yeux de condamné à mort. «Elle la portait encore quand je l'ai vue hier. Je lui ai dit comme elle lui allait bien, et comme elle était belle dedans!»

Le silence s'abattit. Cette trouvaille était suffisamment éloquente pour qu'il n'y ait rien à rajouter. Les deux hommes gardaient les yeux fixés sur ce tas de froufrous, et on aurait dit qu'ils n'avaient jamais rien vu d'aussi merveilleux. Lessingham fut le premier à reprendre la parole. Son visage était pâle et hagard.

«Que lui est-il arrivé?»

Je répondis à cette question par une autre:

«Etes-vous sûr que ce sont là les vêtements de Miss Lindon?

« – J'en suis certain, et si vous avez besoin d'une preuve, la voilà».

Il avait trouvé une poche et en examinait le contenu. Il y avait un porte-monnaie qui contenait un peu d'argent et des cartes de visite à son nom, un trousseau de clés auquel était attachée une plaque, un mouchoir avec ses initiales brodées. L'identité de la propriétaire de ces effets était établie sans l'ombre d'un doute.

«Regardez», dit Lessingham en me montrant le porte-monnaie, «ce n'est sûrement pas une tentative de vol. Voilà deux billets de dix livres sterling, un de cinq, et des pièces d'or et d'argent, plus de trente livres sterling en tout».

Atherton, qui avait continué de fouiller entre les planches, s'exclama devant une nouvelle découverte.

«Voilà ses bagues, sa montre et un bracelet. Non, le vol n'était sûrement pas le mobile de cet acte».

Lessingham le toisait, furibond.

«C'est vous qu'il faut remercier pour cela!»

Sydney baissa la tête, contrit.

«Vous êtes dur avec moi, Lessingham, bien plus que je ne le mérite. J'aurais préféré renoncer à la vie plutôt que de la voir souffrir pareille mésaventure.

– Paroles en l'air! Si vous vous étiez mêlé de vos affaires, rien de tout cela ne serait arrivé. Les imbéciles causent plus d'ennuis que les gens mal intentionnés. S'il est arrivé malheur à Marjorie, vous en rendrez compte avec votre sang.

– Qu'il en soit ainsi», répondit Sydney. «J'en serai content. Si Marjorie a souffert, Dieu sait que la mort sera douce pour moi».

Pendant qu'ils dialoguaient ainsi, je continuai mes recherches. Je vis briller quelque chose sur le côté, sous une latte intacte. En tendant le bras, je réussis à l'atteindre: c'était une longue mèche de cheveux féminins. Elle avait été coupée à la racine, presque arrachée même, si bien que le cuir avait été déchiré et que les cheveux étaient couverts de sang.

Ils étaient si occupés à se quereller qu'ils ne me prêtaient aucune attention. Je dus les appeler pour leur montrer ma découverte.

«Gentlemen, j'ai peur d'avoir trouvé quelque chose qui va vous être désagréable. Est-ce que ce sont les cheveux de Miss Lindon?»

Ils les reconnurent instantanément. Lessingham me les arracha des mains et les pressa contre ses lèvres.

«C'est à moi! Il me restera au moins quelque chose». Il parlait sur un ton désespéré qui me surprit. Il tint la mèche soyeuse à bout de bras. «Tout porte à croire qu'il s'agit d'un meurtre, un meurtre cruel et sans raison. Aussi longtemps que je vivrai, je consacrerai tout, mon temps, mon argent, ma réputation, à me venger du misérable qui a perpétré cette félonie!»

Atherton renchérit:

«Amen!» Il leva la main: «Que Dieu m'en soit témoin, je serai à vos côtés!

— Gentlemen, il me semble que nous allons un peu vite en besogne: à mon avis, cette découverte signifie tout le contraire d'un meurtre. En fait, je dois vous avouer que j'ai une théorie qui va dans un tout autre sens».

Lessingham m'attrapa par la manche.

«Exposez-nous votre théorie, Mr. Champnell.

— Plus tard. Bien sûr, je peux me tromper, bien que je ne croie pas que ce soit le cas. Je vous expliquerai mon raisonnement en temps voulu. Pour l'instant, nous avons autre chose à faire.

— Je propose que nous fouillions cette maison de fond en comble!» cria Sydney. «Même s'il nous faut la raser pour cela! C'est l'antre d'un sorcier: je ne serais pas surpris si le vieil homme aperçu par le cocher était en train de nous observer par quelque judas».

Nous examinâmes la maison pouce par pouce, aussi méthodiquement que possible. Il n'y avait aucune autre latte du plancher qui soit défaite, et pour soulever celles qui étaient clouées, il nous aurait fallu des outils dont nous ne disposions pas. Nous sondâmes tous les murs: à l'exception des cloisons, ils étaient lattés et plâtrés et ne paraissaient pas receler de cachettes. Les plafonds étaient intacts, et si quelque chose y était dissimulé, ce devait être depuis longtemps tant le ciment était vieux et sali. Nous démontâmes entièrement les placards, examinâmes les cheminées, fouillâmes le four de la cuisine, bref, nous fourrâmes notre nez dans tous les endroits possibles et imaginables – sans résultat. En fin de compte, nous nous retrouvâmes tout sales, poussiéreux et bredouilles. Le «vieil homme» du cocher restait toujours un mystère, et nous n'avions découvert aucune trace de Miss Lindon.

Atherton ne fit aucun effort pour dissimuler son dépit.

«Qu'allons-nous faire à présent? Il n'y a plus rien ici, et je suis pourtant sûr que c'est dans cette maison que nous trouverons la clé du mystère, je suis prêt à en jurer.

— Dans ce cas, je suggère que vous continuiez à la chercher. Vous pouvez envoyer le cocher quérir les outils nécessaires, ou même un ouvrier pour vous assister. En ce qui me concerne, il semble qu'il est vital au point où nous en sommes arrivés de trouver de nouveaux indices, et je me propose de commencer à les chercher dans la maison d'à côté».

Quand nous étions arrivés, j'avais remarqué la présence d'une autre maison apparemment achevée dans la rue, à quelques cinquante ou soixante yards de celle où nous nous trouvions. C'était à elle que je faisais allusion. Mes deux compagnons décidèrent de me suivre.

«Je viens avec vous», dit Mr. Lessingham.

«Et moi aussi», lui fit écho Sydney. «Nous allons laisser ce doux foyer à la garde du cocher, et nous reviendrons après pour le mettre en pièces». Il sortit et s'adressa au cocher: «Oh, l'ami, nous allons faire une visite au petit pavillon d'à côté. Vous, gardez l'œil sur celui-ci. Et si vous voyez quelqu'un dedans, mort, vivant ou autre, criez! Je serai sur le qui-vive et j'arriverai avant que vous ayez pu dire ouf!

– Vous parlez que je crierai! Je vous en ferai dresser les cheveux sur la tête!» Il sourit. «Mais il me faut savoir si vous comptez me payer à la journée: je dois changer de cheval, cela fait deux heures qu'il aurait dû regagner son écurie.

– Au diable votre cheval, il se reposera deux heures de plus demain pour compenser. Faites-moi confiance, vous ne perdrez rien à nous assister, je m'en porte garant, et votre cheval non plus. Tenez, attrapez ça, ce sera plus efficace qu'un cri».

Sortant un revolver de la poche de son pantalon, il le tendit au cocher.

«Si votre vieil homme refait surface, tirez-lui dessus, j'entendrai mieux que si vous criez. Ne vous gênez pas pour lui mettre une balle dans le coffre, vous avez ma parole que ce ne sera pas un meurtre.

– Cela m'est égal», dit le cocher en manipulant l'arme comme si le contact lui en était familier. «Je n'étais pas mauvais tireur quand j'étais à l'armée, et je lui ferai un joli trou si j'en ai l'occasion, rien que pour vous prouver que je ne suis pas un menteur».

Je ne saurais dire si l'homme était vraiment sincère, pas plus que je n'aurais su le dire d'Atherton quand il lui répondit:

«Si vous le touchez, je vous donnerai cinquante livres sterling.

– D'accord!» Le cocher éclata de rire. «Je ferai de mon mieux pour gagner cet argent!»

CHAPITRE XXXIX

Miss Louisa Coleman

Il était évident que la maison voisine était habitée: son occupante nous contemplait depuis la fenêtre du premier étage. C'était une vieille femme dont la tête était surmontée d'une coiffe comme nos grand-mères avaient coutume d'en porter. Elle était assise derrière le bow-window et n'avait pas pu ne pas nous voir approcher, et en fait elle continua de nous regarder avec placidité. Je frappai à sa porte, une fois, deux fois, sans le moindre résultat.

Sydney exprima son impatience à sa manière:

«Il apparaît que, dans cette partie du monde, les heurtoirs ont une

199

fonction purement décorative: leur utilisation ne suscite que la plus profonde indifférence. Cette vieillarde doit être sourde ou débile.» Il recula pour voir si elle était toujours à sa place. «Elle me regarde le plus calmement du monde: pense-t-elle que nous sommes venus lui jouer la sérénade? Madame!» Il ôta son chapeau et l'agita dans sa direction. «Madame! Puis-je avoir l'amabilité de vous faire remarquer que vous mettez votre porte en grand danger en affectant de nous ignorer? Décidément, je pourrais tout aussi bien ne pas être là. Essayez de frapper de nouveau à cette porte. Peut-être est-elle si sourde qu'il faudrait un cataclysme pour faire réagir ses organes auditifs.»

Cependant, la vieille dame nous prouva rapidement le contraire. Les coups que je donnai à la porte avaient à peine fini de résonner qu'elle passait sa tête par la fenêtre et m'apostrophait d'une façon qui n'était guère de mise vu la situation.

«Eh bien, jeune homme, ce n'est pas la peine de vous énerver ainsi.»

Sydney s'expliqua.

«Pardonnez-nous d'être si pressés, Madame, mais il s'agit d'une question de vie ou de mort!»

Elle tourna son attention vers Sydney, lui répondant avec une franchise à laquelle il n'était nullement préparé:

«Jeune homme, je ne supporterai pas d'impertinence de votre part. Je vous ai déjà vu: vous avez tourné autour d'ici toute la journée! Je n'apprécie guère votre allure, et je me permets de vous le faire savoir. C'est ma porte et c'est mon heurtoir: je descendrai ouvrir quand je le voudrai, et pas avant, et si vous touchez encore à ce heurtoir, je ne descendrai pas du tout!»

Elle ferma la fenêtre avec fracas. Sydney semblait partagé entre l'amusement et l'indignation.

«Voilà une agréable vieille dame comme on n'en fait plus de nos jours. Le quartier semble attirer les personnages pittoresques, on devrait faire du tourisme plus souvent par ici. Malheureusement, je ne suis guère d'humeur à passer ma journée à arpenter la rue.» Otant de nouveau son chapeau pour saluer la dame, il cria à pleins poumons: «Madame, je vous offre dix mille excuses pour vous avoir dérangée ainsi, mais il s'agit d'une affaire où chaque seconde compte. Auriez-vous l'obligeance de répondre à quelques questions?»

La fenêtre se leva et la tête de la vieille dame apparut.

«Jeune homme, ne vous mettez pas à hurler après moi, je ne le supporterai pas! Je vais descendre et vous ouvrir cette porte dans cinq minutes, et pas une seconde plus tôt.»

Une fois cet ultimatum signifié, la fenêtre redescendit. Sydney, courroucé, consulta sa montre.

«Champnell, je ne sais pas si vous êtes de mon avis, mais je doute que cette charmante dame puisse nous apprendre quoi que ce soit qui

200

vaille la peine d'attendre cinq minutes. Le temps presse, nous ne devons pas nous attarder.»

J'étais d'un avis différent et le lui fis savoir.

«Atherton, j'ai bien peur de ne pas être d'accord avec vous. Elle semble vous avoir vu aller et venir toute la journée, et il est possible qu'elle ait remarqué bien d'autres choses qu'il nous serait utile d'apprendre. Quels autres témoins avons-nous sous la main? Sa maison est la seule à être habitée dans tout le voisinage. Je suis d'avis que non seulement ça vaut la peine d'attendre cinq minutes mais encore qu'il nous faut prendre garde à ne pas l'offenser. Si vous la vexez, elle ne nous dira rien.

– Bon. Si telle est votre opinion, je veux bien attendre, mais j'espère que son horloge court plus vite qu'elle!»

Quand une minute se fut écoulée, il héla le cocher:

«Rien à signaler?»

L'autre lui répondit en criant:

«Rien du tout! Vous entendrez du bruit si je vois quelque chose.»

Ces cinq minutes semblèrent bien longues. Mais finalement, Sydney nous informa qu'il avait vu la vieille dame bouger.

«Elle se lève, et elle quitte sa fenêtre. Espérons qu'elle va descendre et ouvrir cette porte. Jamais cinq minutes ne m'ont paru aussi longues.»

Je pouvais entendre un bruit de pas hésitants descendre un escalier, puis traverser un couloir. La porte s'ouvrit de quelques six pouces et la vieille dame nous regarda derrière une chaîne de sécurité.

«Je ne sais pas ce que vous voulez, mais je ne vous laisserai pas entrer tous les trois dans ma maison. Vous et vous, d'accord.» Elle désigna Lessingham et moi-même de son doigt décharné, puis le dirigea vers Atherton: «Mais lui, non. Si vous avez quelque chose à me demander, dites-lui d'abord de partir.»

En entendant cela, Sydney fit preuve d'une humilité abjecte. Il prit son chapeau dans ses mains et s'inclina bien bas.

«Permettez que je vous offre un million d'excuses, Madame, si je vous ai offensée de quelque manière que ce soit. Laissez-moi vous assurer que je n'en avais nullement l'intention.

– Je ne veux pas de vos excuses, et je ne veux pas de vous non plus. Je n'aime pas votre allure, et je vous le dis franchement. Avant que je laisse entrer quiconque dans ma maison, il vous faudra vider les lieux.»

La porte nous fut claquée au nez. Je me tournai vers Sydney.

«Plus vite vous serez parti et mieux cela vaudra pour nous. Attendez-nous plus loin.»

Il haussa les épaules et eut un gémissement teinté d'ironie.

«Eh bien, je vais m'exécuter puisqu'il le faut. C'est bien la première fois de ma vie qu'une dame refuse de me laisser entrer chez elle!

Qu'ai-je donc fait pour mériter un tel châtiment? Ne me faites pas attendre trop longtemps, ou je reviendrai pour raser cette baraque!»

Il s'éloigna sur la chaussée, tapant dans les pierres qui traînaient sur son chemin. La porte se rouvrit.

«Est-ce qu'il est parti?

– Oui.

– Alors vous pouvez entrer. Mais lui, je n'en veux pas chez moi.»

Elle ôta sa chaîne et j'entrai, suivi de Lessingham. Puis la porte fut refermée et la chaîne remise en place. Notre hôtesse nous conduisit dans son salon; il était pauvrement meublé et pas très propre, mais il y avait assez de chaises pour tous, et elle insista pour que nous nous asseyions.

«Asseyez-vous, asseyez-vous, je ne peux pas supporter de voir des gens debout, cela m'irrite.»

Dès que nous fûmes assis, et sans que nous ayons eu besoin de la questionner, elle plongea immédiatement dans le vif du sujet.

«Je sais pourquoi vous êtes ici, je le sais! Vous voulez que je vous parle de l'homme qui habite dans la maison d'à côté. Eh bien, je peux le faire, et je parierais un shilling que je suis la seule à le pouvoir!»

J'inclinai la tête.

«Vraiment, Madame?»

Elle se renfrogna aussitôt.

«N'essayez pas de me faire des politesses. Je suis une femme toute simple, et j'aime qu'on soit simple avec moi. Je m'appelle Louisa Coleman, mais je veux qu'on m'appelle Miss Coleman. Louisa, c'est pour ma famille.»

Comme elle avait l'air d'avoir entre soixante-dix et quatre-vingts ans, cela me paraissait normal. Miss Coleman était de toute évidence une forte personnalité. Si l'on désirait obtenir des informations d'elle, il fallait la laisser les donner à sa façon: essayer d'agir autrement serait perdre son temps, comme le sort de Sydney en témoignait.

Elle commença par un long préambule.

«Cette propriété est à moi, elle m'a été léguée par mon oncle, feu George Henry Jobson, qui repose au cimetière de Hammersmith. C'est un des terrains à bâtir les plus convoités de Londres, et sa valeur augmente chaque année. Je ne compte pas le vendre avant vingt ans, et à ce moment-là il aura sûrement triplé de valeur, aussi si vous êtes venus pour ça vous auriez mieux fait de rester chez vous. Je laisse les pancartes en place pour que l'on sache bien que le terrain est à louer, mais rien ne se fera avant une vingtaine d'années, comme je vous l'ai dit, et je ferai bâtir de belles maisons dessus, comme à Grosvenor Square: pas de boutiques, pas de pubs et surtout pas de taudis! Je ne vis ici que pour garder un œil sur le terrain, et quant à l'autre maison, je n'ai jamais cherché à la louer et elle a toujours été vide, jusqu'au jour où j'ai reçu cette lettre, il y a environ un mois. Vous pouvez la regarder.»

Elle me tendit une enveloppe graisseuse, qu'elle avait sortie d'une poche de sa robe. L'enveloppe était adressée à Miss Louisa Coleman, Les Rhododendrons, Convolvulus Avenue, High Oaks Park, West Kinsington. Ou bien le correspondant de cette dame savait faire appel à son humour et à son imagination, ou alors il s'agissait effectivement de sa véritable adresse et c'était encore plus drôle.

La lettre qui se trouvait à l'intérieur de l'enveloppe était rédigée de la même écriture malhabile qui ressemblait à celle d'une domestique ignare. La composition était à la hauteur de l'écriture:

Le soussigné serait obligé si Miss Coleman louait sa maison vide. Je ne sais pas le loyer mais j'envoie cinquante livres. Si plus j'enverrai. Répondre s'il vous plaît à Mohamed el Kheir, Poste Restante, Sligo Street, Londres.

C'était la demande de location la plus étrange que j'aie jamais vue. Lessingham partagea mon avis quand il l'eut examinée.

«Voilà une bien curieuse lettre, Miss Coleman.

– C'est ce que je me suis dit, surtout quand j'ai trouvé l'argent à l'intérieur de l'enveloppe: il y avait cinq billets de dix livres, et la lettre n'était ni affranchie ni oblitérée. Si on m'avait demandé de fixer un loyer, je n'aurais pas exigé plus de vingt livres parce que, entre nous, la maison a besoin de certaines réparations, et elle n'est certainement pas habitable en l'état.»

Indépendamment de cet avis, nous avions eu l'occasion de le constater par nous-mêmes.

«Eh bien, j'aurais pu facilement garder tout son argent et lui envoyer un contrat de location pour un trimestre. Je connais des gens qui auraient agi ainsi, mais ce n'est pas mon genre. Aussi ai-je envoyé à ce monsieur (je n'ai jamais pu prononcer son nom et je ne vais pas essayer maintenant) un contrat pour un an.»

Miss Coleman s'interrompit pour lisser son tablier et réfléchir un instant.

«Eh bien, il aurait dû recevoir ce papier le jeudi matin, car je l'avais posté le mercredi soir. Donc, le jeudi, après le petit déjeuner, j'ai pensé aller faire un tour là-bas afin de voir s'il n'y avait rien à faire (je savais qu'il fallait remplacer certains carreaux aux fenêtres), quand j'ai eu la surprise de ma vie. Quand j'ai regardé par la fenêtre, j'ai vu que mon locataire avait déjà emménagé, si tant est qu'il ait apporté des meubles avec lui, ce dont je doute. Comment il avait fait pour pénétrer dans la maison, je n'en ai aucune idée. Peut-être était-il passé par la fenêtre. La veille au soir, il n'y avait personne dans la maison, j'en jurerais sur la Bible, et le store du salon était levé, mais au matin il l'avait baissé et il est resté baissé depuis.

«Eh bien, me suis-je dit, voilà qui est fort impertinent de sa part: emménager avant même que je ne l'y aie autorisé. Peut-être croit-il que je n'ai pas mon mot à dire là-dessus, eh bien, cinquante livres ou pas cinquante livres, nous allons voir ce que nous allons voir! J'ai mis mon bonnet, j'ai traversé la route et j'ai frappé à la porte.

«Eh bien, j'ai vu pas mal de gens frapper à cette porte depuis, et leur entêtement n'a pas cessé de m'étonner: certains y sont restés plus d'une heure! Mais j'ai été la première. J'ai frappé, frappé et frappé encore, mais j'aurais pu tout aussi bien frapper sur une pierre tombale. J'ai essayé de frapper à la fenêtre, mais ça n'a servi à rien. J'ai fait le tour de la maison pour aller frapper à la porte de derrière, mais ça n'a servi à rien non plus. Alors, je me suis dit: "Peut-être que mon locataire n'est pas là pour le moment. Mais je vais garder un œil sur la maison et, quand il sera rentré, je ne le laisserai pas ressortir sans lui avoir dit ma façon de penser".

«Je suis donc rentrée chez moi, et j'ai gardé un œil sur la maison durant toute la journée, mais je n'ai vu entrer ni sortir personne. Mais le lendemain, c'était un vendredi, je me suis levée à cinq heures pour voir s'il pleuvait, car j'avais envie d'aller me promener si jamais il avait fait beau, et j'ai vu arriver quelqu'un. Il portait un de ces grands draps aux couleurs sales enroulé autour de lui, comme en portent les Arabes, à ce qu'on m'a dit, et j'en ai vu de mes yeux habillés comme ça quand il y a eu cette exposition à Earl's Court. Il faisait déjà grand jour, et je l'ai vu comme je vous vois, il avançait à vive allure, et il est entré dans la maison avant que j'aie pu réagir.

«"Ah," me suis-je dit, "vous voilà. Eh bien, Monsieur l'Arabe, ou qui que vous soyez, je ne vous laisserai pas repartir avant de vous avoir dit un mot. Je vais vous montrer que les propriétaires ont des droits, tout comme les citoyens chrétiens de ce pays, même si ce n'est pas pareil chez vous". J'ai donc gardé l'œil sur la maison pour être sûre qu'il ne repartirait pas, et entre sept et huit heures, je suis de nouveau allée frapper à la porte. Le plus tôt sera le mieux, me disais-je.

«Croyez-moi si vous le voulez, mais il ne fit pas plus attention à moi que si j'étais morte. J'ai frappé de toutes mes forces jusqu'à en avoir le poignet douloureux, j'ai dû frapper plus de vingt fois, et je suis même retournée frapper à la porte de derrière, mais ce fut peine perdue. J'étais tellement hors de moi à l'idée d'être traitée de telle façon par un étranger qui se promenait dans les rues vêtu d'un drap sale que je faillis me mettre en colère.

«Je suis revenue devant, et j'ai commencé à frapper à la fenêtre et à crier: "Je suis Miss Louisa Coleman, la propriétaire de cette maison, et si vous ne m'ouvrez pas à l'instant je vais appeler la police!"

«Et soudain, au moment où je m'y attendais le moins, alors que je frappais de toutes mes forces sur le panneau, le store s'est levé, la fenêtre s'est ouverte et j'ai vu apparaître la créature la plus repoussante que j'aie jamais vue: on aurait dit un babouin plutôt qu'un homme. J'ai été tellement surprise que j'ai failli passer par-dessus la murette et me retrouver les quatre fers en l'air. Et il s'est mis à crier en mauvais anglais, avec une voix comme je n'en avais jamais entendue, on aurait dit une machine à vapeur rouillée.

«"Allez-vous-en!" m'a-t-il dit. "Allez-vous-en! Je n'ai pas besoin de vous! Je ne veux pas vous voir. Jamais! Vous avez vos cinquante livres, vous avez votre argent, ça vous suffit! Vous ne venez plus me voir! Jamais! Plus jamais! Ou vous le regretterez! Allez-vous-en!"

«Je suis partie aussi vite que mes pauvres jambes pouvaient me porter. Son visage, sa voix, sa colère me faisaient trembler de frayeur. Quant à lui répondre ou à lui dire ma façon de penser, je ne m'y serais pas risquée pour un million de livres. Entre nous, je n'ai pas honte de vous confesser que j'ai dû avaler quatre tasses de thé pour me calmer les nerfs.

«"Eh bien," me suis-je dit quand je me suis sentie un peu mieux, "tu n'avais jamais voulu louer cette maison auparavant, à présent tu es servie! Si ton locataire n'est pas le plus grand criminel que la terre ait porté, c'est que les membres de sa famille doivent être pires. Voilà un voisinage fort exotique et fort agréable!"

«Mais je me suis calmée peu après, car je ne suis pas d'un tempérament à me buter. "Après tout," me suis-je dit, "il a payé son loyer, et cinquante livres, c'est cinquante livres, je me demande si la maison en vaut beaucoup plus et, dans l'état où elle est, il ne peut guère l'endommager davantage."

«De plus, s'il avait décidé d'y mettre le feu, elle était assurée, et pour beaucoup plus que ce qu'elle valait, alors pourquoi me serais-je énervée? J'ai donc décidé de laisser courir et de voir venir. Mais, depuis ce jour-là, je n'ai plus adressé la parole à cet homme et n'en ai jamais éprouvé le désir. Même si on me payait, je ne voudrais pas courir ce risque, car son visage continuera de me hanter même si je deviens vieille comme Mathusalem. Je l'ai vu rentrer et sortir à toutes les heures du jour et de la nuit, cet Arabe est décidément bien mystérieux – et chaque fois qu'il s'en va, il s'enfuit comme s'il avait le diable à ses trousses. De nombreuses personnes sont venues le voir, des gens de toutes sortes, des hommes et des femmes, surtout des femmes, et même des petits enfants. Je les ai vus frapper et frapper à cette porte, mais je n'en ai pas vu un seul entrer, ni obtenir une réponse, et je crois bien n'avoir jamais quitté cette maison des yeux depuis qu'il est dedans, je me suis même parfois levée en pleine nuit pour aller voir ce qui s'y passait, aussi il n'y a pas grand-chose qui m'ait échappé.

«Ce qui m'a le plus étonnée, ce sont les bruits qui venaient de la maison. Il pouvait s'écouler des jours sans qu'il en sorte un son, comme si elle était peuplée de morts, et puis la nuit suivante on entendait toutes sortes de cris et de hurlements, je n'ai jamais rien entendu de pareil. J'ai souvent pensé que le diable lui-même devait habiter cette maison, avec toute sa cour de démons. Et ces chats! Je ne sais pas d'où ils sortent. Il n'y avait pas un seul chat dans le quartier avant la venue de cet Arabe, il n'y a pas grand-chose pour les attirer par ici, mais depuis qu'il est là ils accourent par régiments entiers. Certaines nuits, ils sont tous là à hurler à la lune, et je vous prie de croire que j'aimerais les voir ailleurs. Cet Arabe doit les aimer: j'en ai aperçu dans la maison, au rez-de-chaussée et à l'étage, et il y en avait parfois plus d'une douzaine à la fois.»

CHAPITRE XL

Ce que Miss Coleman avait vu à travers la fenêtre

Miss Coleman s'était interrompue, comme si son récit arrivait à sa fin, et je jugeai que le moment était venu de tenter d'accélérer les choses.

«Je présume, Miss Coleman, que vous avez vu tout ce qui s'est passé dans cette maison aujourd'hui.»

Elle pinça les lèvres et me regarda avec dédain: j'avais froissé sa dignité.

«Si vous arrêtiez de m'interrompre, je vous l'aurais déjà dit. Vous n'avez aucune politesse. A mon âge, jeune homme, on n'aime pas se précipiter.»

Je gardai un silence contrit. De toute évidence, si elle devait parler, nous devions nous contenter de l'écouter.

«Ces derniers jours, j'ai observé des allées et venues étranges sur la route, mais pas étranges comme à l'ordinaire, car Dieu sait que l'ordinaire est devenu étrange par ici. Cet Arabe était agité comme un possédé, je l'ai bien vu entrer et sortir de la maison vingt fois par jour. Ce matin...»

Elle s'interrompit pour regarder Lessingham. Elle avait remarqué l'intérêt croissant qu'il manifestait au fur et à mesure qu'elle avançait dans son récit, et cela lui déplut.

«Ne me regardez pas comme ça, jeune homme, je ne le supporterai pas. Je répondrai à vos questions quand j'aurai fini, mais ne m'interrompez pas avant cela, je vous prie.»

Jusqu'à présent, Lessingham n'avait pas dit un mot, mais elle semblait douée du pouvoir de deviner tous les mots qu'il avait gardés pour lui.

«Ce matin, comme je l'ai dit...» Elle jeta un regard de défiance en direction de Lessingham. «Ce matin, donc, cet Arabe est sorti de la maison à sept heures. Je sais l'heure qu'il était car, lorsque je suis descendue chercher mon lait, la demie venait de sonner et mon horloge avance toujours d'une demi-heure. Tandis que je payais mon lait, le laitier m'a dit: "Voilà votre ami, Miss Coleman.

– «Quel ami?" lui ai-je répondu, car je n'ai pas d'ami par ici, pas plus que d'ennemis, j'espère.

«J'ai tourné la tête et j'ai vu cet Arabe qui dévalait la rue, avec son drap de lit qui volait dans le vent et ses bras tendus devant lui: je n'ai jamais vu quelqu'un courir aussi vite. "Mon Dieu! Je me demande comment il fait pour ne pas se blesser!" ai-je dit, et le laitier m'a répondu: "Je me demande, moi, comment il se fait que personne ne l'ait encore blessé: sa seule vue suffit à faire tourner mon lait!" Et il est reparti en grommelant et en traînant son seau, tandis que je me demandais ce que cet Arabe avait bien pu lui faire. J'ai toujours trouvé que ce laitier avait mauvais caractère. Cela ne m'avait guère plu qu'il appelle cet Arabe mon "ami", ce qu'il n'est pas et ne sera jamais, vous pouvez m'en croire.

Quand le laitier fut parti, cinq personnes vinrent ensuite frapper à la porte de cette maison. Trois d'entre elles étaient des représentants, je le sais car ils sont ensuite venus chez moi. Mais, bien entendu, aucun n'a réussi à faire sortir cet Arabe de son trou, ils ont eu beau frapper autant qu'ils ont voulu, ça n'a servi à rien. Remarquez que je ne le blâme pas entièrement: une fois que ces camelots ont commencé leur boniment, il est imposssible de les arrêter.

Puis vint l'après-midi.»

Il était temps, pensai-je, mais je n'osai pas formuler mon commentaire à haute voix.

«Eh bien, il pouvait être trois heures ou trois heures et demie, quand sont arrivés deux hommes et une femme, dont l'un était votre ami, là dehors. Oh, me suis-je dit, voilà un nouveau genre de visiteurs, je me demande ce qu'ils veulent. Votre ami a commencé à frapper et à frapper, comme le font tous les visiteurs ordinaires, et sans plus de succès, bien que l'Arabe ait été dans la maison à ce moment-là.»

Je sentis qu'il me fallait courir le risque de poser une question.

«Vous êtes sûre qu'il était dedans?»

A mon grand soulagement, elle accepta ma question de bonne grâce.

«Bien sûr que oui: je l'avais vu rentrer à sept heures et il n'était pas sorti depuis, car je n'avais pas quitté la maison des yeux plus de deux minutes et je ne l'avais pas vu une seule fois. S'il n'était pas dedans, où était-il, alors?»

Je ne pouvais pas répondre à sa question pour l'instant, aussi continua-t-elle sur un ton triomphant:

«Au lieu de faire ce que font les visiteurs habituels, quand ils en eurent assez de frapper, ils ne s'en allèrent pas mais firent le tour de la maison, et ils ont dû y entrer par la fenêtre de la cuisine, même la femme, car j'ai vu le store du salon se baisser, comme si on l'avait arraché de son montant, et votre ami est apparu à la fenêtre.

«"Eh bien," me suis-je dit, "si ce n'est pas du toupet, je voudrais bien savoir ce que c'est. Si l'on peut se permettre d'entrer de force quand on refuse de vous ouvrir la porte, le monde est vraiment dans un triste état de nos jours. Que fait donc cet Arabe? Cela m'étonnerait fort qu'il soit du genre à les laisser agir ainsi."

«Je m'attendais à chaque instant à entendre des bruits de bagarre, mais tout paraissait tranquille et on n'entendait rien. Je me suis dit: "Il y a quelque chose de louche là-dessous, et ces trois-là doivent être dans leur droit pour agir ainsi, sinon ça aurait déjà fait du pétard."

«Environ cinq minutes plus tard, la porte s'est ouverte et le jeune homme, pas votre ami, l'autre, est sorti et a commencé à marcher sur la route, raide comme un grenadier: je n'ai jamais vu quelqu'un se tenir aussi droit, ni marcher aussi vite. Et votre ami est arrivé sur ses talons, et j'avais l'impression qu'il n'avait aucune idée de ce que faisait l'autre. Je me suis dit: "Ces deux-là ont dû se disputer, et l'un d'eux est parti en claquant la porte". Votre ami est resté près du portail, tout agité, regardant l'autre avec de grands yeux, comme s'il ne savait pas quoi faire, et la jeune femme est restée à les regarder tous les deux depuis le seuil.

«Quand le jeune homme qui s'était enfui eut tourné au coin de la rue et fut hors de vue, votre ami a paru se décider subitement et s'est mis à courir après lui en laissant la jeune femme toute seule. Je m'attendais à chaque instant à le voir revenir en traînant l'autre derrière lui, et ce devait être aussi ce que pensait la jeune femme, car elle est restée un long moment accoudée au portail à guetter leur retour. Mais personne n'est revenu. Aussi, quand elle en eut assez d'attendre, elle est rentrée dans la maison et je l'ai vue par la fenêtre du salon. Peu après, elle est revenue près du portail et s'est remise à guetter, mais les deux jeunes hommes restaient invisibles. Cinq minutes s'écoulèrent, elle retourna dans la maison, et je ne l'ai plus jamais revue.

– Vous ne l'avez plus jamais revue? Etes-vous sûre qu'elle est bien rentrée dans la maison?

– Aussi sûre que je vous vois.

– Je suppose que vous n'avez pas surveillé constamment la maison.

– Mais si, justement. J'ai senti qu'il se passait quelque chose de bizarre, et j'ai résolu d'en avoir le cœur net. Et quand je prends une telle décision, rien ne peut m'écarter de mon but. Je n'ai pas bougé de ma chaise et je n'ai pas quitté la maison des yeux jusqu'à ce que vous veniez frapper à ma porte.

– Mais, puisque la jeune femme n'est plus dans la maison à présent, elle a dû échapper à votre surveillance et en sortir sans que vous l'ayez vue.

– Je ne le crois pas, je me demande comment elle aurait pu faire. Mais il y a quelque chose de bizarre dans cette maison depuis que cet Arabe y habite. Et j'ai vu quelqu'un d'autre en sortir.

– Qui était-ce?

– Un jeune homme.

– Un jeune homme?

– Oui, un jeune homme, et ça m'a étonnée, car je ne l'avais pas vu entrer.

– Pouvez-vous nous le décrire?

– Pas son visage, car il avait une casquette sale rabattue sur les yeux et il marchait si vite que je n'ai pas pu le voir. Mais je le reconnaîtrais n'importe où, à cause de ses habits et de sa démarche.

– Qu'avaient-ils donc de particulier?

– Eh bien, ses habits étaient tellement sales et déchirés qu'un chiffonnier n'aurait pas osé vous les vendre, et ils ne lui allaient pas du tout, on aurait dit un épouvantail, il en était presque drôle. Je suis sûr que les gamins du quartier ont dû lui courir après quand ils l'ont vu dans la rue. Et quant à sa démarche, il avançait comme le premier jeune homme, les épaules jetées en arrière et la tête en avant, si raide que mon tisonnier aurait eu l'air tordu à côté.

– Entre le moment où la jeune femme est rentrée dans la maison et celui où le jeune homme en est sorti, est-ce que rien n'a attiré votre attention?»

Miss Coleman cogita.

«Maintenant que vous le dites, il y a quelque chose, je ne l'aurais pas oublié si vous n'aviez pas persisté à m'interrompre. Vingt minutes après que la jeune femme fut rentrée, quelqu'un a remis en place le store que votre ami avait arraché. Je n'ai pas pu voir qui c'était car le rideau me le cachait, et le jeune homme est sorti de la maison environ dix minutes plus tard.

– Et que s'est-il passé ensuite?

– Eh bien, environ dix minutes plus tard, l'Arabe est sorti de la maison lui aussi.

– L'Arabe?

– Oui, oui, l'Arabe! Ça m'a fort surprise, je peux vous l'assurer. Où était-il et qu'avait-il fait pendant que les trois autres avaient fouillé sa maison, j'aurais bien donné un shilling pour le savoir, mais il était bien là, et il portait un paquet.

– Un paquet?

209

– Oui, sur la tête, comme un mitron porte son pain. C'était un paquet fort volumineux, on n'aurait jamais cru qu'il aurait pu arriver à le porter tout seul, et je voyais bien qu'il faisait des efforts: il était presque plié en deux et il rampait comme une limace. Il lui fallut pas mal de temps pour arriver à la route.»

Mr. Lessingham bondit hors de son siège en s'écriant:

«Marjorie était dans ce paquet!

– J'en doute,» répondis-je.

Il se mit à faire le tour de la pièce en se tordant les mains.

«C'était elle, vous dis-je! C'était elle! Dieu nous protège!

– Je vous répète que j'en doute. Suivez mon conseil et gardez-vous de formuler des conclusions hâtives.»

Soudain, on entendit taper à la fenêtre. Atherton nous fit un signe de l'extérieur.

«Sortez d'ici, vieux fossiles!» cria-t-il. «J'ai des nouvelles!»

CHAPITRE XLI

Le constable, son indice, et le cab

Miss Coleman courut vers la porte, indignée.

«Je ne laisserai pas ce jeune homme entrer chez moi, je ne le permettrai pas! Qu'il se garde bien de passer ne serait-ce que le nez à la porte!»

J'entrepris de l'apaiser.

«Miss Coleman, je vous promets qu'il n'entrera pas. Mon ami et moi irons lui parler dehors.»

Elle entrouvrit la porte pour nous laisser sortir, puis la claqua brusquement derrière nous. De toute évidence, elle était toujours aussi réfractaire à Sydney.

Celui-ci nous salua avec sa vigueur habituelle. A côté de lui, derrière le portail, se tenait un constable.

«J'espère que vous vous êtes suffisamment amusés avec ce vieux débris. Pendant ce temps, moi, j'ai fait œuvre utile! Ecoutez donc ce que ce bobby a à dire!»

Le constable se passa les pouces dans la ceinture et eut un sourire indulgent. Il semblait trouver Sydney fort amusant. Il parlait d'une voix si basse qu'on aurait dit que ses paroles provenaient du fond de ses bottes.

«En fait, je ne sais pas si j'ai quelque chose à dire.»

De toute évidence, Sydney était persuadé du contraire.

«Attendez que j'aie donné un indice ou deux à mes amis, officier, et vous verrez.» Il se tourna vers nous.

«Quand j'ai eu fourré mon nez dans tous les coins de cette infernale maison, et n'eus récolté pour ma peine qu'un sacré mal de dos, j'ai passé un certain temps sur le seuil à me demander si je ne devrais pas provoquer le cocher en duel pour passer le temps (car il dit qu'il sait boxer, et il en a l'air). Tout à coup, qui est-ce donc qui arrive? Ce merveilleux représentant de notre belle police métropolitaine.» Il désigna de la main le policeman, dont le sourire s'élargit. «Il me regarda un moment, je fis de même, et quand nous fûmes lassés de nous admirer mutuellement, il me dit: "Est-ce qu'il est parti?" Je répondis: "Qui donc?" et il me dit: "L'Arabe.

«– Que savez-vous de cet Arabe?

«– Eh bien, je l'ai vu sur l'avenue il y a environ trois quarts d'heure et, en voyant la maison tout ouverte et vous devant, je me suis demandé s'il était parti pour de bon."

«J'ai failli faire un bond tellement j'étais excité, bien que je n'en aie rien montré. J'ai demandé au constable: "Comment savez-vous que c'était bien lui?

«– Oh, c'était bien lui, pas de doute, quand on l'a vu une fois, on n'est pas prêt de l'oublier.

«– Où allait-il?

«– Il parlait à un cocher. Il avait un grand paquet sur la tête et voulait monter dans le cab avec, mais le cocher ne voulait rien savoir." Ça m'a suffi: j'ai pris ce représentant de la loi dans mes bras et je vous l'ai amené ici aussi vite que l'éclair!»

Comme le policeman mesurait plus de six pieds de haut, et était carré en proportion, il semblait difficile d'imaginer quiconque le prenant dans ses bras et le transportant "aussi vite que l'éclair". Vu son sourire, c'était ce qu'il semblait lui-même penser.

Même en tenant compte de la tendance à l'exagération qui caractérisait Sydney, il s'agissait de nouvelles importantes. Je m'adressai au policeman.

«Officier, voici ma carte. Avant ce soir, un mandat d'arrêt sera sans doute émis au nom du locataire de cette maison, qui aura à répondre de charges très sérieuses. En attendant, il est de la plus haute importance que je le localise. Je suppose que vous n'avez aucun doute quant à l'identité de la personne que vous avez vue sur l'avenue?

– Pas le moindre. Je le connais comme mon propre frère, et c'est le cas de tous ceux qui patrouillent dans ce quartier. J'ai eu l'œil sur lui depuis qu'il s'est installé ici. Un type vraiment bizarre. J'ai toujours pensé qu'il trafiquait quelque chose de louche. Je n'ai jamais vu de type comme lui, toujours à courir par monts et par vaux à toutes les heures du jour et de la nuit, comme s'il avait le diable à ses trousses. Comme je l'ai dit à ce gentleman, je l'ai vu sur l'avenue, euh, il y a

211

peut-être un peu plus d'une heure à présent. Je commençais ma ronde quand j'ai vu un attroupement devant la gare, et j'ai aperçu mon Arabe qui se disputait avec un cocher. Il avait un paquet assez lourd sur la tête et voulait monter avec dans le cab, mais le cocher n'était pas d'accord. Le paquet faisait bien cinq à six pieds de long.

– Vous l'avez vu partir?

– Non, je n'avais pas le temps de traîner. On m'attendait à la gare et j'étais déjà en retard.

– Vous ne lui avez pas parlé, ni au cocher?

– Non, ça ne me regardait pas, voyez-vous. J'ai juste jeté un coup d'œil à la scène en passant.

– Et vous n'avez pas relevé le numéro du cab?

– Non, ce n'était pas la peine, je connais bien le cocher, je connais son nom et je sais que son écurie est à Bradmore.»

Je sortis mon carnet de notes.

«Donnez-moi son adresse.

– Je ne suis pas sûr de son prénom, je crois que c'est Tom, mais je ne pourrais l'affirmer. Son nom de famille est Ellis, et il habite à Church Mews, St John's Road, dans le quartier de Bradmore. J'ignore à quel numéro, mais il est bien connu dans le quartier, demandez "Ellis Quatre-Roues", c'est comme ça qu'on l'appelle à cause de son cab.

– Merci, officier, je vous suis fort reconnaissant.» Deux pièces d'une demi-couronne changèrent de main. «Si vous voulez bien surveiller cette maison et me prévenir de tout événement suspect qui s'y déroulerait dans les jours qui viennent, vous me rendriez un grand service.»

Nous étions remontés dans notre cab et le cocher allait faire partir son cheval quand le constable nous dit:

«Un instant, Sir, j'ai failli oublier le plus important. Je l'ai entendu dire à Ellis où il désirait aller, il n'arrêtait pas de le répéter avec son accent bizarre: "La gare de Waterloo, la gare de Waterloo.

«– Entendu," lui a dit Ellis, "je vais vous conduire à Waterloo, mais je ne veux pas de ce paquet dans mon cab, il n'y a pas la place, mettez-le sur le toit.

«– A la gare de Waterloo, j'emporte mon paquet à la gare de Waterloo, je l'emporte avec moi.

«– Qui a dit le contraire? Vous pouvez le prendre avec vous, et vingt autres comme lui, mais pas à l'intérieur du cab, sur le toit.

«– Je l'emporte avec moi à la gare de Waterloo," lui a répondu l'Arabe, et ils sont restés là à se disputer tandis que tout le monde riait autour d'eux.

– La gare de Waterloo? Vous êtes sûr que c'était là qu'il voulait aller?

– J'en suis sûr, même que je me suis dit qu'il allait payer le prix fort pour cette course, car c'est à plus de quatre miles d'ici.»

Tandis que nous filions, je me demandai si ce n'était pas une caractéristique notable du policeman londonien moyen d'oublier presque toujours la partie la plus importante de ses informations, ou tout au moins de ne s'en souvenir que si on lui avait graissé la patte au préalable. Peut-être étais-je injuste.

Dans le cab en mouvement, nous eûmes une conversation fort animée.

«Marjorie était dans ce paquet», dit Lessingham sur un ton lugubre et avec un visage tout allongé.

«J'en doute fort,» observai-je.

«C'était elle, j'en suis sûr, je le sais. Elle était soit morte, soit blessée, soit bâillonnée, ou droguée et impuissante. Il ne me reste que la vengeance.

– Je vous répète que j'en doute.»

Atherton intervint.

«J'ai le regret de vous dire, bien qu'il m'en coûte parce que cette hypothèse me déplaît fort, que je suis d'accord avec Lessingham.

– Vous avez tort.

– Cela vous est facile de parler avec tant d'assurance, mais cela l'est moins de prouver que j'ai tort. Si je me trompe, et si Lessingham se trompe, comment expliquez-vous qu'il ait tant insisté auprès de ce cocher pour prendre son paquet avec lui dans le cab? S'il n'y avait pas eu dans ce paquet quelque chose d'horrible, et qu'il ait eu peur de voir révélé au grand jour, pourquoi répugnait-il autant à le placer sur le toit?

– Il y avait probablement dans ce paquet quelque chose qu'il souhaitait dissimuler, mais je doute que ce soit ce que vous suggérez.

– Marjorie était seule dans cette maison, personne ne l'a plus revue, et nous trouvons ses cheveux et ses vêtements cachés sous le plancher. Ce scélérat a quitté la maison avec un paquet sur la tête, dont le bobby dit qu'il faisait plus de cinq pieds de long, un paquet qu'il traite avec tant de précautions, qu'il insiste pour ne pas quitter des yeux un seul instant. Qu'y a-t-il dans ce paquet? Est-ce que les faits ne nous amènent pas inexorablement à une seule conclusion possible?»

Mr. Lessingham se couvrit le visage des mains et gémit.

«J'ai peur que Mr. Atherton n'ait raison.

– Je ne suis pas d'accord avec vous.»

Sydney commença à s'échauffer.

«Alors, peut-être pourriez-vous nous dire ce qu'il y avait dans le paquet?

– Je crois que je pourrais deviner son contenu.

– Ah oui? Eh bien dans ce cas, allez-y, et cessez de jouer les oracles énigmatiques! Cela pourrait nous intéresser modérément, Lessingham et moi.

– Le paquet contenait les objets personnels de son propriétaire, cela et rien d'autre. Silence! Avant de vous moquer de moi, laissez-moi finir. Si je ne me trompe pas quant à l'identité du personnage que le constable décrit comme un Arabe, je pense que le contenu de ce paquet devait être plus important pour lui que s'il s'était agi de Miss Lindon, morte ou vivante. De plus, je suis porté à penser que, si le paquet avait été posé sur le toit du cab et si le cocher, s'étant mis à le manipuler, avait aperçu son contenu et avait compris ce qu'il signifiait, il serait devenu fou sur-le-champ.»

Sydney resta silencieux, réfléchissant à ce que j'avais dit. Il sembla ne pas réfuter mon exposé.

«Mais qu'est devenue Miss Lindon?

– En ce moment, Miss Lindon est... quelque part, je ne sais pas exactement où, mais j'espère vous éclairer là-dessus dans un avenir proche, chaussée d'une paire de souliers usagés, vêtue d'une paire de pantalons sales et déchirés, d'une chemise qui n'est guère plus qu'une guenille, d'un manteau usé et sans forme, et coiffée d'une casquette graisseuse.»

Ils me regardèrent en écarquillant les yeux. Atherton fut le premier à réagir.

«Que diable voulez-vous dire?

– Je veux dire que les faits nous amènent à une conclusion diamétralement opposée à la vôtre, et ce de façon irréfutable. Miss Coleman affirme qu'elle a vu Miss Lindon pénétrer dans la maison, que le store a été replacé à la fenêtre cinq minutes plus tard, et que peu après un jeune homme vêtu du costume que je vous ai décrit est sorti de la maison. Je crois que ce jeune homme était Miss Lindon.»

Lessingham et Atherton protestèrent aussitôt, Atherton beaucoup plus fort, bien entendu.

«Mais enfin, voyons, qu'est-ce qui aurait pu la pousser à faire une chose pareille? Marjorie est la jeune fille la mieux élevée du monde, pourquoi se serait-elle mise à déambuler en plein jour dans un tel costume, et sans la moindre raison? Mon cher Champnell, ce que vous suggérez là, c'est qu'elle est devenue folle.

– Non, elle a été hypnotisée.

– Bon Dieu, Champnell!

– Oui?

– Alors vous croyez que ce... ce charlatan la tient en son pouvoir?

– Indubitablement. Voici mon hypothèse, elle vaut ce qu'elle vaut, mais écoutez-la: il est clair que cet Arabe (appelons-le ainsi pour l'instant) était dans la maison quand vous y êtes entrés, et que vous ne l'avez pas vu.

– Mais où était-il? Nous avons regardé partout, en haut et en bas, où donc pouvait-il être?

– Cela, je ne le sais pas encore avec certitude, mais il était dans la maison, c'est chose certaine. Il a hypnotisé cet homme, Holt, et l'a envoyé ailleurs, espérant vous éloigner et, une fois qu'il se fut débarrassé de vous...

– Et il y a réussi, Champnell! Quel âne bâté je fais!

– Dès que la voie a été libre, il est apparu à Miss Lindon – laquelle a dû être fort surprise – et l'a hypnotisée.

– Le chien!

– Le démon!»

La première exclamation était due à Lessingham, la deuxième à Sydney.

«Il l'a ensuite contrainte à se déshabiller...

– L'ignoble individu!

– Quelle créature diabolique!

– Il lui a coupé les cheveux et les a dissimulés, ainsi que ses vêtements, sous le plancher, là où nous les avons trouvés, et là où il devait déjà avoir dissimulé des vêtements masculins...

– By Jove! Ce devaient être ceux de Holt! Je me rappelle qu'il nous avait raconté que cet homme lui avait dit de se défaire de ses habits, et quand je l'ai vu, et quand Marjorie l'a trouvé, il n'avait rien d'autre sur lui qu'une sorte de robe. Est-il possible que ce charlatan (que toutes les malédictions du ciel retombent sur sa tête!) ait envoyé Marjorie Lindon, une des jeunes femmes les mieux habillées de Londres, parcourir les rues de la ville dans les vieux habits de Holt?!

– Quant à cela, je ne saurais vous donner un avis autorisé, mais, si je vous comprends bien, cela me semble possible. En tout cas, je pense qu'il a envoyé Miss Lindon sur les traces de Holt, supposant qu'il avait réussi à vous semer...

– C'est ça. Quel âne je fais!

– Vous avez admis vous-même l'avoir perdu de vue.

– C'est parce que je me suis arrêté pour parler à cet empoté de bobby, sinon j'aurais suivi cet homme jusqu'au bout du monde.

– Peu importe. Seuls les faits nous intéressent, et il a réussi à vous semer. Et je pense que Miss Lindon et Mr. Holt sont ensemble en ce moment.

– En vêtements d'hommes?

– Tous les deux, oui, mais ceux de Miss Lindon seraient plutôt des haillons.

– Par Putiphar! Penser à Marjorie dans cette tenue!

– Et, où qu'ils soient, l'Arabe n'est pas loin d'eux.»

Lessingham me saisit par le bras.

«Et quelle diablerie croyez-vous qu'il se propose de commettre sur sa personne?»

J'éludai la question.

«Quoi que ce soit, c'est à nous de l'en empêcher.

– Et où croyez-vous qu'il les ait emmenés?

– C'est ce que nous allons nous efforcer de déterminer, et tout de suite, car nous voici à Waterloo.»

CHAPITRE XLII

Un gibier insaisissable

Je me dirigeai vers le guichet situé sur le quai "départ." Sur mon chemin, je croisai un inspecteur des Chemins de Fer que je connaissais bien, George Bellingham. Je l'arrêtai à la sortie de son bureau.

«Mr. Bellingham, seriez-vous assez aimable pour m'accompagner jusqu'au guichet et demander à l'employé de répondre à une ou deux questions que je désire lui poser? Je vous expliquerai mes raisons plus tard, mais vous me connaissez suffisamment pour me croire quand je vous dirai qu'elles se rapportent à une affaire pour laquelle chaque seconde compte.»

Il acquiesça et nous accompagna à l'intérieur des bureaux.

«A quel employé désirez-vous parler, Mr. Champnell?

– A celui qui délivre les billets pour Southampton en troisième classe.»

Bellingham fit signe à un homme qui était en train de compter des piles de pièces afin de contrôler les écritures d'un large registre posé devant lui. C'était un jeune homme mince et de petite taille, au visage agréable.

«Mr. Stone, ce gentleman désire vous poser quelques questions.

– Je suis à votre service.»

Je commençai à l'interroger.

«Mr. Stone, je désire savoir si vous avez vendu des tickets à une personne habillée en Arabe.»

Il répondit tout de suite.

«Oui, pour le dernier train, le 7 h 25, trois allers simples.»

«Trois allers simples! Mon instinct ne m'avait pas trompé.»

«Pouvez-vous me décrire cette personne?»

Les yeux de Mr. Stone se mirent à briller.

«Je ne pourrai pas être très précis, j'en ai peur. Il était extraordinairement vieux et extraordinairement laid, et il avait les yeux les plus extraordinaires que j'aie jamais vus, ils m'ont donné des frissons quand je les ai vus me fixer à travers l'hygiaphone. Mais je peux vous donner un détail: il avait un grand paquet sur sa tête, qu'il maintenait en place d'une main, mais il n'arrêtait pas de bouger dans toutes les directions et les autres personnes dans la queue ne cessaient de se plaindre.»

C'était indubitablement notre homme.

«Vous êtes sûr qu'il a demandé trois billets?

– Certain. Il m'a demandé trois billets pour Southampton et il m'a donné le compte exact: dix-neuf shillings et six pence. Il m'a montré ses trois doigts, comme ça. C'étaient des doigts atroces, avec des ongles longs comme des griffes.

– Vous n'avez pas vu ses compagnons?

– Non, je n'ai même pas essayé. Je lui ai donné ses billets et il est parti, en faisant grogner tout le monde à cause de son paquet.»

Bellingham attira mon attention.

«Je peux vous parler de cet Arabe. Mon attention a été attirée par l'insistance avec laquelle il a demandé à monter avec son paquet dans le wagon: c'était un truc énorme, il pouvait à peine le passer par la porte et il prenait une banquette à lui tout seul. Mais, comme il n'y avait pas autant de voyageurs que d'habitude, et comme on n'arrivait pas à lui faire comprendre que son paquet serait autant en sécurité dans le compartiment des bagages, et comme de toute façon ce n'était pas le genre de personne avec qui on pouvait discuter, je l'ai fait monter dans un compartiment vide avec son fardeau.

– Est-ce qu'il était seul?

– Je l'ai cru sur le moment, il ne m'avait montré qu'un billet et personne n'était avec lui, mais, juste avant le départ, deux autres hommes, deux Anglais, sont montés dans son compartiment, et quand je suis redescendu sur le quai, le contrôleur m'a dit que ces deux personnes étaient avec lui, car il lui avait montré trois billets et, comme il s'agissait d'un étranger et que les deux autres étaient anglais, cela lui avait paru bizarre.

– Pourriez-vous me décrire ces deux hommes?

– Franchement, non, mais le contrôleur qui était sur le quai le pourrait peut-être. J'étais à l'autre bout du train quand ils sont montés. Tout ce que j'ai remarqué, c'est que l'un semblait un individu tout à fait ordinaire alors que l'autre ressemblait à un clochard, tout habillé de haillons, on aurait dit quelqu'un de peu recommandable.»

Ce vagabond, me dis-je pour moi-même, n'était autre que Marjorie Lindon, l'héritière d'une famille célèbre et la future épouse d'un grand homme d'Etat.

«Mr. Bellingham, je voudrais vous demander un service dont je vous assure que vous n'aurez pas à le regretter. Je veux que vous télégraphiiez des instructions en direction de toutes les gares où s'arrête ce train afin que l'on appréhende cet Arabe et ses compagnons et qu'on les mette sous bonne garde en attendant d'autres consignes. Ils ne sont pas encore recherchés par la police, mais cela sera bientôt le cas, aussitôt que j'aurai contacté Scotland Yard, qui sera très intéressé par leur capture. Mais, comme vous le comprendrez, tant que je n'aurai pas fait cette démarche, chaque seconde sera précieuse. Où est le chef de gare?

– Parti. C'est moi qui assure l'intérim.

– Alors, me rendrez- vous ce service? Je vous le répète, vous ne le regretterez pas.

– A condition que vous en preniez la responsabilité.

– Je le ferai avec le plus grand plaisir.»

Bellingham consulta sa montre.

«Il est à peu près neuf heures moins vingt. Le train entre en gare de Basingstoke à 9h.06. Si nous télégraphions immédiatement à Basingstoke, ils seront prêts à les accueillir.

– Bien!»

Le télégramme fut envoyé.

On nous fit entrer dans le bureau de Bellingham en attendant la réponse. Lessingham allait et venait le long de la pièce; il semblait être à bout et se trouver dans un état où il lui était absolument nécessaire de bouger. Sydney, si agité d'habitude, était assis calmement sur une chaise, les jambes étendues devant lui, les mains enfoncées dans les poches de son pantalon, et observait Lessingham comme si l'impatience de son compagnon avait sur lui un effet lénifiant. Pour ma part, je m'efforçai de rédiger un résumé de l'affaire aussi complet que le temps et les circonstances le permettaient, et je le fis porter à Scotland Yard par un agent de la police ferroviaire.

Puis je me tournai vers mes associés.

«Gentlemen, l'heure du dîner est passée. Nous avons peut-être une nuit agitée devant nous. Suivez mon conseil et mangez quelque chose.»

Lessingham secoua la tête.

«Je n'ai pas faim.

– Moi non plus,» dit Sydney.

Je me levai.

«Pardonnez-moi si je vous dis que votre attitude est stupide, Mr. Lessingham; vous n'arrangez pas la situation en vous conduisant ainsi. Venez manger, vous aurez besoin de toutes vos forces.»

Ils me suivirent en maugréant jusqu'au buffet. Je dînai, Mr. Lessingham avala avec difficulté une assiette de soupe, et Sydney se contenta de jouer avec son assiette de poulet; il se montra en fait plus intraitable que Lessingham et je ne réussis pas à le persuader d'avaler quelque chose de plus consistant.

J'allais juste entamer mon fromage quand Bellingham entra en agitant un télégramme dans sa main.

«Les oiseaux se sont envolés,» cria-t-il.

«Envolés! Comment?»

Il me tendit le télégramme. J'y jetai un coup d'œil. Il disait:

218

Passagers absents du train. D'après les contrôleurs, descendus à Vauxhall. Télégraphié à Vauxhall pour qu'ils vous informent.

«C'est une personne fort intelligente,» dit Bellingham. «Le type qui a envoyé ce télégramme. S'il a contacté Vauxhall, ça va nous faire gagner du temps, et en fait nous devrions avoir des nouvelles d'une seconde à l'autre. Tiens! Cela ne me surprendrait guère si c'étaient elles qui arrivaient!»

Un porteur entra et tendit une enveloppe à Bellingham. Nous gardâmes les yeux fixés sur lui tandis qu'il l'ouvrait. Il poussa un cri de surprise en découvrant son contenu.

«Votre Arabe et ses amis semblent être de drôles de types, Mr. Champnell.»

Il me passa le papier. C'était un rapport en bonne et due forme. Au mépris de toute politesse, Lessingham et Sydney le lurent par-dessus mon épaule.

Les passagers du train de 7h.30 à destination de Southampton se sont plaints dès l'arrivée de bruits en provenance d'un compartiment dans la voiture n° 8964. Ont déclaré avoir entendu des cris et des hurlements depuis le départ de Waterloo, comme si on assassinait quelqu'un. Un Arabe et deux Anglais sont sortis du compartiment en question, apparemment les trois personnes décrites dans le télégramme envoyé par Basingstoke. Tous trois ont déclaré qu'il n'y avait rien de grave. Qu'ils avaient crié pour s'amuser. L'Arabe a rendu trois allers pour Southampton, déclarant qu'ils avaient changé d'avis et ne désiraient pas aller plus loin. Comme il n'y avait aucun signe de lutte ni, apparemment, aucune raison de les appréhender, on les laissa partir. Ils ont pris un cab, immatriculé 09435. L'Arabe et un des Anglais sont montés à l'intérieur, le troisième homme s'est assis près du cocher. Ils ont demandé à aller à Commercial Road, dans le quartier de Limehouse. Le cab est revenu depuis, et le cocher a déclaré qu'il les avait déposés dans Commercial Road, au coin de Sutcliffe Street, près des quais de l'East India Company. Ils ont marché un peu dans Sutcliffe Street, les Anglais devant, suivis par l'Arabe, ont pris la première rue à droite, et après ça il ne les a plus revus. Le cocher déclare que l'Anglais qui était monté à l'intérieur du cab, un vagabond vêtu de guenilles, si sale qu'il avait hésité avant de le laisser monter, n'avait pas cessé de gémir, si bien qu'il avait par deux fois arrêté son véhicule pour aller voir ce qui se passait, et s'était vu répondre à chaque fois que ce n'était rien. L'opinion du cocher est que les deux Anglais semblaient peu intelligents. Nous avons eu la même impression ici. Ils n'ont pas prononcé un seul mot, sauf quand l'Arabe les y incitait, mais regardaient fixement devant eux comme des demeurés.

A noter que l'Arabe avait avec lui un énorme paquet, qu'il s'obstina à introduire à l'intérieur du cab malgré la réticence du cocher.

Dès que j'eus analysé le contenu du rapport et compris ce que je croyais être sa signification hideuse, inconnue de celui-là même qui l'avait rédigé, je me tournai vers Bellingham.

«Mr. Bellingham, avec votre permission, je vais conserver ce rapport. Vous pourrez aisément en obtenir une copie et il est souhaitable que j'aie l'original avec moi au cas où j'aurais à répondre aux questions de Scotland Yard. Si la police me recherche, dites-lui que je suis allé à Commercial Road et qu'ils pourront me contacter au Commissariat de Limehouse.»

Une minute plus tard, nous étions de nouveau dans les rues de Londres – trois dans un cab.

CHAPITRE XLIII

Un meurtre chez Mrs. Henderson

Il faut un certain temps pour se rendre de Waterloo à Limehouse et, semble-t-il, beaucoup plus longtemps quand vos nerfs frémissent d'anxiété et d'impatience. Le cab que j'avais choisi ne se révéla pas être très rapide. Nous restâmes silencieux pendant un long moment, plongés dans nos pensées.

Puis Lessingham, qui était assis à côté de moi, me dit:

«Mr. Champnell, vous avez ce rapport?

– Oui.

– Voudriez-vous me le passer?»

Je le lui tendis. Il le lut une fois, deux fois et, je crois, bien davantage encore. Je pris soin d'éviter de le regarder de face, mais j'étais conscient de la pâleur de son teint, des mouvements convulsifs de ses joues et de la lueur de fièvre dans ses yeux: ce meneur d'hommes, réputé pour son impassibilité quand il bataillait à la Chambre des Communes, était dans le même état qu'une femme hystérique. La tension qu'il avait endurée jusqu'ici commençait à éprouver son système nerveux et physique. La disparition de la femme qu'il aimait lui avait porté un coup fatal. Il devenait urgent de le libérer de cette emprise, sans quoi il était susceptible de s'effondrer d'un moment à l'autre. S'il avait été sous mes ordres, je lui aurais commandé de rentrer chez lui sur-le-champ, mais une telle initiative aurait été futile, et j'en avais bien conscience. L'expectative dans laquelle il se trouvait était ce qu'il y avait de plus douloureux pour lui, aussi décidai-je d'expliquer la nature de la situation telle que je la comprenais et d'exposer mon plan pour résoudre le problème qui se posait à nous.

Il finit par me poser la question que j'attendais, d'une voix brisée qui aurait été méconnaissable pour qui l'avait entendu discourir à la Chambre des Communes.

«Mr. Champnell, qui est selon vous la personne que ce rapport décrit comme étant vêtue de guenilles?»

Il le savait parfaitement, mais je comprenais fort bien son état d'esprit, qui exigeait que cette information semblât venir de moi.

«J'espère qu'il s'agit de Miss Lindon.

– Vous espérez!» Il eut une sorte de hoquet.

«Oui, je l'espère, car je crois qu'il est possible que vous la teniez de nouveau dans vos bras dans quelques heures.

– Prions Dieu pour qu'il en soit ainsi! Prions Dieu, oh oui, prions le bon Dieu!»

Je n'osai pas me tourner vers lui, car il était évident au ton de sa voix qu'il était au bord des larmes. Atherton demeurait silencieux. Il avait passé la tête par la fenêtre et gardait les yeux fixés sur l'extérieur, comme s'il y avait eu devant lui le visage d'une jeune fille dont il ne pouvait détacher son regard.

Après quelques instants, Lessingham reprit la parole, sans s'adresser directement à moi.

«Ces cris que l'on a entendus dans le train, ces gémissements dans le cab... qu'est-ce que ce démon a pu lui faire? Comme ma chérie a dû souffrir!»

C'était un sujet sur lequel je n'étais guère désireux de laisser mes pensées s'attarder. Imaginer cette jeune fille si délicate à la merci de ce démon (car je concevais l'Arabe comme tel), ayant à sa disposition tous les outils de la terreur, voilà qui faisait frissonner. D'où étaient venus ces cris de douleur qui, d'après le rédacteur du rapport, avaient fait croire aux passagers du train qu'un meurtre était sur le point d'être commis? Quelle agonie, quelle torture indicible les avaient donc causés? Et ces gémissements qui avaient par deux fois forcé un cocher endurci et blasé à arrêter son véhicule pour essayer d'en déterminer l'origine, quel supplice les avait provoqués? Cette jeune fille qui avait déjà tant enduré, qui avait peut-être souffert un sort pire que la mort! – enfermée dans cette boîte minuscule qu'était le cab, seule avec cet Oriental diabolique et son paquet mystérieux qui n'était que le repaire d'horreurs innommables – qu'avait-elle donc souffert, isolée au cœur d'une des villes les plus civilisées du monde? Qu'avait-elle donc souffert pour gémir ainsi sans discontinuer?

Ce n'était pas là un thème sur lequel il était souhaitable de s'attarder, et il était évident que l'esprit de Lessingham, en particulier, devait en être écarté.

«Allons, Mr. Lessingham, cela ne nous fera aucun bien, ni à vous ni à moi, de nous attarder sur des pensées morbides. Parlons d'autre chose. Au fait, n'étiez-vous pas censé prononcer un discours.ce soir?

– Hein? Si, si. Mais quelle importance?

– Mais n'avez-vous informé personne de votre absence?

– Informer! Qui devrais-je en informer?

– My good Sir! Ecoutez-moi, Mr. Lessingham. Ecoutez-moi et suivez mon conseil, appelez un autre cab, ou utilisez celui-ci, et rendez-vous sur-le-champ aux Communes. Il n'est pas encore trop tard. Conduisez-vous en homme, prononcez votre discours, accomplissez votre devoir politique. Si vous venez avec moi, vous allez m'encombrer plutôt qu'autre chose, et vous risquez de ternir votre réputation de façon irrémédiable. Suivez mon conseil, et moi, je ferai de mon mieux pour que vous receviez de bonnes nouvelles une fois votre discours achevé.»

Il me répliqua avec une amertume à laquelle je n'étais pas préparé.

«Si je devais aller à la Chambre et tenter de prendre la parole dans l'état où je suis, je serais la risée de l'Assemblée et ma carrière serait brisée.

– Ne courez-vous pas un plus grand risque en n'y allant pas?»

Il agrippa mon bras.

«Mr. Champnell, avez-vous conscience de ce que je suis au bord de la folie? Savez-vous qu'en ce moment même, alors que je suis assis à côté de vous, je suis également dans un autre monde? Je suis en train de courir après ce démon à vos côtés et je suis aussi de retour dans cet antre égyptien, étendu sur cette couche, la chanteuse près de moi, et Marjorie devant moi, Marjorie que l'on est en train de torturer et de brûler sous mes yeux! Que Dieu me vienne en aide! J'entends ses cris résonner dans mes oreilles!»

Il ne parlait pas fort, mais sa voix n'en était que plus impressionnante. Je m'efforçai d'être aussi ferme que possible.

«Mr. Lessingham, je dois vous avouer que vous me décevez? J'ai toujours cru que vous étiez un homme d'une force exceptionnelle, mais vous m'apparaissez plutôt d'une faiblesse extraordinaire. Votre imagination est si indisciplinée que ses manifestations me rappellent celle d'une crise d'hystérie féminine. Votre langage n'est pas de mise dans notre situation. Je vous le rappelle, il est tout à fait possible que vous retrouviez Miss Lindon dès demain.

– Oui, mais comment sera-t-elle? Sera-t-elle la Marjorie que j'ai connue, comme je l'ai vue la dernière fois? Ou sera-t-elle...?»

Je m'étais déjà posé cette question: dans quel état serait-elle quand nous aurions réussi à l'arracher aux griffes de son tortionnaire? C'est une question à laquelle j'avais refusé de donner une réponse. Je décidai de proférer un pieux mensonge.

«Espérons qu'elle en sera quitte pour la peur et que nous la retrouverons aussi saine de corps et d'esprit qu'elle l'a jamais été.

– Vous-même, croyez-vous qu'il en sera ainsi? Qu'elle sortira intacte de cette aventure?»

Je décidai alors de mentir tout à fait, cela me semblait nécessaire pour le calmer.

«Oui.

– Vous mentez!

– Mr. Lessingham!

– Croyez-vous que je ne peux pas lire sur votre visage les mêmes pensées que celles qui me tourmentent? Sur votre honneur, oseriez-vous nier que, lorsque je retrouverai Marjorie (si je la retrouve!), elle ne sera plus que l'ombre de la Marjorie que j'ai connue et aimée?

– En supposant qu'il y ait une part de vérité dans ce que vous dites (et je suis loin de le penser), à quoi servirait-il de vous mettre dans de tels états?

– A rien, à rien de bon, sinon à regarder la vérité en face. Mr. Champnell, ne cherchez pas à jouer les hypocrites avec moi, et ne cherchez pas non plus à me dissimuler la vérité comme si j'étais un enfant. Si ma vie est ruinée, elle est ruinée. Mais je dois le savoir une bonne fois pour toutes. Voilà ce que signifie, pour moi, agir en homme.»

Je restai silencieux.

L'incroyable récit qu'il m'avait fait de ses aventures au Caire avait éclairé de façon étrange (et pourquoi étrange? Le monde entier est fait de coïncidences!) certains événements qui s'étaient produits il y avait trois ans de cela et qui étaient demeurés jusqu'à présent inexpliqués. L'affaire me fut confiée par la suite, et voici ce qui s'était passé:

Trois personnes, deux sœurs et leur frère plus jeune, des membres d'une honorable famille anglaise, avaient entrepris un voyage autour du monde. Ils étaient jeunes, téméraires, et, avouons-le franchement, imprudents. Le soir qui suivit leur arrivée au Caire, ils insistèrent pour aller se promener dans le quartier indigène, malgré les avertissements qui leur avaient été prodigués par des personnes plus avisées qu'eux.

Ils ne revinrent jamais. Ou plutôt, les deux jeunes filles ne revinrent jamais. On retrouva le jeune homme après un certain temps, du moins ce qu'il en restait. Une certaine agitation suivit leur disparition, mais comme ils n'avaient ni parents ni amis à bord du bateau qui les avait amenés en Egypte, l'enquête ne fut pas menée jusqu'au bout. On ne découvrit rien. Leur mère, restée seule en Angleterre, et qui se demandait pourquoi elle n'avait plus reçu de nouvelles d'eux depuis le câble qui lui avait annoncé leur arrivée au Caire, se mit en relation avec nos représentants diplomatiques et découvrit que ses enfants avaient tout simplement disparu de la surface de la terre.

Cette fois-ci, on s'agita vraiment. La ville entière fut fouillée de fond en comble. Mais ce fut en vain: les autorités auraient tout aussi bien pu ignorer le problème pour les résultats que donnèrent leurs investigations. Le mystère restait entier.

Cependant, trois mois plus tard, un groupe d'Arabes charitables amena à l'ambassade de Grande-Bretagne un jeune homme qu'ils disaient avoir trouvé à demi-mort dans le désert de Wady Halfa. C'était le frère des deux jeunes filles disparues. Quand il arriva à l'ambassade, il était à deux doigts du trépas et, de plus, atrocement mutilé. Grâce aux soins qui lui furent prodigués, il sembla bientôt se rétablir, mais il ne prononça plus une parole cohérente par la suite. Ce fut grâce à ses délires qu'on réussit à se faire une idée de ce qui lui était arrivé.

Les notes qui furent prises lors de ses crises me furent ensuite transmises. Je m'en rappelais parfaitement la teneur et, quand Mr. Lessingham avait commencé à me narrer sa propre expérience, elle m'était revenue immédiatement à l'esprit. Si je lui avais présenté ces notes, il aurait tout de suite compris que, dix-sept ans après l'épisode qui avait laissé sur lui une si profonde empreinte, ce jeune homme, qui était à peine plus qu'un adolescent, avait vu les mêmes horreurs que lui, avait souffert les mêmes tourments et la même dégradation. Le jeune homme n'arrêtait pas d'évoquer un antre d'abomination indescriptible qui était le reflet du temple décrit par Lessingham et un monstre féminin qui suscitait en lui une telle terreur que la moindre allusion déclenchait des convulsions si frénétiques que les médecins qui le soignaient avaient toutes les peines du monde à le calmer. Il appelait fréquemment ses sœurs par leurs noms, parlant d'elles en des termes qui suggéraient qu'il avait été le témoin des tortures hideuses qui leur avaient été infligées. Il se soulevait dans son lit et criait: «Ils les brûlent! Ils les brûlent! Les diables! Les diables!» Et, à ce moment-là, il fallait toute la force des infirmiers pour le maîtriser.

Le jeune homme mourut lors d'une de ces crises, sans jamais avoir prononcé une seule phrase cohérente, et peut-être valait-il mieux, à en juger par les bribes qu'il réussit à balbutier, qu'il soit mort sans avoir vraiment repris conscience. Puis on commença à entendre des rumeurs sur une secte qui avait son temple quelque part à l'intérieur du pays (personne n'était vraiment sûr de l'endroit exact) et dont on disait qu'elle pratiquait encore et n'avait jamais cessé de pratiquer des rites innommables, sanguinaires et impies, qui avaient leur origine dans une période si reculée qu'on pouvait la qualifier de préhistorique.

Tandis que l'agitation était encore à son comble, un homme se présenta à l'ambassade britannique, qui disait faire partie d'une tribu vivant sur les berges du Nil Blanc. Il prétendait connaître cette secte, bien qu'il ait affirmé ne pas faire partie de ses adeptes. Il admit cependant qu'il lui était arrivé plus d'une fois d'assister à leurs orgies, et déclara qu'il était dans leurs habitudes d'offrir des jeunes femmes en sacrifice, de préférence des femmes blanches, des chrétiennes, et surtout des Anglaises. Il jura avoir vu de ses yeux des Anglaises brûlées vives. La description qu'il donna des actes qui précédaient et qui suivaient ces abominations horrifia ses auditeurs. Finalement, il proposa, moyennant une forte rétribution, de conduire une troupe de soldats vers ce repaire de démons à un moment où il serait rempli de fanatiques, car il savait qu'une orgie se préparait pour les jours à venir.

On accepta son offre et il fut consigné dans un appartement et gardé par plusieurs soldats, dont l'un devait constamment rester à ses côtés. La nuit suivante, une sentinelle fut alertée par des cris de terreur qui venaient de la chambre. Elle appela à l'aide et on ouvrit la porte. Le soldat qui était de garde dans l'appartement était devenu fou (il mourut quelques jours plus tard sans avoir recouvré la raison), et l'indigène était mort. La fenêtre était toujours fermée de l'intérieur, et le volet n'avait pas été ouvert. Il n'y avait aucun moyen d'entrer dans la pièce. Et cependant, de l'avis unanime de ceux qui virent le cadavre, le misérable avait été tué par une bête sauvage. Une photographie du corps avait été prise, et j'en ai toujours un tirage en ma possession. De nombreuses lacérations sont visibles autour du cou et sur le bas-ventre, qui semblent avoir été produites par les griffes d'un animal féroce. Le crâne est brisé en une douzaine d'endroits et le visage est réduit en lambeaux.

Cela s'était déroulé il y avait trois ans, et toute cette affaire était restée non résolue. Mais mon attention avait été attirée à plusieurs reprises par certains incidents apparemment sans corrélation qui m'avaient conduit à penser plus d'une fois que le récit de cet indigène contenait au moins une part de vérité. J'en suis même arrivé à me demander si l'industrie de la traite des blanches n'était pas encore florissante de nos jours et si on n'offrait pas encore des femmes de mon pays en sacrifice sur cet autel infernal. Et voilà que Paul Lessingham, un homme dont la réputation, l'intelligence et l'honneur ne faisaient aucun doute, venait m'apporter la confirmation de mes plus sinistres soupçons!

La créature que l'on croyait arabe, qui n'était sûrement pas plus arabe que moi, et dont le nom n'était certainement pas Mohamed el Kheir! était à n'en pas douter un émissaire de ce culte de démons. Quel était le but de sa présence en Angleterre, c'était une autre affaire. Il est possible qu'il soit venu dans l'intention de briser Lessingham corps et âme, à moins qu'il n'ait été en quête de chair fraîche en vue d'un nouvel holocauste. J'étais sûr qu'il fallait chercher là l'explication de la disparition de Miss Lindon. Sans aucun doute, son kidnappeur la destinait à souffrir les pires tourments et à être brûlée vive au milieu des clameurs triomphantes de ces répugnants fanatiques. Et il était clair que ce misérable se savait pourchassé et qu'il mettait toute sa ruse en œuvre pour faire sortir sa captive d'Angleterre sans être inquiété.

Mon intérêt dans cette affaire n'était désormais plus seulement professionnel. La pensée de savoir Miss Lindon à la merci d'un tel monstre faisait bouillir le sang dans mes veines. Je peux affirmer que pas un seul instant la perspective d'une prime ou d'une récompense ne me vint à l'esprit. Contribuer à secourir cette malheureuse et à éliminer son tortionnaire, voilà qui m'aurait suffi comme rétribution.

On ne peut pas être toujours influencé par des considérations purement professionnelles.

Le cab ralentit et une voix s'adressa à nous à travers la lunette:

«Nous sommes arrivés à Commercial Road, Sir. Où désirez-vous aller exactement?

– Conduisez-moi au Commissariat de Limehouse.»

Nous y fûmes bientôt. Je m'adressai au factionnaire à travers l'hygiaphone.

«Mon nom est Champnell. Avez-vous reçu une communication de Scotland Yard au sujet d'une affaire sur laquelle j'enquête?

– Vous voulez parler de l'histoire de l'Arabe? Nous avons reçu une communication téléphonique il y a une demi-heure.

– Depuis que je suis entré en liaison avec le Yard, j'ai reçu ceci de la gare de Vauxhall. Pouvez-vous me dire si les personnes qui sont décrites dans ce rapport ont été aperçues dans les environs?»

Sa réponse fut des plus laconiques:

«Je vais voir.»

Il se rendit dans un autre bureau et emporta le rapport avec lui.

«Pardon, Sir, mais vous avez pas parlé d'un Arabe avec l'inspecteur?»

Le gentleman qui s'adressait à nous était indubitablement un clochard. Il était assis sur un banc, à côté d'un policeman dont le travail consistait apparemment à surveiller ses mouvements.

«Oui. Pourquoi?

– Je vous demande pardon, Sir, mais j'ai vu un Arabe il y a environ une heure, enfin on aurait dit un Arabe.

– A quoi ressemblait-il?

– Je ne peux pas vous dire, Sir, je l'ai pas bien vu. Il portait un gros paquet sur la tête... Ça s'est passé comme ça: on s'est croisé à un coin de rue, je l'avais pas vu et je lui ai rentré dedans. Ouille! Qu'est-ce qu'il m'a mis! Je me suis retrouvé le c... par terre au milieu de la rue avant d'avoir compris ce qui m'arrivait, et il était déjà de l'autre côté de la rue. S'il ne m'avait pas à moitié assommé, je lui aurais couru après, pour sûr! Et je lui aurais dit comment je m'appelle, mais quand je me suis relevé, il avait disparu, comme ça!

– Vous êtes sûr qu'il portait un paquet sur la tête?

– Oh! oui, ça je l'ai bien vu.

– Il y a combien de temps que cela s'est passé? Et où était-ce?

– C'était y'a une heure, peut-être plus, peut-être moins.

– Etait-il seul?

– Y'avait un type qui semblait le suivre, il le quittait pas d'une semelle, mais je sais pas à quoi il jouait. Demandez au «p'liceman». Il sait tout.»

Je me tournai vers le «p'liceman».

«Qui est cet homme?»

Le «p'liceman» passa une main derrière son dos et bomba le torse.

«Eh bien, il est gardé à vue comme suspect. Il nous a donné une adresse, et quelqu'un s'y est rendu pour vérifier ses dires. Si j'étais vous, je ne ferais pas trop attention à ce qu'il raconte. Ce genre de type ment comme il respire.»

Cette opinion exprimée avec tant de franchise provoqua l'indignation du gentleman assis sur le banc.

«Et voilà! Ça recommence! Vous autres les flics, vous êtes tous pareils! Que savez-vous de moi? Rien! Ce gentleman n'est pas obligé de me croire, et après tout, je n'en ai rien à f...e, mais je dis la vérité, un point c'est tout!»

L'inspecteur choisit cet instant pour réapparaître derrière l'hygiaphone et il coupa court à ce flot d'éloquence.

«Ça suffit! Arrêtez de crier!» Il s'adressa à moi: «Aucun de nos hommes n'a aperçu les individus que vous avez décrits. Mais, si vous le désirez, je vais mettre un homme à votre disposition et il vous accompagnera dans vos recherches.»

Soudain, un gosse des rues ébouriffé surgit dans le commissariat. Encore tout essoufflé, il s'exclama:

«Il y a eu un meurtre, p'liceman! Un Arabe a tué un type!»

Le «p'liceman» l'agrippa par l'épaule.

«Quoi?»

Le gamin leva le bras comme pour se protéger d'un coup.

«Laissez-moi tranquille! J'ai rien fait! Je veux pas qu'on me batte! C'est l'Arabe qu'a tué, j'vous dis!»

L'inspecteur d'adressa à lui à travers l'hygiaphone:

«Il a tué qui? Qu'est-ce qui est arrivé?

– Un meurtre! Un meurtre! Chez Mrs. Henderson, à Paradise Place, y a un Arabe qui a tué un type!»

CHAPITRE XLIV

La victime ·

L'inspecteur s'adressa à moi:

«Si ce gosse dit vrai, il semble que la personne que vous recherchez soit impliquée dans l'affaire.»

C'était également mon avis, ainsi que celui de Lessingham et Sydney. Celui-ci agrippa le gamin par l'épaule que le «p'liceman» venait de libérer.

«A quoi ressemble la victime?

— Je sais pas! Je l'ai pas vue! Mrs. Henderson, elle m'a dit: «Gustus Barley, on vient de tuer un type chez moi. Cet Arabe que j'ai chassé il y a une demi-heure a laissé son cadavre dans sa chambre. Va tout de suite au commissariat et dis à ces fichus «p'licemen» qui aiment tant fouiller dans les affaires des honnêtes gens qu'ils feraient bien de se déranger cette fois-ci!» Alors j'suis venu. Je sais rien d'autre, j'le jure!»

Nous filâmes en direction de Paradise Place, l'inspecteur était avec nous dans le cab, le «p'liceman» et Gustus Barley nous suivaient à pied. L'inspecteur nous renseigna sur Mrs. Henderson.

«Elle tient une sorte de pension, un «Foyer du Marin», dit-elle, mais ce n'est pas un établissement respectable, loin de là. Il ne paie pas de mine et, si vous voulez mon avis, en langage clair, c'est une maison peu recommandable.»

Paradise Place était à moins de quatre cents yards du commissariat. Pour autant que l'on pouvait en juger dans l'obscurité, l'endroit consistait en une enfilade de maisons de dimension et d'âge considérables. Seules deux ou trois marches séparaient chacune d'elles de la rue. Sur le seuil de l'une de ces maisons se tenait une vieille femme à la tête enveloppée d'un châle. C'était Mrs. Henderson, qui nous accueillit avec fébrilité.

«Ah vous voilà, hein? Je croyais que vous n'arriveriez jamais!» Elle reconnut l'inspecteur. «C'est vous, Mr. Phillips?» Puis elle recula en nous apercevant. «Qui sont ces types? Ce ne sont pas des flics!»

Mr. Phillips ignora ses questions.

«Aucune importance. Qu'est-ce que c'est que cette histoire de meurtre?

— Chut!» La vieille femme regarda autour d'elle. «Parlez pas si fort, Mr. Phillips. Personne ne sait encore rien. Mes pensionnaires sont des gens respectables et ils ne supporteraient pas de savoir que la police est ici!

– Nous en sommes conscients, Mrs. Henderson.»

La voix de l'inspecteur avait pris un ton sinistre.

Mrs. Henderson nous conduisit jusqu'à un escalier qui aurait eu bien besoin d'être réparé. Il fallait s'accrocher à la rampe pour ne pas tomber et les faux pas furent fréquents.

Notre guide s'arrêta devant une porte, à l'étage supérieur. Elle sortit un trousseau de clés d'un pli invisible dans ses vêtements.

«C'est là. J'ai fermé la porte pour que personne ne dérange. Je sais que vous autres, les «p'licemen», vous aimez pas ça.»

Elle tourna la clé et nous entrâmes, la laissant dans le couloir.

La pièce n'était éclairée que par une chandelle solitaire qui brûlait sur une table bancale. Un petit lit métallique aux couvertures en désordre occupait un recoin de la chambre. A côté, une chaise en bois dont le siège de paille était troué. Mis à part ces meubles pitoyables, la chambre ne contenait que des ustensiles en grès et un miroir accroché au mur nu. Je ne vis de cadavre nulle part, pas plus que l'inspecteur.

«Mrs. Henderson, qu'est-ce que ça signifie? Il n'y a personne ici.

– Il est derrière le lit, Mr. Phillips. Je n'ai touché à rien, je vous l'ai dit, et je n'aurais laissé personne y toucher, je sais que vous autres, les «p'licemen», vous aimez pas ça.»

Nous nous précipitâmes tous ensemble. Atherton et moi allâmes à la tête de lit, Lessingham et l'inspecteur se penchèrent par-dessus la couche pour examiner l'autre côté. Le corps se trouvait dans l'espace qui séparait le lit du mur.

A sa vue, Sydney poussa une exclamation:

«C'est Holt!

– Dieu merci, ce n'est pas Marjorie!» s'écria Lessingham.

Impossible de se méprendre sur le soulagement de sa voix. Cette mort le touchait peu, après qu'il en eut tellement craint une autre.

Je tirai le lit vers le centre de la pièce et m'agenouillai près du corps. Je n'avais jamais vu spectacle plus pitoyable. L'homme était vêtu fort convenablement d'un costume de tweed gris, avec un col blanc, une cravate et un chapeau, et c'était sans doute cette tenue qui rendait son état plus remarquable par contraste. Je doute que son corps ait contenu ne serait-ce qu'une once de chair. Ses joues et les orbites de ses yeux étaient horriblement creusés. Sa peau était tendue à craquer sur ses pommettes, on apercevait presque les os. Même son nez avait presque disparu, et il n'en subsistait plus qu'une crête cartilagineuse. Je passai mon bras sous son épaule et le soulevai: le poids de son corps était quasi inexistant, on aurait cru celui d'un petit enfant.

«Je doute que cet homme ait été assassiné,» dis-je. «Cela ressemble plus à une mort par inanition ou par épuisement, peut-être une combinaison des deux.

— Qu'y a-t-il sur son cou?» demanda l'inspecteur qui était agenouillé à mes côtés.

Il me désigna deux pinçons sur la peau du malheureux, un de chaque côté de son cou.

«On dirait des écorchures. Elles me semblent assez profondes, mais je doute qu'elles aient suffi à entraîner la mort.

— Etant donné sa condition, c'est quand même possible. Y a-t-il quelque chose dans ses poches? Posons-le sur le lit.»

Nous l'étendîmes sur la couche. On aurait cru soulever une plume. Tandis que l'inspecteur fouillait dans ses poches (elles se révélèrent vides), un homme fort grand et fort barbu fit irruption dans la chambre. C'était le Docteur Glossop, le médecin légiste attaché au commissariat, à qui nous avions demandé de nous rejoindre sur les lieux.

Dès qu'il commença à examiner le corps, il fit une déclaration surprenante:

«Je ne crois pas que cet homme soit mort. Pourquoi ne m'avez-vous pas appelé dès que vous l'avez trouvé?»

La question s'adressait à Mrs. Henderson.

«Eh bien, Docteur Glossop, je n'ai pas voulu le toucher et je n'ai laissé personne le toucher, comme je l'ai dit, je sais que les «p'licemen», ils aiment pas ça.

— En ce cas, s'il meurt, ce sera en partie de votre faute.»

La vieille femme ricana. «Allons, Docteur Glossop, on sait bien que vous aimez rigoler.

— Vous rigolerez moins quand vous serez sur l'échafaud, car c'est bien là qu'est votre place, espèce de...» Le Docteur continua sa phrase à voix basse. Je doute que ses appréciations aient été flatteuses. «Avez-vous du cognac ici?

— On a tout ce qu'il faut ici, à condition que les gens paient, tout ce qu'il faut.» Elle se rappela soudain qu'elle s'adressait à la police et que son établissement n'avait pas licence de vendre de l'alcool. «Ou du moins, on peut envoyer quelqu'un en·acheter si on nous donne de l'argent, on est toujours prêt à rendre service.

— Alors allez me chercher du cognac au pub le plus proche! Si cet homme meurt avant que vous soyez revenue, je vous ferai enfermer, je vous le promets.»

Le cognac ne tarda guère à arriver, mais le malheureux avait repris conscience avant cela. Il ouvrit les yeux et regarda le docteur penché sur lui.

«A la bonne heure! Comment vous sentez-vous, mon ami?»

Le patient regarda le médecin d'un air égaré, comme s'il n'avait pas recouvré tous ses sens, comme si ce grand barbu était un être étrange. Atherton se pencha à côté du docteur.

«Je suis heureux de vous voir, Mr. Holt. Vous me reconnaissez, n'est-ce pas? Je vous ai couru après toute la journée.

– Vous êtes... Vous êtes...» Ses yeux se refermèrent, comme s'il était épuisé par ses souvenirs. Ils restèrent clos quand il reprit la parole.

«Je sais qui vous êtes. Vous êtes... le gentleman.

– Oui, c'est ça. Je suis le gentleman, Atherton, l'ami de Miss Lindon. Et je crois bien que vous êtes à bout, il vous faut quelque chose à boire. Tenez, voici du cognac.»

Le docteur en versa un peu dans un verre, et leva la tête du malheureux pour le faire boire. Holt avala la boisson sans réagir, comme inconscient de ce qu'il faisait. La couleur qui envahit ses joues rendit son état encore plus terrifiant par contraste: il était littéralement émacié. Le docteur le reposa doucement sur le lit, et prit son pouls tout en le regardant silencieusement.

Puis, se tournant vers l'inspecteur, il lui dit à voix basse:

«Si vous voulez recueillir son témoignage, il vous faudra faire vite: il n'en a plus pour longtemps. Vous ne pourrez pas en tirer grand-chose, il est déjà trop mal en point et je ne veux pas qu'il souffre davantage. Enfin, essayez.»

L'inspecteur s'avança, son carnet de notes à la main.

«J'ai cru comprendre grâce à ce gentleman,» dit-il en faisant allusion à Atherton, «que votre nom est Robert Holt. Je suis inspecteur de police et je désire savoir qui vous a mis dans cet état. Est-ce que vous avez été agressé?»

Holt ouvrit les yeux et fixa son interrogateur comme s'il ne pouvait pas le voir et arrivait encore moins à le comprendre. Sydney s'approcha de lui et expliqua:

«L'inspecteur veut savoir comment vous êtes arrivé ici et qui vous a mis dans cet état. Avez-vous été attaqué?»

Les paupières du misérable étaient mi-closes, mais elles s'ouvrirent soudainement. Ses traits furent envahis par une expression de terreur panique. Il éprouvait visiblement des difficultés à parler. Enfin, il réussit à dire:

«Le scarabée!» Il se tut, puis reprit, avec un grand effort: «Le scarabée!

– Que veut-il dire?» demanda l'inspecteur.

«Je crois comprendre,» répondit Sydney. Puis il se tourna de nouveau vers l'homme étendu sur le lit: «Je vous ai entendu: le scarabée. Que vous a fait le scarabée?

– Il m'a pris à la gorge!

– Est-ce la cause des marques que vous avez sur le cou?

– Le scarabée m'a tué!»

Ses paupières se refermèrent et il replongea dans sa léthargie. L'inspecteur était déconcerté, et dit à haute voix:

«Qu'est-ce que c'est que cette histoire de scarabée?»

Atherton lui répondit.

«Je crois que je comprends ce qu'il veut dire, et mes amis aussi. Nous vous expliquerons plus tard. En attendant, je ferais mieux de continuer à l'interroger, pendant qu'il est encore temps.

– Oui,» répondit le docteur, la main sur le pouls de son patient, «pendant qu'il est encore temps. Vous n'avez que quelques secondes.»

Sydney tenta de tirer le malheureux de sa torpeur.

«Vous avez été avec Miss Lindon toute la journée, n'est-ce pas, Mr. Holt?»

Atherton avait touché un point sensible dans son esprit. Ses lèvres articulèrent avec difficulté:

«Oui... cet après-midi... et ce soir... Dieu ait pitié de moi!

– J'espère qu'Il aura pitié de vous, mon pauvre ami. Si jamais homme a eu besoin de Son aide, c'est bien vous. Miss Lindon est habillée de vos vieux vêtements, n'est-ce pas?

– Oui, avec mes vieux vêtements. Mon Dieu!

– Et où est Miss Lindon à présent?»

Holt avait gardé les yeux fermés. Il les rouvrit soudain et nous y lûmes une horreur sans nom. Il fut brusquement en proie à une agitation incontrôlable et réussit presque à se redresser sur sa couche. Les mots sortaient de ses lèvres frémissantes comme s'ils lui étaient soutirés par la force de son angoisse.

«Le scarabée va tuer Miss Lindon.»

Une dernière convulsion secoua les fondations mêmes de son être. Son corps entier fut agité de frissons et il retomba sur le lit. Le docteur l'examina en silence. Nous étions tous muets.

«Cette fois-ci, c'est fini. Ce malheureux ne pourra plus rien dire.»

Je sentis une pression sur mon bras et découvris que Lessingham s'agrippait à moi avec une violence dont il n'avait probablement pas conscience. Les muscles de son visage étaient crispés et il tremblait de tous ses membres. Je me tournai vers le docteur.

«Docteur, s'il vous reste un peu de ce cognac, voulez-vous en donner à mon ami?»

Lessingham avala le contenu de la fiasque d'un trait. Je pense que ce geste nous épargna une scène.

L'inspecteur s'adressait à présent à la propriétaire des lieux.

«Mrs. Henderson, peut-être allez-vous maintenant nous expliquer ce que signifie tout cela. Qui est cet homme, comment est-il entré ici, avec qui, et que savez-vous de son ou de ses compagnons? Si vous avez quelque chose à déclarer, choisissez bien votre réponse, car il est de mon devoir de vous prévenir que tout ce que vous direz pourra être retenu contre vous.»

CHAPITRE XLV

Ce que savait Mrs. Henderson

Mrs. Henderson passa les mains dans son tablier et grimaça.

«Eh bien, Mr. Phillips, qu'est-ce qui vous prend de me parler sur ce ton? A vous entendre, on dirait que j'ai quelque chose à me reprocher. Je vais vous raconter ce qui est arrivé, pas la peine de faire des histoires. Quant à être prudente, vous n'avez pas besoin de me le conseiller, vous savez bien que je suis toujours prudente.

— Je ne le sais que trop. Est-ce tout ce que vous avez à dire?

— Vraiment, Mr. Phillips, vous vous y entendez pour brusquer les gens. Bien sûr que non, je n'ai pas que ça à dire, laissez-moi y arriver.

— Allez-y, donc.

— Si vous m'interrompez tout le temps, vous allez m'embrouiller, et si je me trompe, vous allez dire que je mens, alors que tout le monde sait bien qu'il n'y a pas plus sincère que moi dans tout le quartier de Limehouse.»

De toute évidence, l'inspecteur avait une réplique cinglante sur le bout des lèvres, mais il se retint de l'exprimer. Mrs. Henderson leva les yeux, comme si elle cherchait l'inspiration dans le plafond crasseux.

«Il y a à peu près une heure, non environ une heure et quart, ou peut-être une heure et demie...

— Nous ne vous demandons pas autant de précision. Continuez.

— J'ai entendu frapper à ma porte, et quand je suis allée ouvrir, j'ai vu un Arabe qui portait sur la tête un paquet plus grand que lui, et deux autres types qui l'accompagnaient. Cet Arabe m'a demandé, avec cet horrible accent qu'ils ont: «Une chambre pour la nuit, une chambre». Moi, je n'aime pas les étrangers, et surtout pas les Arabes. Je n'aime pas leurs manières, et je le lui ai dit. Mais cet Arabe-là ne semblait pas comprendre ce que je lui disais, car il ne faisait que répéter: «Une chambre pour la nuit, une chambre». Et il m'a mis deux demi-couronnes dans la main. Maintenant, c'est une question de principe chez moi: l'argent, c'est l'argent, et l'argent d'un homme est aussi bon que celui d'un autre. D'autres se seraient montrés désagréables avec lui, mais ce n'est pas mon genre. Je l'ai conduit à cette pièce, lui et les deux autres. A peu près une demi-heure plus tard, j'étais en bas quand j'ai entendu des bruits qui venaient d'ici...

— Quel genre de bruit?

— Des cris et des hurlements, oh mon Dieu, c'était à vous glacer le

233

sang! Je n'ai jamais rien entendu de pareil. Il y a parfois des gens qui font du bruit ici, comme partout ailleurs, mais jamais comme ça. J'ai attendu une ou deux minutes, mais ça n'a pas arrêté et je m'attendais à voir accourir tous les autres pensionnaires d'un moment à l'autre pour se plaindre, alors je suis montée ici et j'ai frappé à la porte, mais on ne faisait pas attention à moi là-dedans.

– Est-ce que les bruits continuaient?

– Continuer! Tu parles qu'ils continuaient! Grand Dieu! Ça n'arrêtait pas de crier, je croyais que le toit allait s'envoler.

– Est-ce qu'il y avait d'autres bruits à part ces cris? Des bruits de lutte, par exemple?

– Non, on n'entendait que cet homme en train de hurler.

– Un seul homme?

– Oui, un seul. Comme je l'ai dit, ça n'arrêtait pas. En mettant mon oreille contre la porte, j'ai cru entendre quelqu'un pleurnicher, mais ce n'était rien à côté de ces cris, je n'aurais jamais cru entendre un jour des cris pareils sortir de la bouche d'un homme. J'ai continué à frapper et, au moment où je croyais qu'il me faudrait enfoncer la porte, l'Arabe m'a crié de l'intérieur: «Allez-vous-en! J'ai payé pour la chambre! Allez-vous-en!» Je l'ai trouvée bien bonne, vous pouvez me croire. Je lui ai dit: «Vous n'avez pas payé pour avoir le droit de faire un tel boucan! Si je vous entends encore, je vous mets dehors! Et si vous ne vous tenez pas tranquille tout de suite, je saurai bien vous y forcer».

– Est-ce qu'ils se sont calmés après ça?

– Pour ainsi dire, oui, on entendait toujours quelqu'un pleurnicher, et on aurait dit qu'un autre cherchait à reprendre son souffle.

– Qu'est-il arrivé ensuite?

– Comme tout était tranquille, je suis redescendue. Et un quart d'heure ou vingt minutes plus tard, je suis sortie prendre l'air. Et Mrs. Barnes, qui habite de l'autre côté, au numéro 24, est venue causer avec moi et m'a dit: «Votre client arabe n'est pas resté très longtemps». Je l'ai regardée sans comprendre et elle a ajouté: «Je l'ai vu entrer chez vous, et il est reparti il y a quelques minutes, avec son paquet si lourd qu'il trébuchait presque en le portant!» Voilà qui était tout nouveau pour moi. Je suis montée ici et j'ai vu que la porte était ouverte. Je suis entrée et j'ai cru que la chambre était vide, puis j'ai vu ce pauvre jeune homme qui était derrière le lit.»

Le docteur poussa un grognement.

«Si vous m'aviez envoyé chercher tout de suite, il serait peut-être encore vivant.

– Comment pouvais-je le deviner, Docteur? Le trouver assassiné ici, c'était déjà trop pour moi. Je suis descendue à toute allure et j'ai vu Gustus Barley qui traînait dans le coin et je lui ai dit: «Gustus Barley, va vite au commissariat et dis-leur qu'un Arabe a tué un homme chez moi». Voilà tout ce que je sais, Mr. Phillips, et je ne pourrais vous dire rien de plus, même si vous me posiez des questions pendant des heures et des heures.

– Alors, vous croyez que c'était cet homme qui criait ainsi?

– A dire vrai, Mr. Phillips, je ne saurais pas vous répondre. A mon avis, on aurait plutôt dit des cris de femme. Je sais reconnaître les cris d'une femme, j'en ai assez entendu en mon temps, hélas. Et je crois que seule une femme aurait pu hurler ainsi et seulement si elle était folle. Mais il n'y avait pas de femme avec eux. Il n'y avait que l'homme assassiné et un autre, et celui-là n'avait sur lui que des guenilles. Mais quoi qu'il en soit, Mr. Phillips, c'est la dernière fois que je prends un Arabe sous mon toit, et quel que soit l'argent qu'on me proposera. Vous pouvez m'en croire.»

Mrs. Henderson leva de nouveau les yeux, comme si cette déclaration avait une signification religieuse, et elle hocha la tête avec solennité.

CHAPITRE XLVI

Un arrêt soudain

Alors que nous quittions la maison, un constable survint et tendit un message à l'inspecteur. Celui-ci me le donna après l'avoir lu. Il provenait du commissariat:

Un Arabe portant un paquet volumineux a été vu en train de rôder autour de la gare de St. Pancras. Il semblait accompagné d'un jeune vagabond. Celui-ci paraissait malade. Ils attendaient un train en direction du nord. Faut-il les arrêter?

Je gribouillai une réponse:

Faites-les arrêter. S'ils sont déjà partis, préparez un train spécial.

Une minute plus tard, nous étions de nouveau dans le cab. Je m'efforçai de persuader Lessingham et Atherton de me laisser agir seul, mais en vain. Je ne craignais rien au sujet d'Atherton, mais j'avais peur pour Lessingham. Non seulement son agitation était telle que je m'attendais à le voir s'effondrer d'une minute à l'autre, mais en plus il commençait à me porter sur les nerfs. Je prévoyais une catastrophe. Nous venions de voir le rideau se baisser sur une tragédie, et je n'avais aucun doute: une autre allait bientôt suivre, peut-être encore pire. L'optimisme n'était plus de mise: la créature que nous pourchassions ne renoncerait sûrement pas à sa proie sans lutter, et cette dernière ne se tirerait pas sans dommage de l'aventure. Si jamais les circonstances venaient à nécessiter une action rapide et immédiate, j'étais convaincu que Lessingham serait plus un poids mort qu'un auxiliaire fiable.

Mais, comme le temps nous pressait et qu'il m'était impossible de persuader Lessingham, il ne me restait plus qu'à prendre mon parti de sa présence.

L'arche de St. Pancras était plongée dans les ténèbres, qu'éclairaient de temps en temps la lueur d'une lampe. La gare semblait déserte. Je crus tout d'abord que nous avions eu tort de venir jusqu'ici, qu'il n'y avait plus personne sur les lieux et qu'il nous faudrait poursuivre notre enquête au commissariat. Mais, alors que nous nous dirigions vers les guichets, nos pas arrachant à la nuit des échos sinistres, une porte s'ouvrit et une voix demanda:

«Qui va là?

— Mon nom est Champnell. Avez-vous reçu un message pour moi du commissariat de Limehouse?

— Par ici.»

Nous le suivîmes dans un bureau petit mais confortable, dans lequel nous attendait un inspecteur des Chemins de Fer. C'était un homme de haute taille, à la barbe blonde. Il me regarda avec méfiance, mais reconnut Lessingham tout de suite. Il ôta sa casquette pour le saluer.

«Mr. Lessingham, je présume?

— C'est moi-même, en effet. Avez-vous des nouvelles pour moi?»

Je lus sur le visage de l'inspecteur une certaine stupéfaction, sans nul doute causée par la pâleur de Lessingham et par sa voix tremblante.

«J'ai ordre de transmettre certaines informations à Mr. Augustus Champnell.

— Je suis Mr. Champnell. Qu'avez-vous à me dire?

— C'est au sujet de l'Arabe sur lequel vous enquêtez. Un étranger, habillé comme un Arabe et portant un paquet volumineux, a pris deux allers en troisième pour Hull, par l'express de minuit.

— Etait-il seul?

— Il semblait accompagné par un jeune homme vêtu de haillons. Il n'était pas avec lui au guichet, mais on les avait aperçus ensemble auparavant. Une minute après que l'Arabe fut monté dans le train, ce jeune homme l'a rejoint dans son compartiment. Ils étaient dans le wagon de tête.

— Pourquoi ne les a-t-on pas arrêtés?

— Nous n'avions aucune autorité pour le faire, et aucune raison: nous n'avons reçu votre message qu'il y a quelques minutes et nous ignorions qu'ils étaient recherchés.

— Vous avez dit qu'il a pris des billets pour Hull. Est-ce que la ligne est directe?

— Non. Une partie du train va jusqu'à Liverpool et Manchester, l'autre jusqu'à Carlisle. Le train se divise à Derby. L'homme que vous recherchez devra changer à Sheffield ou à Cudworth Junction et attendre la correspondance jusqu'à demain matin.»

Je consultai ma montre.

«Le train est parti à minuit, avez-vous dit. Il est à présent minuit vingt-cinq. Où est-il?

– Il approche de St. Albans, où il arrivera à minuit trente-cinq.

– Si nous envoyons un télégramme là-bas, le recevront-ils à temps?

– Je ne pense pas et, de toute façon, à cette heure de la nuit, il n'y aura qu'un personnel réduit, juste assez pour prendre le train en charge lors de son passage. Ils seront trop occupés par leur travail pour avoir le temps d'alerter la police.

– Pouvez-vous télégraphier à St. Albans pour leur demander de vérifier s'ils sont encore dans le train?

– C'est possible, certainement. Je m'en occupe tout de suite si vous voulez.

– Quel est l'arrêt suivant?

– Luton, minuit cinquante et une. Mais ce sera pareil qu'à St. Albans. Il vous faudra au moins vingt minutes pour expédier votre télégramme, et je ne crois pas qu'il y aura un homme de veille à Luton. Dans ces gares de campagne, il y a parfois un policeman de garde, mais c'est rare, et à cette heure de la nuit il faudra un certain temps pour que la police arrive sur les lieux. Ecoutez, je vais vous dire ce qu'il faut faire.

– Quoi donc?

– Le train arrive à Bedford à une heure vingt-neuf: envoyez votre télégramme là-bas. Il devrait y avoir du monde, et nous aurons le temps d'alerter la police.

– Entendu. J'avais demandé que l'on me prépare un train spécial. Où est-il?

– Une locomotive à vapeur vous attend sur le quai, elle sera prête dans dix minutes. Le train arrive à Bedford dans une heure, et la gare se trouve à cinquante miles d'ici. Avec un peu de chance, vous arriverez là-bas en même temps que lui. Dois-je leur dire de se tenir prêts?

– Oui.»

Tandis qu'il donnait des instructions par téléphone à l'équipe de notre train, je rédigeai deux télégrammes. Il raccrocha l'appareil et se tourna vers moi.

«Ils sont prêts et seront à votre disposition dans moins de dix minutes. Je veillerai à ce que la voie soit libre devant vous. Vous avez les télégrammes?

– En voici un, pour Bedford.»

Il disait:

Arrêtez l'Arabe qui se trouve dans le train de 1h.29. Au départ de St. Pancras, il était dans un compartiment de 3ème du wagon de tête. Il porte un grand paquet, à confisquer. Il a pris deux allers pour Hull.

Avec lui se trouve une personne déguisée en vagabond: il s'agit d'une jeune dame qu'il a kidnappée après l'avoir hypnotisée. Faites-la conduire à un hôtel et prévenez un médecin. Tous les frais engagés seront à la charge du soussigné qui arrive par train spécial. L'Arabe risque d'être violent, aussi prévoyez un fort contingent de policiers.

Augustus Champnell

«Et voici l'autre. Il est sans doute trop tard pour l'envoyer à St. Albans, mais essayez quand même, et envoyez-le aussi à Luton.»

Un Arabe et son compagnon se trouvent-ils encore à bord du train qui a quitté St. Pancras à minuit? Si oui, ne les laissez pas descendre avant Bedford, où il sera procédé à leur arrestation.

L'inspecteur parcourut rapidement les deux messages.

«Cela devrait faire l'affaire. Suivez-moi, je vais les envoyer tout de suite et voir si votre train est prêt.»

Le train n'était pas prêt, et nous dûmes attendre plus de dix minutes: il avait été impossible de trouver un wagon adéquat et il nous fallut nous contenter d'une voiture de première classe assez vétuste. Mais ce délai ne fut pas entièrement négatif: au moment où la locomotive s'accrochait au train, un employé apparut, une enveloppe à la main.

«Un télégramme de St. Albans.»

Je déchirai l'enveloppe. Le message était bref:

Arabe et son compagnon dans le train au départ. Télégraphié à Luton.

«Parfait! A moins d'un imprévu, nous les tenons!»

Ah, cet imprévu!

Je me dirigeai vers le train en compagnie de l'inspecteur et du chef de quai, afin de donner mes dernières instructions au conducteur.

«J'ai donné l'ordre au conducteur de ne pas lésiner sur le charbon et de faire le maximum pour que vous arriviez à Bedford cinq minutes après l'express,» dit l'inspecteur. «Il pense y parvenir.»

Le conducteur se pencha vers nous, un chiffon graisseux à la main. C'était un homme de petite taille, sec et grisonnant, pourvu d'une moustache ébouriffée et de cette expression à la fois amusée et résolue qu'ont en général les conducteurs de locomotives.

«On devrait y arriver: nous aurons quelques côtes à grimper, mais la nuit est claire et il n'y a pas de vent. La seule chose qui pourrait nous arrêter serait un blocage de la voie par le passage d'un train de marchandises. Là, il n'y aurait rien à faire, mais l'inspecteur doit nous dégager la route.

– Oui, ce sera fait. J'ai déjà prévenu toutes les gares concernées par télégraphe.»

Atherton intervint:

«Mon ami, si vous nous amenez à Bedford dans les cinq minutes qui suivront l'arrivée de l'express, il y aura un billet de cinq livres sterling

238

à partager entre vous et votre collègue.»

Le conducteur eut un large sourire.

«Nous y arriverons, Sir, même s'il nous faut sauter par-dessus les aiguillages. Ce n'est pas si souvent qu'un voyage à Bedford nous rapporte cinq livres, et nous ferons de notre mieux pour les gagner!»

Derrière lui, le chauffeur agita la main.

«Comptez sur nous, Sir,» cria-t-il. «On reparlera de ce billet de cinq livres!»

Dès que nous eûmes quitté la gare, il devint évident qu'Atherton avait des chances d'être séparé de cette coupure dans un avenir proche. Voyager dans un train composé d'un seul wagon accroché à une locomotive qui fonce à toute allure est une expérience qui ne rappelle que très lointainement un trajet effectué à vitesse normale dans un train ordinaire. J'avais déjà eu l'occasion de le constater, et je le vérifiai une fois de plus cette nuit-là. Un novice aurait cru à chaque instant que nous étions sur le point de dérailler et il aurait été excusable. Il était difficile de croire à l'existence d'une suspension, tant le wagon était secoué dans tous les sens. Il était hors de question de parler, et j'en étais personnellement soulagé. Nous ne pouvions guère rester assis et le bruit était assourdissant. Nous aurions pu nous croire poursuivis par une légion de démons enragés et vociférants.

«By George!» cria Atherton. «Il a vraiment l'intention de gagner ses cinq livres! J'espère que je survivrai assez longtemps pour les lui remettre!»

Il n'était qu'à l'autre bout du wagon et, à en juger par ses mimiques, il criait à pleins poumons, mais je ne pus saisir qu'un mot ou deux de sa phrase et dus en deviner le reste.

La façon dont Lessingham se contorsionnait était fascinante à observer. Parmi la multitude de ceux qui ne le connaissaient que par ses portraits publiés par la presse, peu de gens auraient pu reconnaître le célèbre homme d'Etat. Et cependant, je crois bien que peu de circonstances auraient pu lui être aussi propices en cet instant. Il courait le risque d'être réduit en pièces, mais la gravité du danger semblait éloigner de son esprit le sujet d'inquiétude qui avait menacé de l'absorber. Le risque qu'il courait avait sur lui un effet tonique, le péril dans lequel il se trouvait apportait du piquant à son existence. En fait, il ne se trouvait sans doute pas en danger, mais il était persuadé du contraire. Et il était sûr que, si nous venions à nous écraser à cette vitesse, ce serait de la façon la plus spectaculaire que l'on puisse rêver. Il est probable que la conscience qu'avait Lessingham de cette possibilité réchauffait le sang dans ses veines. En tout cas, alors que je l'observais, il me semblait qu'il recouvrait peu à peu la force qui était sienne et que chaque secousse le faisait ressembler davantage à l'homme que je le savais être.

Fonçant, bondissant, rugissant, le train continuait sa course. Atherton, qui s'était efforcé de regarder par la fenêtre, s'époumona afin de se faire entendre.

«Où diable sommes-nous?»

Je consultai ma montre et lui répondis en criant:

«Il est à peu près une heure, nous devrions approcher de Luton. Hé! Que se passe-t-il?»

Il se passait quelque chose, c'était sûr. On entendit retentir un sifflet. Une seconde plus tard, nous ressentions (et de quelle façon!) les effets des freins Westinghouse. Quelles secousses! Les vibrations du wagon menacèrent de nous réduire en morceaux. Nous pouvions apprécier pleinement les effets du mécanisme et il n'était pas difficile de comprendre comment le train pouvait se retrouver brusquement immobile en quelques instants.

Nous nous relevâmes simultanément. Je baissai ma fenêtre et Atherton fit de même, criant:

«On dirait que les instructions de l'inspecteur sont restées lettre morte et que nous sommes bloqués. Ou alors nous sommes arrivés à Luton, ce ne peut être déjà Bedford.»

De toute évidence, ce n'était pas Bedford. Je ne pouvais rien distinguer dans la nuit: je me sentais un peu étourdi, mes oreilles bourdonnaient et les ténèbres étaient impénétrables. Puis j'entendis le garde ouvrir la porte de son compartiment. Il resta un instant sur le marchepied, semblant hésiter. Puis, une lampe à la main, il descendit sur la voie.

«Que se passe-t-il?» demandai-je.

«Je n'en sais rien, Sir. On dirait qu'il y a quelque chose devant nous. Qu'est-ce qui a pu arriver?»

Il s'était adressé au chauffeur, qui lui répondit aussitôt:

«Il y a quelqu'un qui agite une lanterne rouge sur la voie. Heureusement que je l'ai aperçu à temps, nous avons bien failli l'écraser. On dirait qu'il est arrivé quelque chose. Le voilà!»

Mes yeux s'étaient habitués à l'obscurité, et je pouvais distinguer une silhouette qui se hâtait dans notre direction en agitant une lanterne. Notre garde avança à sa rencontre en criant:

«Que se passe-t-il? Qui va là?»

Une voix répondit:

«My God! George Hewett! J'ai bien cru que vous alliez nous foncer dessus.

– Quoi! Jim Branson! Qu'est-ce que tu fais ici? Qu'est-il arrivé? Je croyais que tu étais à bord de l'express de minuit! Nous sommes à votre poursuite!

– Vraiment? Alors, vous nous avez rattrapés. Dieu merci! Nous avons déraillé.»

J'avais déjà ouvert la porte et je me précipitai vers la voie, suivi par mes deux compagnons.

CHAPITRE XLVII

Ce qu'il y avait dans le wagon de troisième classe

Je me dirigeai vers l'homme en uniforme qui tenait une lanterne.
«Etes-vous le contrôleur de l'express de minuit?
– Oui.
– Où est votre train? Que s'est-il passé?
– Où il est? Juste là, devant vous, ou du moins ce qu'il en reste. Quant à ce qui s'est passé, eh bien, nous avons déraillé!
– Que voulez-vous dire?
– Des wagons se sont décrochés d'un train de marchandises qui nous précédait et ont dévalé sur nous depuis la colline.
– Il y a longtemps?
– A peine dix minutes. Je viens juste de partir pour aller prévenir le poste d'aiguillage qui se trouve à deux miles d'ici. My God! Quand je vous ai vus arriver, j'ai cru qu'il allait y avoir une autre catastrophe!
– Il y a beaucoup de dégâts?
– J'ai l'impression que le train est en morceaux. D'après ce que j'ai pu voir, tous les wagons de tête se sont carambolés. J'ai l'impression d'avoir les intérieurs en compote. Cela fait trente ans que je suis cheminot et c'est la première fois que je me trouve dans un accident.»
Il faisait trop sombre pour que je puisse voir son visage mais, à en juger par le ton de sa voix, il devait être au bord des larmes.
Le garde qui nous accompagnait se retourna vers la locomotive.
«Vous feriez mieux d'aller prévenir la cabine!
– D'accord, on y va!» lui répondit-on.
Le train spécial fit machine arrière en sifflant. Tout le comté devait entendre le vacarme produit par la machine, et il était évident, à ce bruit, que quelque chose s'était passé sur la voie ferrée.
Le train accidenté était plongé dans les ténèbres, la force du choc ayant éteint les lanternes des wagons. On apercevait çà et là le tremblement d'une chandelle ou la brève lueur d'une allumette, mais c'étaient les seules sources d'éclairage de la scène. Quelques personnes rassemblaient des débris sur le bas-côté afin de faire un feu, plus pour s'éclairer que pour se réchauffer.
Quelques passagers avaient réussi à se dégager et erraient le long de la voie sans but défini, mais la majorité d'entre eux restaient prisonniers des wagons, dont les portes étaient bloquées. Sans les outils adéquats, il était impossible de les ouvrir. Des cris pitoyables saluaient notre passage: des hommes, des femmes, des enfants appelaient à l'aide.

«Ouvrez la porte!

– Au nom de Dieu, ouvrez la porte, je vous en supplie!»

Cette prière déchirante était répétée sur tous les tons, du désespoir à la menace.

Les contrôleurs s'employaient sans grand succès à rassurer les malheureux pris de panique.

«Du calme, Sir! Attendez quelques minutes, Madame! Il nous faut des outils pour ouvrir ces portes, et un train spécial est en route pour les apporter. Un peu de patience, et nous serons là pour vous secourir. Vous n'avez rien à craindre là-dedans si vous restez calmes.»

Mais c'était précisément ce qu'ils n'arrivaient pas à faire: rester calmes!

A la tête du train, tout n'était que chaos. Les wagons responsables de la catastrophe (on découvrit plus tard qu'il y en avait six, plus deux compartiments à l'usage des contrôleurs) avaient été chargés de ciment. Les sacs avaient éclaté et tout autour de nous était recouvert d'une fine poussière grise. L'air en était saturé et nous étions à demi aveuglés. La locomotive de l'express avait été renversée et vomissait de la fumée, de la vapeur et des flammes: je m'attendais à chaque instant à voir les wagons de tête prendre feu.

Comme l'avait dit le contrôleur, les wagons de tête étaient «carambolés». Devant nos yeux se trouvait un tas de débris, encastrés les uns dans les autres au milieu d'une confusion inextricable. On ne put pas accéder à ce qui avait été leur intérieur avant le jour. Dans le compartiment de troisième classe se trouvait quelque chose d'extraordinaire.

Des haillons partiellement brûlés étaient éparpillés çà et là, ainsi que ce qui semblait être des fragments de soie et de lin. Ces fragments sont aujourd'hui en ma possession, et des experts m'ont assuré qu'il ne s'agissait ni de soie, ni de lin, mais d'un matériau dont l'origine était plutôt animale que végétale et dont la nature était totalement inconnue. Les coussins et les boiseries (surtout les boiseries) étaient couverts d'énormes taches. Quand on les découvrit, elles étaient fort humides et fort malodorantes. J'ai en ma possession un morceau de boiserie sur lequel on distingue encore une tache. Des experts l'ont également analysée, mais les opinions à son sujet diffèrent. Certains affirment qu'il s'agit de sang humain ayant été soumis à une forte chaleur, et donc ébouillanté. D'autres déclarent qu'il s'agit du sang d'un animal sauvage, probablement un félin. D'autres encore prétendent qu'il ne s'agit nullement de sang, mais bien plutôt de peinture. Mais une personne décrit cette tache comme (et je cite son analyse telle qu'elle est rédigée): «causée par une matière visqueuse, probablement excrétée par une variété de lézard».

Dans un coin du wagon se trouvait le corps de ce qui semblait être un jeune homme habillé comme un vagabond. C'était Marjorie Lindon.

Une fouille minutieuse effectuée dans le compartiment ne permit de trouver rigoureusement rien d'autre.

Chapitre XLVIII
La conclusion de l'affaire

Cela fait maintenant plusieurs années que les événements que je viens de narrer se sont déroulés: je n'aurais pas osé en informer le public s'il en avait été autrement. Combien d'années exactement, je ne peux le révéler, pour des raisons qui devraient être évidentes.

Marjorie Lindon est toujours vivante. Quand on la dégagea des débris de l'express, une étincelle de vie luisait encore en elle, et fut préservée avec beaucoup de soins. Cependant, sa guérison ne fut pas l'affaire de quelques semaines ou de quelques mois, mais de plusieurs années. Je crois savoir qu'après qu'elle se fut rétablie sur le plan physique (ce qui ne fut pas une mince affaire), son état nerveux nécessita un séjour de trois ans dans un établissement spécialisé. Mais tout ce que le talent et l'argent pouvaient accomplir fut mis en œuvre pour la guérir et, avec le temps, les résultats finirent par être jugés satisfaisants.

Son père est mort, à présent, et lui a légué toute sa fortune. Elle a épousé l'homme que j'ai désigné dans ces pages par le nom de Paul Lessingham. Si sa véritable identité venait à être révélée, on reconnaîtrait en elle l'épouse unanimement admirée d'un des plus grands hommes d'Etat de notre époque.

Rien ne fut raconté à Miss Lindon du jour fatal où elle déambula à travers les rues de Londres déguisée en vagabond. Elle-même n'y a jamais fait allusion. Au fur et à mesure qu'elle se rétablissait, il devenait vite apparent que l'incident s'était complètement effacé de sa mémoire, ce dont il faut sans doute remercier le ciel. Ainsi, on ne saura jamais vraiment ce qui lui était arrivé, plus particulièrement lorsqu'elle se trouvait dans le compartiment de troisième classe, sur la ligne indécise qui sépare la vie de la mort. Qu'est devenue la créature qui faillit la tuer? Qui était-il? (S'il s'agissait d'un *il*, ce dont je doute). D'où venait-il? Où allait-il? Quel était le but de sa présence en Angleterre? Aujourd'hui encore, ces questions restent sans réponse.

Paul Lessingham n'a plus jamais été inquiété par son tortionnaire. Il a cessé d'être un homme hanté. Néanmoins, il continue d'éprouver une vive répulsion pour les scarabées, et il lui est impossible ne serait-ce que d'en parler. Si l'on venait à aborder ce sujet dans une conversation et s'il lui était impossible d'en changer, il est fort probable qu'il quitterait la pièce sur-le-champ. Son épouse est affligée de la même particularité.

Ce fait est sans doute peu connu, mais je n'invente rien. De plus, j'ai des raisons de croire qu'il lui arrive parfois de revivre ces instants du passé, d'être replongé, tremblant, dans ce cauchemar indicible, et de prier le Seigneur de garder à jamais cette horreur loin de lui.

Avant de conclure, je me dois de mentionner un détail. Cet incident a été tenu secret, mais j'ai reçu des preuves formelles de son authenticité:

Lors de la récente expédition militaire vers Dongola, une troupe de soldats indigènes qui campaient dans un coin perdu du désert furent réveillés en pleine nuit par ce qui semblait être le bruit d'une explosion. Le matin suivant, on découvrit à environ deux miles du camp un énorme cratère, comme si on s'était livré à cet endroit à des expériences sur un nouveau type d'explosif. Dans le cratère et autour de lui, on trouva ce qui semblait être des fragments de corps, dont des témoins dignes de foi affirmèrent qu'il ne s'agissait ni de corps d'hommes ni de corps de femmes, mais de cadavres de créatures d'origine inconnue. Comme aucun examen scientifique ne put être effectué, je préfère croire que ces témoins se trompaient.

Une chose est sûre: on ramassa sur les lieux de nombreux morceaux de pierre et de métal, ce qui suggère l'existence d'une curieuse construction souterraine pulvérisée par l'explosion. Plus particulièrement intéressants étaient des fragments de métal qui semblaient provenir d'une immense statue de bronze. On ramassa également une douzaine de reproductions en bronze du scarabée sacré des Anciens.

Je n'oserais avancer l'hypothèse que l'antre de démons décrit par Lessingham avait été anéanti cette nuit-là, et que les débris que l'on ramassa autour du cratère étaient tout ce qu'il en restait. Mais les faits semblent orienter mes conclusions dans cette direction, et j'espère de tout cœur que cette hypothèse est la bonne.

Sydney Atherton a fini par épouser Miss Dora Grayling. Sa fortune a fait de lui un des hommes les plus riches d'Angleterre. Elle avait commencé par l'aimer immensément, et il a fini, lui, par l'aimer davantage. Leur amour est un démenti cinglant offert à tous ceux qui prétendent qu'un mariage heureux est impossible. Il continue sa carrière d'inventeur, et ses découvertes dans le domaine de l'aéronautique, qui font d'un véhicule aérien une réalité imminente, sont connues de tous.

Le garçon d'honneur au mariage d'Atherton était Percy Woodville, aujourd'hui Comte de Barnes. Six mois plus tard, il épousait une des demoiselles d'honneur de Mrs. Atherton.

On ne sut jamais avec certitude de quoi était mort Robert Holt. Le coroner se contenta de conclure à une mort par épuisement. Il repose dans le cimetière de Kendal Green, sous une pierre tombale dont le coût l'aurait fait vivre indéfiniment.

Je me dois de préciser que la partie de ce livre intitulée *L'Etonnant Récit de Robert Holt* a été composée à partir du témoignage que Holt avait fait devant Atherton et Miss Lindon, quand il se trouvait dans la maison de cette dernière.

Table

LIVRE TROISIEME
Terreur dans la nuit et terreur en plein jour
(Miss Marjorie Lindon raconte)

LIVRE QUATRIEME
Poursuite!
(La conclusion de l'affaire. Extrait des archives de l'Honorable Augustus Champnell, détective privé)

Chez NéO

Collection «Fantastique / SF / Aventure»
194 titres parus

Collection «Le miroir obscur / policiers»
139 titres parus

Harry Dickson / L'intégrale / Reliée
complète en 21 volumes

Néo/Plus:

1) **Graham Masterton: Le démon des morts**
2) **Wilkie Collins: La dame en blanc**
3) **H. Rider Haggard: La fille de Montezuma**
4) **Ambrose Bierce: La fille du Bourreau**
5) **Francis Marion Crawford: La sorcière de Prague**
6) **Erle Cox: La sphère d'or**
7) **Wilkie Collins: La pierre de lune**
8) **Ann Radcliffe: Les mystères d'Udolpho**
9) **David Seltzer: Prophétie**
10) **Guy Endore: Le loup-garou de Paris**

et

EDGAR RICE BURROUGHS
L'intégrale de Tarzan en 24 volumes
(6 volumes parus)

SIR ARTHUR CONAN DOYLE
L'intégrale des œuvres de fiction, ésotériques,
fantastiques et d'aventures
(9 volumes parus)

*Cet ouvrage reproduit par procédé photomécanique
a été achevé d'imprimer en août 1987
sur les presses de l'Imprimerie Bussière
à Saint-Amand (Cher)*

Dépôt légal : août 1987.
N° d'édition : 447.
N° d'impression : 2042.
Imprimé en France